VERGEET ME NIET

ANDER WERK VAN MHAIRI MCFARLANE:

Zwart op wit

MHAIRI McFARLANE

VERGEET ME NIET

Vertaling Karin Schuitemaker

HarperCollins

MIX
Papier van
verantwoorde herkomst
FSC® C083411

Voor dit boek is papier gebruikt dat onafhankelijk is gecertificeerd door FSC®
ten behoeve van verantwoord bosbeheer.
Kijk voor meer informatie op www.harpercollins.co.uk/green

HarperCollins is een imprint van Uitgeverij HarperCollins Holland, Amsterdam

Copyright © 2019 Mhairi McFarlane
Oorspronkelijke titel: *Don't You Forget About Me*
Copyright Nederlandse vertaling: © 2020 HarperCollins Holland
Vertaling: Karin Schuitemaker
Omslagontwerp: bij Barbara
Omslagbeeld: © Shutterstock
Foto auteur: © Ruth Rose
Zetwerk: ZetSpiegel, Best
Druk: CPI Books GmbH, Germany

ISBN 978 94 027 0438 9
ISBN 978 94 027 5897 9 (e-book)
NUR 302
Eerste druk januari 2020

Extract from 'Don't You (Forget About Me)'
written by Keith Forsey and Steve Schiff

Originele uitgave verschenen bij HarperCollins*Publishers* London, Great Britain.
Mhairi McFarlane asserts the moral right to be identified as the author of this work.

Deze uitgave is uitgegeven in samenwerking met HarperCollins Publishers LLC
HarperCollins Holland is een divisie van Harlequin Enterprises ULC
® en ™ zijn handelsmerken die eigendom zijn van en gebruikt worden door de eigenaar van het han-
delsmerk en/of de licentienemer. Handelsmerken met ® zijn geregistreerd bij het United States Patent &
Trademark Office en/of in andere landen.

www.harpercollins.nl

Voor mijn nichtje, Sylvie
Een kleine superheld

Love's strange so real in the dark
Think of the tender things that we were working on

Simple Minds

Toen

Tapton School, Sheffield, 2005

'*Je hield van me – welk recht had je dan om me te verlaten? Omdat… niets wat God en Satan ons konden aandoen ons kon scheiden, heb jij ons gescheiden, uit eigen wil. Ik heb jouw hart niet gebroken – jij brak het zelf, en door het te breken, brak je het mijne.*'

David Marsden, de grootste lomperik van de klas, keek op en haalde zijn mouw langs zijn kin. Hij had het voorlezen van Emily Brontës roman een emotionele lading gegeven, die het menu van de Pizza Hut waardig was. Het was van groot belang voor puberjongens om het strak monotoon te houden, zodat andere puberjongens hen er niet van konden beschuldigen dat ze 'gay' waren.

De lucht in het lokaal was dik als stroop van die plakwarmte die erbij hoort als het bijna hoogzomer is, die hitte waardoor je kleren al aan het eind van de ochtend ranzig aanvoelen. In onze blokkendoos uit de jaren zestig waren de ramen tot halverwege opengeschoven bij wijze van goedkope airco, en de opgewonden kreten van het sportveld verderop dreven ons lokaal in.

'Dank je wel, David,' zei Mrs. Pemberton toen hij zijn paperback had dichtgeslagen. 'Wat zou Heathcliff in deze passage bedoelen? Iemand een idee?'

'Hij zit gewoon weer te zeiken omdat hij droogstaat,' zei Richard Hardy, en iedereen begon keihard te lachen om de serieuze discussie nog even uit te stellen, én omdat het van Richard Hardy kwam.

Een echt antwoord bleef uit, al werd hier en daar iets gemompeld. Over zes weken deden we eindexamen, en de stemming was een koortsige mengeling van opwinding over de vrijheid die lonkte en verstikkende paniek over de dreigende dag des oordeels. Die gekwelde bewoners van deze bladzijden werkten ons zo langzamerhand op de zenuwen. Wíj hadden het pas zwaar.

'Dat "welk recht had je dan om me te verlaten" is eigenlijk best eng,' zei ik, om de stilte maar te doorbreken voordat die echt te lang werd. Mrs. Pemberton kon narrig worden als het bleef duren, en dan gaf ze meer huiswerk op. 'Alsof Cathy het verdient om ongelukkig te zijn omdat ze niet bij hem bleef, dat is wel een beetje... ieuw.'

'Dat vind ik interessant. Je vindt het dus niet terecht dat Heathcliff zegt dat zij, door te ontkennen wat ze voor hem voelt, haar eigen leven en dat van hem heeft verwoest?'

'Ik weet het niet...' Ik haalde even diep adem. '...maar dat van haar liefde voor Heathcliff die als de rotsen onder alles is, onveranderlijk, maar haar geen bevrediging schenkt' – dat laatste raffel ik af vanwege het onvermijdelijke gejoel om 'bevrediging' – 'klinkt niet alsof ze er veel lol aan beleefd zou hebben, toch? Het gaat hem alleen maar om wat zij hem verplicht is.'

'Zou het kunnen dat hun liefde niet conventioneel romantisch is, maar diep en wezenlijk, als een natuurkracht?'

'Eerder wezenloos,' zei een jongensstem. Ik keek opzij, en Richard Hardy gaf me een knipoog. Mijn hartslag schoot meteen omhoog.

Mijn docente had de irritante gewoonte om me serieus te nemen en zelfs echt aan het denken te zetten. Een keer riep ze me terug aan het eind van de les en zei ze: 'Je doet je minder slim voor dan je bent om meer aanzien te krijgen onder je klasgenoten. Buiten dit lokaal ligt nog een hele wereld, Georgina Horspool, en aan je eindcijfers heb je uiteindelijk meer dan aan hun lachsalvo's. Mooi gaat ook maar even mee hoor.'

Ik was woest, met die woede die je reserveert voor iemand die je iets voor de voeten gooit wat voor de volle honderd procent waar is. (Dat 'mooi' vond ik dan wel weer een opsteker. Ik vond mezelf niet knap, en ik zou nog een hele tijd meegaan voordat ik oud was.)

Intussen zat de rest van de klas alweer zacht te kletsen, en de algehele onverschilligheid over *Woeste hoogten* was te snijden.

Toen Mrs. Pemberton merkte dat de aandacht voor de tekst onherroepelijk dreigde te verdwijnen, gooide ze haar steen in de vijver.

'Ik ga jullie maar van plaats laten ruilen, denk ik. Volgens mij komt het de concentratie in de klas niet bepaald ten goede dat jullie naast je beste maatjes zitten.'

Ze liep door het lokaal en wees onder veel gemopper bij elk tafeltje aan wie mocht blijven en wie moest verkassen. Ik ging ervan uit dat ik mezelf hier nog wel uit kon kletsen.

'Joanna, jij blijft waar je bent; Georgina, jij mag naar voren.'

'Wat? Waarom?'

Vanzelfsprekend zaten alleen probleemgevallen, nietsnutten en verschoppelingen vooraan. Dit was intens onrechtvaardig.

De tafelverdeling volgde onzichtbare, maar strikte standsgrenzen. De nerds en rare gevallen zaten voorin. Degenen die redelijk goed lagen in de klas en hun best deden om punten op coolheid te scoren, zoals Jo en ik, zaten in het midden. Achterin zaten dan de echte sterren, zoals Richard Hardy, Alexandra Caister, Daniel

Horton en Katy Reed. Er werd gefluisterd dat Richard en Alexandra iets hadden, maar ook weer niet, want ze waren nou eenmaal cool.

'Huppakee. Verhuizen.'

'Maar mevrouw Pemberton!'

Ik kwam zuchtend overeind en dumpte mijn pennen in mijn tas in een tempo dat mijn tegenzin moest onderstrepen.

'Je mag daarheen,' zei Mrs. Pemberton wijzend. 'Lucas ziet je vast graag komen.' Die woordkeus, die een golfje van gegniffel veroorzaakte, had van mij echt niet gehoeven.

Lucas McCarthy. Een onbekende die zich zoals alle toekomstige moordenaars afzijdig hield van de rest. Niet de pest voor mijn positie, maar mijn keus zou het niet geweest zijn.

Hij was een lange lat met een spitse kin waardoor hij een beetje ondervoed leek. Hij was Iers, wat te zien was aan zijn korte, pikzwarte piekhaar en bleke teint. Er waren grapjassen die hem Gerry Adams noemden, maar nooit recht in zijn gezicht vanwege zijn oudere broer die bekendstond als keihard en levensgevaarlijk.

Lucas' donkere ogen namen me ernstig en afwachtend op. Het gemak waarmee ik de schrik en de spanning van zijn gezicht kon aflezen verbaasde me. Zou ik hem publiekelijk vernederen door mijn mogelijke weerzin te laten blijken? Werd dit een beproeving? Moest hij zich schrap zetten?

Ik zag mezelf weerspiegeld in die ongeruste blik en baalde ervan dat hij mij aanzag voor iemand van wie hij dat te vrezen had.

'Ik hoop dat ik je niet ontrief,' zei ik toen ik in mijn stoel plofte, en ik voelde de spanning een fractie afnemen. (Ik hield van plechtstatig woordgebruik, maar wel luchtig ironisch, voor het geval iemand dacht dat ik duur stond te doen. Mrs. Pemberton had me echt wel door.)

12

'Jullie gaan tot de bel gaat in tweetallen aan de slag met de vraag die ik zo ga opgeven, en dan bespreken we jullie bevindingen vrijdag in de les. Gaat *Woeste hoogten* over liefde? Zo ja, wat voor liefde? Wijs iemand aan om aantekeningen te maken,' zei Mrs. Pemberton.

Lucas en ik keken elkaar schutterig lachend aan.

'Jij bent hier de denker, dus ik schrijf wel,' zei Lucas, die het onderwerp al boven aan een gelinieerd A4'tje kalkte.

'Vind je? Bedankt.'

Ik glimlachte maar weer, bemoedigend. Lucas' gezicht begon op te klaren, zag ik. Ik speurde mijn geheugen af naar een nuttig weetje over hem. Hij was pas in de bovenbouw op school gekomen, wat deels verklaarde waarom hij er een beetje bij hing.

Hij droeg altijd dezelfde zwarte T-shirts met van die afbeeldingen die in de was brokkelig en vaag waren geworden, en drie rood met blauwe koordjes als armbandjes. Ik herinnerde me dat sommige jongens hem daarom 'zigeuner' noemden. (Maar nooit recht in zijn gezicht, want die oudere broer was dus keihard en levensgevaarlijk.) In de kantine zat hij vaak in zijn eentje muziekbladen te lezen, met een in Dr. Martens gestoken voet op zijn knie.

'Ik ben het wel eens met wat je over Heathcliff zei. Hij is eigenlijk eerder een weerwolf dan een mens, toch?' zei hij.

Ik besefte dat ik al twee jaar met Lucas in hetzelfde gebouw rondliep en in dezelfde lokalen zat, maar nog nooit een woord met hem had gewisseld. Hij praatte zacht en met een licht Iers accent. Ik had het plaatselijke accent verwacht. Zo weinig aandacht had ik dus altijd voor hem gehad.

'Ja, dat! Een soort grote, boze hond.'

Lucas lachte naar me en begon te schrijven.

'Ik weet het niet hoor, maar dat Cathy de schuld krijgt van het hele verhaal vind ik maar niks,' zei ik. 'Ze maakt één verkeerde keus en meteen zit alles en iedereen nog generaties lang in de ellende.'

'Ik denk dat er niet veel van de plot zou overblijven als ze de goede keus had gemaakt.'

'Ook weer waar,' zei ik lachend. 'Dan had het *Hier zijn de Heathcliffs* geheten. Hoe heet hij eigenlijk van voren als Heathcliff zijn achternaam is?'

'Volgens mij heeft hij maar één naam. Net als Morrissey.'

'Of hij heet Heathcliff Heathcliff.'

'Geen wonder dat hij zo'n stuk chagrijn is dan.'

Ik lachte. Lucas was niet stil omdat hij saai was, besefte ik, maar omdat hij observeerde en luisterde. Hij was een soort suf houten kistje waar ik een berg dure sieraden in had ontdekt. Was hij eigenlijk wel zo suf? Ik begon het me af te vragen.

'Ik weet niet of het wel haar eigen keus was...' zei Lucas voorzichtig, alsof hij nog aftastte wat hij wel en niet kon zeggen. 'Ik bedoel, het komt toch eigenlijk door geld en standsverschil en zo? Ze denkt dat ze te goed voor hem is, maar dat is onder invloed van de Lintons. Na dat ongeluk met de hond groeien ze heel anders op. Misschien is het gewoon allemaal de schuld van de hond.'

Hij kauwde op zijn pen en keek me met een aarzelend lachje aan. Er was iets veranderd. Alles was anders. Ik wist nog niet dat de kleine momenten onvoorstelbaar groot kunnen zijn.

'Ja. Dus het gaat over hoe liefde te gronde gaat...' Ik wilde indruk op hem maken. '...in een afwijzende omgeving.'

'Maar gaat hun liefde wel echt te gronde? Haar dolende ziel plaagt hem jaren later nog. Ik zou eerder zeggen dat ze doorging, maar in een andere vorm.'

'Een verknipte, verbitterde, uitzichtloze vorm dan, vol woede en verwijt, waar hij haar niet meer kan raken?' zei ik.

'Ja.'

'Net als bij mijn ouders dus.'

Ik maakte wel vaker met enig succes grapjes, maar volgens mij was ik nog nooit zo blij geweest om iemand er dubbel om te zien liggen. Ik weet nog dat ik Lucas' tanden zo wit vond, en dat ik bedacht dat dit voor het eerst was dat ik zijn mond zo ver open had zien gaan dat ik dat kon zien.

Zo begon het, maar het échte begin begon met één zinnetje, drie lessen daarna.

Het stond geschreven op een multomapblaadje, onder aan onze gezamenlijke essays over 'de rol van het bovennatuurlijke'. We gaven de essaymap steeds aan elkaar door voor op- en aanmerkingen waarmee we de ander vurig hoopten te verbluffen.

Ik begreep niet meteen wat ik zag toen mijn ogen aan dat verdwaalde zinnetje bleven haken, maar toen kroop een warme gloed omhoog in mijn nek en omlaag langs mijn armen.

Ik vind je lach leuk. X

Daar stond het, in ballpointblauw, als een onverwachte voettekst. Zo terloops dat ik er bijna overheen had gekeken. Waarom had hij me niet geappt? (We hadden nummers uitgewisseld voor als er dringende Brontë-gerelateerde vragen opborrelden.) Ik wist het antwoord wel. Een berichtje was onomstotelijk. Dit bood zo nodig nog ruimte voor ontkenning.

Het was dus wederzijds, deze recente obsessie met het gezelschap van Lucas McCarthy. Ik had die vonk nog niet eerder zo sterk gevoeld, zeker niet met een mannelijk persoon, wiens huid, zo was me laatst opgevallen, er trouwens uitzag als de binnenkant van een schelp.

Tot voor kort had ik hem niet eens opgemerkt, en nu werd ik beheerst door mijn vermogen om hem altijd en overal op te merken. Mijn zintuigen scherpten zich tot ze zo hypergevoelig waren als die van een roofdier: ik kon van moment tot moment exact vertellen waar Lucas zich in de ruimte bevond, zonder dat je mijn blik ook maar één tel zijn kant op zag schieten.

Na een hele tijd schreef ik er beverig onder:

Dat vind ik ook van die van jou. X

Aan het eind van de volgende les gaf ik de map terug aan Lucas. We keken elkaar heel even schuldbewust aan en keken toen snel weer weg. Toen ik de map weer in handen kreeg, was dat ene vel verdwenen.

Ik had geen idee hoe het voelde om verliefd te worden. Dat was me nog nooit gebeurd. Als het eenmaal zover is, herken je het vanzelf, merkte ik.

We grepen elk excuus aan om samen te leren, buiten schooltijd, en het mooie weer bood ons een excuus om buiten de deur af te spreken, in de hortus.

Het waren dates, met de samenvattingen en studiehulpjes die om ons heen in het gras lagen als vijgenblad. Ik had Mrs. Pemberton wel kunnen zoenen, echt waar.

In het begin praatten we aan één stuk door, begerig naar informatie. Zijn leven in Dublin, onze familieleden, onze plannen voor de toekomst, onze favoriete muziek, films en boeken. Die donkere, ernstige, nuchtere Ierse jongen bleef me verbazen. Hij gaf niets cadeau; je moest het allemaal zelf ontdekken, van zijn droge, spitse humor en scherpe verstand tot zijn knappe uiterlijk, waarvoor hij alleen zijn hoofd omhoog en borst vooruit had hoeven doen om ermee te koop te kunnen lopen. Hij had genoeg aan zichzelf, terwijl ik juist het gevoel had dat ik buiten mijn oevers trad.

Als ik iets zei, luisterde hij met volle aandacht. In de spiegel van Lucas' fascinatie kreeg ik een ander beeld van mezelf. Ik was de moeite waard. Ik hoefde het er niet zo dik bovenop te leggen.

De derde keer dat we afspraken in ongeveer vijf dagen tijd boog Lucas zich naar me toe om iets in mijn oor te fluisteren over een paar mensen vlakbij. Het was een voorzetje – zo dichtbij had hij niet hoeven komen – en ik voelde dat we weer een stapje verder gingen.

Lucas streek heel lichtjes de plukjes uit mijn gezicht die uit mijn paardenstaart waren ontsnapt en zei: 'Is dat je eigen haar?'

We barstten uit in een hysterische lachstuip.

'Is het je eigen kleur! Ik bedoelde de kleur! O, mijn god...'

Ik veegde de tranen uit mijn ogen. 'Ja, dit is een pruik in mijn eigen haarkleur. Daar vraag ik mijn pruikenmaker speciaal om.'

Op dat onbewaakte moment, nog slap van het lachen, zei Lucas: 'Het is echt mooi.'

We hielden allebei even onze adem in, we keken elkaar in de ogen en dat was dat, we begonnen te zoenen.

Sindsdien studeerden we elke dag samen. Na de zoen was het hek van de dam en werden we elke keer weer iets openhartiger. We fluisterden elkaar geheimen toe, onze angsten en verlangens, en gaven onszelf steeds gevaarlijker bloot. Hij gaf me een koosnaampje. Ik had me nog nooit zo gezien gevoeld. Ik had me nog nooit zo durven laten zien.

Voordat ik Lucas kende, was mijn lichaam een bron van vertwijfeling en verwijten: niet dun genoeg, borsten te groot, te weinig ruimte tussen de dijen. Onze stoeipartijen leerden me ervan te houden. Ook met al onze kleren nog aan was het niet te missen wat een dramatische uitwerking het op hem had: de uitslaande hitte, zijn hartslag, onze gejaagde ademhaling. Ik drukte me tegen hem aan tot ik de bult in zijn spijkerbroek voelde en dacht: Dat doe ík. De gedachte aan een afgezonderd plekje waar het van een serieuze kruisbestuiving kon komen was bijna onverdraaglijk opwindend.

We vertelden er niemand iets over. Waarom weet ik eigenlijk niet, en we hadden het er ook nooit over gehad. Het was een stilzwijgende afspraak.

Op school lag nog steeds een loodzwaar en belachelijk taboe op elk soort relatie. Ik schrok terug voor het gejoel en het applaus op de gang, mensen die elkaar aanstootten, de lepe lachjes, de vragen over wat we deden waar we allebei van door de grond zouden gaan. Ik wist ook gewoon dat ik ermee geplaagd zou worden, meer dan hij. Scoren is scoren, onder jongens, en hoe bot het ook klinkt: ik was redelijk populair, Lucas niet. De jongens zouden met wolvengejank en spottende grapjes komen, de meisjes met een vragend 'Ieuw?'.

Het was gewoon veel makkelijker om het uit te zitten, want nog even en we waren voorgoed verlost van school met al die wrede regeltjes.

Als ik zeg dat de eerste manspersoon die mijn outfit voor het eindexamenfeest zag mij met open mond aanstaarde, is daar niets aan gelogen. Jammer genoeg was hij acht jaar oud en een irritant snotjong.

Toen ik de deur uit liep op die warme zomeravond, opgetut tot in de puntjes en de rest van de leestekens erbij, stond het zoontje van de buren met een afgekloven ijsstokje te hengelen naar de klopper op zijn voordeur om binnengelaten te worden. Zijn lippen zagen een buitenaards frambozenrood.

'Waarom glim jij?' vroeg hij, wat je zou kunnen opvatten als een correcte inschatting van mijn stemming, als hij niet had gedoeld op de achtenzestig soorten make-up waarmee ik mezelf had geplamuurd.

'Pleur op, Willard,' zei ik vrolijk. 'Kijk zelf eens in de spiegel.'

'Ik zie je tieten!' riep hij nog, en toen dook hij naar binnen voordat ik hem een mep kon verkopen.

Ik sjorde mijn jurk op en dacht benauwd dat Willard – ook al was hij met zijn Elmo-sweater zelf ook geen *Vogue*-stagiair – het misschien terecht te veel van het goede vond. Mijn jurkje was diep donkerrood met een behoorlijk laag uitgesneden, hartvormig decolleté, en ik had van die borsten die zich er niet zomaar onder laten houden. Ik had niet goed opgelet bij het aankleden omdat het de eerste keer in mijn leven was dat ik ondergoed aantrok in de wetenschap dat ik niet zelf de persoon was die het zou uittrekken. Ik werd al duizelig bij de gedachte.

Lucas en ik hadden een belofte gedaan. Toen onze aangeklede vrijpartijen bijna even frustrerend als opwindend werden, had ik voorgesteld om samen een nacht 'in de stad' te slapen na het eindfeest. Ik liet het gewoon nonchalant vallen alsof het een heel voor de hand liggend idee was en probeerde zelfs te klinken alsof ik misschien al vaker zoiets had gedaan. Ik wist niet of dat voor hem gold.

'Is goed,' zei hij met een blik en een lach die me recht in mijn hart en mijn kruis raakten.

Ik kwam bijna los van de grond van de opwinding: ik wist gewoon precies wanneer ik ontmaagd ging worden, en het zou met hém zijn.

Eerder op de dag was ik naar de Holiday Inn gegaan. Ik had ingecheckt, vol verwondering naar het tweepersoonsbed staan staren, en eenmaal weer thuis mijn onverschillige ouders er nog eens aan herinnerd dat ik bij Jo zou blijven slapen. Mijn zus Esther, met haar abnormaal goede antenne voor smoezen, was gelukkig niet thuis.

Het feest werd gehouden in het zaaltje van een Ierse kroeg vol plastic *shamrocks* in de stad. Er stond een schraagtafel vol beige eten en sloten goedkope drank in plastic emmers die tot de rand toe gevuld waren met ijs dat binnen de kortste keren in een smeltwatermoeras zou veranderen.

Het was raar om daar tegelijk met Lucas te zijn en te weten hoe intiem we later zouden zijn, maar ondertussen te doen alsof we elkaar eigenlijk niet zagen staan. Ik zag hem aan de andere kant van de zaal in zijn zwarte ribbroek een blikje bier aan zijn mond zetten. We knikten elkaar bijna onzichtbaar toe.

Tot nu had het wel zo praktisch geleken om onze relatie voor onszelf te houden, maar pas die avond voelde het voor het eerst niet goed. Wat viel er te verbergen? Zat er schaamte achter, bewust of onbewust? Zou hij liever open kaart hebben gespeeld? Moest ik me beledigd voelen omdat hij er stilzwijgend in was meegegaan?

Ik raakte even helemaal in de knoop, maar we hadden onze koers nu uitgezet en daar moesten we het mee doen. Misschien konden we het er later nog over hebben. Later. Ik kon bijna niet geloven dat het echt zover zou komen. Mijn hoofd tolde.

Ik dronk te snel – een mix van cider, bier en bessen – en voelde mijn remmingen oplossen in de koolzuurbubbels. Richard, die tegenwoordig Rick heette, was mij verteld, zei: 'Je ziet er goed uit.' Ik trilde even en bedankte bedeesd. 'Net zo'n chic hoertje met een gouden hart. Dat is wel jouw ding, toch?'

'Hahaha,' zei ik, terwijl iedereen om ons heen dubbel lag. Hier werd volwassen gegeind, en wat had ik een mazzel dat ik daar deel van mocht uitmaken.

Hoe later het werd, hoe meer ik het gevoel had dat ik me bewoog in een kring van licht en vrolijkheid. Ik bevond me onder de uitverkorenen en begreep niet waarom ik mezelf altijd zo had onderschat. Ik was aangeschoten, dat klopt, maar opeens leek het zo'n makkie om leuk gevonden te worden.

Jo en ik keken elkaar verwonderd aan. Was het echt gedaan met school? Hadden we het overleefd? En eindigden we op zo'n hoogtepunt?

'Hé, George.'

Rick Hardy wenkte me. Zei hij nou George tegen me? Jee, ik was echt binnen. Hij stond naast een afvalbak vol blikjes tegen de muur geleund, zoals gewoonlijk omringd door een kudde hielenlikkers. Het gerucht ging dat hij studeren liet zitten; een 'bekend label' had belangstelling getoond voor zijn band.

'Ik wil je iets laten zien,' zei hij.

'Oké.'

'Ergens anders.' Rick maakte zich met de vloeiende beweging van een opkomende rockster los van de muur en gaf zijn drankje aan een bewonderaar. Hij stak zijn hand uit, vroeg met een wenkende vinger om die van mij – ik voelde diverse paren ogen onze kant op draaien – en zei: 'Kom.'

Ik zette verrast mijn glas met een knal op tafel, legde mijn hand in de zijne en liet me meevoeren door de bomvolle zaal. Een nieuwe auto of een vette joint, gokte ik. Dit moest ik wel in stijl tot een goed einde kunnen brengen.

Ik keek even naar Lucas om hem gerust te stellen dat dit natuurlijk verder niets voorstelde, wat denk je nou. Hij keek terug met exact die blik van die allereerste keer dat ik naast hem kwam zitten.

Hoeveel pijn ga je me doen?

1
Nu

'En de soep van de dag is wortel-tomaatsoep,' besluit ik op een parmantig 'ta-daa'-toontje dat veel te veel eer is voor oranje soep.

('Bestaat dat, wortel-tomaatsoep?' zei ik tegen chef-kok Tony terwijl hij met een lepel wat stond te porren in een ketel waar een belegen groentegeur uit op walmde. 'Je ziet het, Tinkerbell Tits.' Als je het mij vraagt, heeft Tony geen diploma van de Roux Academie. Ook niet van de charme-academie, trouwens.)

Eerlijk gezegd legde ik voor mezelf dat beetje flair in mijn presentatie, niet voor de klant. Ik ben geen gewone serveerster. Ik ben een spion uit de woordenwereld, spiedend naar materiaal. Ik observeer mezelf van een afstand.

De man, type ontevreden middlemanager met een zo te zien depressieve vrouw, laat zijn ogen over de gelamineerde opties van That's Amore! gaan. Het menu is verfraaid met Clipartplaatjes van de scheve toren van Pisa, een vork die regenwormen opdraait en een Pavarotti die meer weg heeft van Bigfoot in de greep van een beroerte.

Hij heeft gereserveerd als Mr. Keith, wat ik grappig vond, al bestaat er een actrice die Penelope Keith heet dus misschien moet ik er niet om lachen.

'Wortel-tomaat? Hmm, nee. Nee, dat denk ik niet.'

Ik ook niet.

'Wat kun je ons aanbevelen?'

Ik haat die vraag. Het is vragen om meineed. Tony zei: 'Plug de spaghetti vongole als dagschotel, de mosselen kijken niet meer zo helder uit hun oogjes.'

De Turkse eettent op vijf minuten lopen, die kan ik aanbevelen.

'Wat dacht u van de arrabiata?'

'Is dat pittig? Ik hou niet van heet.'

'Licht pittig, maar nog best mild.'

'Wat jij mild vindt, is dat voor mij misschien niet, jongedame!'

'Vraag het mij dan niet,' brom ik binnensmonds.

'Pardon?'

Ik grimlach: deemoedig van buiten, verbeten van binnen. Een belangrijke vaardigheid, grimlachen. Ik buig licht voorover, leg mijn handen op mijn knieën en zeg gedienstig: 'Waar houdt u zoal van?'

'Ik hou wel van risotto.'

Dan zou u ook gewoon de risotto kunnen bestellen, of doe ik nu te ingewikkeld?

'Maar dat is met zeevruchten,' zegt hij met een moeilijke blik.

'Wat voor zeevruchten?'

Uit een diepvriesbakje waar in merkstift ZEEVRUCHTEN op staat en het lijkt op het aas dat je bij een hengelsportzaak koopt.

'Van alles. Venusschelpen, mosselen, garnalen...'

De moed zinkt me in de schoenen als ik een carbonara noteer. Deze man heeft Stevige Feedback op zijn voorhoofd staan, en dit restaurant geeft zowel de veeleisende als de gedachteloze eter genoeg om op te schieten.

Dit zijn een paar van de populairste reacties op TripAdvisor over That's Amore!

Ultiem treurig, deze tent. Het knoflookbrood smaakt alsof iemand heeft ontdekt hoe je stinkende adem op toast kunt smeren. Ze hadden wel gelijk dat het uitstekend samengaat met de paté, eerlijk is eerlijk, want die is zo te proeven van oude ezel gemaakt. De witte huiswijn is het zweet van Satan. Toen de deur naar de keuken op een kier stond, zag ik een kok die eruitzag als een dode Bee Gee, aan zijn klokkenspel krabben, dus ik ben vertrokken voordat ze me het hoofdgerecht konden aandoen. Nu zal ik helaas nooit weten of de kalfsscaloppine alles goed had kunnen maken. De ober verzekerde me wel dat al hun producten lokaal en scharrel waren, dus ergens in dat buurtje zal wel een briefje met een foto van een vermiste kat hangen, als je begrijpt wat ik bedoel

Ik was dan wel zo stoned als een garnaal op mijn eerste en laatste bezoek aan deze baggertent, maar wat moeten 'Neepsend Garnalen' gvd zijn dan? De kust ligt daar nog zeker honderd kilometer vandaan. Als ik nog eens een galgenmaal moet kiezen wordt het de pollo alla cacciatora van dit restaurant, want daarna kan mijn executie alleen nog maar meevallen

Ik zei tegen de eigenaar van That's Amore! dat ik nog nooit zulke slechte bolognesesaus had gegeten, het leek wel gehakt met ketchup. Hij zei dat zijn Nonna het altijd zo maakte volgens haar speciale recept, dus ik zeg: dan kan die Nonna van jou niet koken & toen kreeg ik te horen dat ik zijn familie niet moest beledigen! Niet lullig bedoeld, maar hij leek mij even Italiaans als Boris Becker

That's Te Goor Hé zal je bedoelen

2

'Wilde je altijd al serveerster worden?' vraagt Callum, mijn enige collega buiten de keuken. Hij zet als een cowboy zijn flesje Orangina aan zijn mond en draait dan ferm de dop er weer op, als een echte man.

Hij heeft een vage snor en zweetkringen onder zijn oksels, en zijn enige hobby/bezigheid is de sportschool, waar hij lessen met namen als 'Leg Death' volgt. Ik heb vaak het bange vermoeden dat hij met me probeert te flirten. Om dat te ontmoedigen leg ik veel 'oudere zus' in mijn toon als ik met hem praat.

'Nou... Ik geloof niet dat ik dit ooit echt wilde. Of wil.'

'O. Oké. Hoe oud was je ook alweer?' vraagt Callum.

Als niet al te snuggere tweeëntwintigjarige voelt Callum niet aan wanneer het overduidelijk is wat er door zijn hoofd gaat. Zo merkte hij ook een keer tegen me op dat de stepper zo'n goed fitnessapparaat was, 'zelfs als je vijf of tien kilo boven je streefgewicht zit'.

'Dertig,' zeg ik.

'Zo!' Hij schudt zijn hoofd.

'Bedankt, hè.'

'Zo oud lijk je nog helemaal niet, bedoel ik. Eerder... iets van achtentwintig?'

De laatste tijd wordt me pijnlijk duidelijk dat mijn collega's in de horeca niet meer van 'mijn leeftijd' zijn, maar ik steeds vaker de grande dame ben. Van die gedachte krimpt mijn maag ineen als een lekke voetbal. De toekomst is een buitenland waar ik liever niet over nadenk.

Toen ik bij That's Amore! kwam werken liep ik een maand achter met de huur en maakte ik mezelf wijs dat het retro was, met die druipkaarsen in chiantiflessen in rieten mandjes, de rood-wit geruite, afneembare tafelkleden, plastic druiventrossen aan de bar en *Italian Classic Love Songs: Vol 1* in de cd-speler.

'Waarom zoek je geen echte baan?' vroeg mam. Ik legde voor de duizendste keer uit dat ik een schrijver-in-de-wacht ben die ook soms geld moet verdienen, en dat als ik een echte baan vind, het voortaan alleen nog maar echt werken is. Ergens diep in een kast ligt nog het jaarboek uit mijn eindexamenjaar. Ze hadden me uitgeroepen tot winnaar in de categorieën Gaat Het Ver Schoppen en Studeert Cum Laude af. Ik heb het tot de beroerdste trattoria in Sheffield geschopt, en met mijn studie ben ik na een semester gestopt. Maar verder klopt het helemaal.

'Straks ben je een heel oude serveerster zonder pensioen,' antwoordde mam.

Mijn zus Esther zei bemoedigend: 'Godzijdank ken ik niemand die daar komt.'

Joanna zei: 'That's Amore! is toch waar ze vorig jaar een uitbraak van het norovirus hadden?'

Ik had toen al kennisgemaakt met de 'eenvoudige maar eerlijke kost' en vroeg me af of dat virus niet ten onrechte als zondebok was aangewezen.

Inmiddels ben ik in staat om die cd op repeat met een moker te bewerken. De maan mag Dean Martin van mij in zijn oog rammen als Mike Tyson.

Ik blijk niet zozeer te zijn aangenomen als serveerster, maar als apologeet voor gastronomisch terrorisme. Ik ben de muilezel die de illegale waar van de keuken naar de tafels brengt en de vermoorde onschuld speelt als er vragen komen.

Als aanvulling op mijn schamele salaris mocht ik er gratis lunchen, wat een voordeel bleek zoals roetsjen van een opblaasglijbaan bij neerstorten met een vliegtuig.

Maar het misselijkste is toch wel dat That's Amore! nog winst maakt ook, met dank aan een assortiment verwarde bejaarden, masochisten, studenten die op 'tweede gratis'-deals afkomen en mensen van buiten.

De eigenaar, een ontzettend narrige man die iedereen alleen kent als 'Beaky', beroept zich op Italiaanse wortels 'aan mijn mama's kant', terwijl hij eruitziet en klinkt als honderd procent Sheffield. Af en toe komt hij langs om grappa te drinken en de kassa leeg te halen, en verder vindt hij het wel prima met Tony als plaatsvervangende baas.

Tony, een pezige kettingroker met een sliertig matje in zijn nek, is wel te doen zolang je hem op de goede manier benadert, oftewel: alles wat hij zegt aannemen als Gods woord, zijn geile oprispingen voor lief nemen en voor ogen houden dat je hiervoor betaald wordt.

Vanavond is het niet al te druk, en nadat ik de hoofdgerechten heb uitgeserveerd aan de gelukkige ontvangers drink ik een slokje water en kijk ik in het roestvrijstaal van het espressoapparaat of ik er niet al te verfomfaaid uitzie.

Iemand roept me van de andere kant van de zaak.

'Pardon, jongedame? Mevrouw!'

Ik plooi mijn gezicht in een neutraal belangstellende uitdrukking en loop naar de wenkende Mr. Keith, terwijl ik al precies weet hoe het nu verdergaat. Hij pakt zijn vork en laat die weer vallen in de gestolde dril met de kleur van vieze voegen van zijn spaghetti carbonara.

'Dit is niet te eten.'

'Het spijt me dat te horen. Wat is het probleem?'

'Wat níét? Het smaakt naar voeten. Het is lauw.'

'Wilt u misschien een ander gerecht?'

'Nou, nee. Ik heb carbonara besteld omdat dat was waar ik trek in had. Ik wil dit graag, maar dan eetbaar.'

Ik doe mijn mond open en weer dicht, want ik weet niet hoe ik dit kan oplossen zonder Tony te ontslaan, andere leveranciers te zoeken en That's Amore! tot op de grond toe af te breken.

'Het heeft duidelijk te lang gestaan terwijl de risotto van mijn vrouw werd klaargemaakt.'

Ik zou er geen slag naar durven slaan, aangezien de echte reden ongetwijfeld nog veel erger is.

'Zal ik de keuken vragen een nieuwe portie voor u te maken?'

'Graag,' zegt de man en hij geeft me het bord aan.

Ik vertel Tony wat er aan de hand is. Hij lijkt er nooit problemen mee te hebben als klanten zeggen dat zijn eten ranzig is. Vatte hij het maar eens persoonlijk op, dan ging het niveau misschien eindelijk omhoog.

Hij pakt een grootverpakking met vlokken Parmezaanse kaas, stort een extra handje op het gerecht, roert het om en zet het bord twee minuten in de magnetron. Die piept en hij pakt het bord eruit.

'Wacht nog vijftig tellen voordat je het aan hem geeft. De mond proeft wat het brein wordt verteld,' zegt hij met een tikje van zijn vinger tegen zijn voorhoofd.

Als het zo simpel was, denk ik, zou That's Amore! nu een Michelinster hebben in plaats van gemiddeld één ster op Trip-Advisor.

Het probleem is dat ik wel op Tony kan inpraten dat hij een nieuwe portie moet maken, maar dat die verse carbonara toch weer even slecht zal zijn als deze.

Ik geneer me kapot. Mijn leven voelt als één lange oefening in het afstompen van mijn zenuwuiteinden.

Als ik nog iets langer heb gewacht om de illusie kracht bij te zetten stap ik mét de gewraakte pasta door de klapdeuren het restaurant weer in.

'Alstublieft, meneer,' zeg ik en ik zet het bord voor hem neer met een grimlach waar Basil Fawlty nog een puntje aan kan zuigen. 'Met mijn oprechte excuses.'

De man tuurt naar het bord, en ik ben innig dankbaar met de afleiding in de vorm van een ouder echtpaar dat begroet en een tafeltje gewezen moet worden.

Ik heb me nauwelijks omgedraaid of ik zie tot mijn ontsteltenis dat Mr. Keith me alweer wenkt. Hoe kan het ook anders. Ik moet hier weg. Wég. Zodra ik de huur voor deze maand bij elkaar heb. En dat weekje Kreta met Robin heb geboekt, als ik hem mee kan krijgen.

'Dit is dezelfde pasta als daarnet. De pasta die ik heb teruggestuurd, dus.'

'Och, nee toch?' Ik zet een verbaasd gezicht op en schud nadrukkelijk mijn hoofd. 'Ik heb de kok om een verse portie gevraagd.'

'Het is hetzelfde bord.' De man wijst naar een kerfje in het kleurige bord. 'Dat zat er net ook.'

'Eh... misschien heeft hij de vers bereide pasta op hetzelfde bord gedaan?'

'Hij heeft een nieuwe portie gemaakt, de oude in de afvalbak geschoven, het bord afgewassen, het afgedroogd en toen weer volgeschept? Dan pak je toch een nieuw bord? Hebben jullie zo weinig borden?'

Het hele restaurant luistert mee. Ik weet niets te zeggen.

'Laten we reëel blijven. Dit is dezelfde pasta die is opgewarmd.'

'Ik denk toch echt dat de kok een nieuwe portie heeft klaargemaakt.'

'Weet je dat zeker? Heb je het hem met eigen ogen zien doen?'

De klant heeft altijd gelijk, zeggen ze, maar ik haat die man nu echt.

'Dat niet, maar... Ik weet zeker dat het zo is.'

'Haal hem er maar bij.'

'Sorry?'

'Haal de kok erbij, dan kan ik het van hemzelf horen.'

'O... Hij kan nu echt niet weg bij het fornuis.'

'Ik geloof graag dat hij het druk heeft, met die eigenaardige hebbelijkheid om af te wassen onder het koken.'

Mijn grimlach doet niet meer onder voor de verkrampte grimas van The Joker.

'Ik wacht wel tot hij een paar minuutjes vrij kan maken om mij uit de doeken te doen waarom ik twee keer dezelfde ondermaatse, kwabbige slobber geserveerd krijg en daarover word voorgelogen.'

Kwabbige slobber. Fraai. Ik tref het maar weer met zo'n welbespraakte kwaadwillende gast.

Ik loop terug naar de keuken en zeg tegen Tony: 'Hij wil jou spreken. De man met de carbonara. Hij zegt dat hij weet dat het dezelfde pasta is omdat het op hetzelfde bord ligt.'

Tony keert net een eendenborst met een tang. Ik zeg wel eend, maar als ergens in de buurt een dierenwinkel is beroofd, zou het ook papegaai kunnen zijn.

'Hè? Zeg maar dat hij mijn rug op kan. Wat denkt hij, dat hij Detective...' Het blijft even stil. '...Bord is, of zo?'

Als het tot een intellectuele krachtmeting komt tussen Detective Bord en Tony zet ik mijn geld in op de eerste.

'Jij bent de bediening, regel dat. Daar ben ik niet voor.'

'Maar jij geeft me de oude pasta! Wat wil je dan dat ik doe als hij dat merkt?'

'Gooi je charme in de strijd. Dat hoor je toch te zijn, dacht ik? Charmant?' Hij neemt me met een veelbetekenende blik van top tot teen op.

Een Tony-klassieker: passief-agressief pesten op de werkvloer verpakt in seksisme, en dat in één enkele opdracht.

'Ik kan toch niet tegen hem zeggen dat hij zijn eigen ogen niet kan vertrouwen? We hadden een nieuw bord moeten pakken.'

'Klotezooi,' zegt Tony, die een theedoek van zijn schouder haalt en neersmijt. 'Die eend gaat zo ook naar de klote.'

Klagen over de gevolgen van de kwaliteit van zijn kokswerk voor de kwaliteit van zijn kokswerk is van een monumentale hypocrisie.

Hij draait het vuur onder de pan uit en knalt met veel gevoel voor dramatiek door de klapdeuren. 'Wie?' vraagt hij. Die strijdlust voorspelt weinig goeds, vrees ik.

Ik wurm me als Gollum langs Tony en ga hem onder het uitstoten van diplomatieke, sussende geluiden voor naar de betreffende tafel.

'Waar kan ik u mee helpen?' bast Tony op volle sterkte. Hij zet zijn handen op zijn heupen in zijn witte koksjasje dat al een tijdje niet wit meer is.

'Hiermee,' zegt Mr. Keith, die zijn vork weer oppakt en walgend laat vallen. 'Dit kunt u me toch met goed fatsoen niet voorzetten?'

Tony kijkt hem met grote bolle ogen aan. 'Weet u hoe spaghetti carbonara wordt gemaakt? Dit is bereid volgens traditioneel Italiaans recept.'

'Met ei en Parmezaanse kaas, als ik het goed heb. Dit smaakt naar goedkope smeerkaas die door de toque van een sumoworstelaar is gehaald.'

'Sorry hoor, ik wist niet dat u restaurantrecensent was.'

Tony is kennelijk nog high van zijn laatste sigaret dat hij zo onbeschoft doet tegen een klant.

'Een volslagen leek weet nog dat dit abominabel is. Maar nu u er toch over begint: ik zit hier inderdaad om uw restaurant te recenseren voor *The Star*, ja.'

Tony, die toch al flets is dankzij zijn dieet van sigaretten en spekbroodjes als ontbijt, trekt zichtbaar nog witter weg.

Dit is een crisissituatie en het is volstrekt onprofessioneel, maar ik zou het liefst in lachen uitbarsten. Ik wrijf zogenaamd bedachtzaam over mijn kin om de aandrang te onderdrukken.

'Wilt u liever iets anders dan?' vraagt Tony.

Hij slaat zijn armen over elkaar en maakt een hoofdgebaar in mijn richting, en ik weet nu al dat ik straks in de keuken een orkaan in de lijn van HAD JE DAT NOU NIET ZELF AFGEKUND over me heen krijg.

'Niet direct, nee. De vorige keer dat ik u verzocht me iets anders te brengen warmde u dit op. Zie ik deze gruwel straks soms voor de derde keer verschijnen?'

Mrs. Keith blijft er opmerkelijk rustig onder, valt me op. Misschien is ze blij dat een ander eens de volle laag van hem krijgt. Of ze is nep, dat kan natuurlijk ook. Een frontje van de recensent.

'Ik had begrepen dat het u te lauw was?'

'Ja, daarom vroeg ik ook om een vervangende maaltijd, niet dezelfde opgewarmde smurrie.'

Tony wendt zich tot mij. 'Waarom heb je dat niet gezegd?'

'Eh... dat heb ik ook gezegd?' zeg ik met een frons.

'Nee hoor, jij zei dat het opgewarmd moest worden.'

Tegenover die onbeschaamde leugen sta ik met mijn mond vol tanden.

'Nee, dat zei ik niet, ik zei...' Ik maak mijn zin niet af omdat een woordelijke herhaling van onze conversatie me te veel naar klikken smaakt, maar verwacht hij nou echt van mij dat ik hier verklaar dat het allemaal mijn schuld is?

Ik denk na. Ja. Ja, dat verwacht hij.

'Zeg je soms dat ik lieg?' gaat Tony verder. De hele zaak kijkt inmiddels gebiologeerd naar dit schouwspel.

Ik doe mijn mond open, maar er komt niets uit.

'Ja, dus! Weet je wat? Je bent ontslagen!'

'Wat?!'

Ik denk nog dat Tony een grapje maakt, maar hij wijst naar de deur. Bij de bar kijkt Callum geschokt toe, met zijn mond open en zijn handen verkrampt rond een enorme pepermolen.

'Zeg, wacht eens even, dit lijkt me een overtrokken...' begint Mr. Keith, die op slag ontnuchterd lijkt. Tony doet het erom. Alleen zo kan hij het conflict weer naar zich toe trekken in de hoop dat de bespreking niet te lang blijft hangen bij de carbonara à la binnenbroek.

Je kan een speld horen vallen – los van Dean Martin die net Napels aan het bezingen is.

Ik maak mijn schort los, laat het op de vloer vallen en grabbel onhandig mijn tas achter de bar vandaan.

Dan schiet ik zonder omkijken de deur uit, met steken in mijn oogballen van de dreigende tranen. Over mijn lijk dat zij me zien huilen.

Als ik de hoek om ben en een zakdoekje op probeer te vissen omdat mijn waterproof mascara aan de afdaling is begonnen, komt er een appje van Tony binnen:

Sorry poes. Soms willen ze gewoon bloed zien. Met een week of twee zien we je wel weer, en als die eikel van een recensent daar lucht van krijgt, zeg je maar dat je moeder doodging of zo en we je terugnamen uit de goedheid van ons hart. Zie het maar als een vakantie! Wel onbetaald.

That's Amore.
Dan realiseer ik me nog iets.
Tyfus, ik ben mijn jas vergeten!

3

Eerste gedachte: Die jas is een krijgsgevangene. Martelen kunnen ze hem niet, dus laat maar hangen. Bij nader inzien: Shit, het is wél mijn kauwgomballenroze nepbontjas. Mijn pantser. Mijn stofgeworden persoonlijkheid. Qua emotionele waarde staat hij op gelijke hoogte met mijn oude schildpad Jammy. En ik sta trouwens nu al te bibberen van de kou ook.

Wacht eens even... Ik heb daar nog een handlanger zitten: Callum. Ik DM hem met de gedachte dat hij me vast zielig genoeg vindt om me hiermee te helpen.

Insta zegt tring.

Ik wil je die jas wel brengen als jij een keer met me uitgaat.

Ik knipper met mijn ogen. En nog een keer. Hij heeft me net op gruwelijk publiekelijke en vernederende manier ontslagen zien worden, en dan komt hij met seksuele chantage? Ik overweeg botweg te reageren met 'dan moet ik mijn tepelhaar wassen', of de mededeling dat ik die jas drie jaar geleden voor vijftig pond in de uitverkoop heb gekocht en het daar dus zeker niet voor doe, met een huilen-van-het-lachen-emoji als vernietigende uitsmijter.

Maar ik wil mijn jas terug, geen stortvloed van middelvingers en een foto van mijn jas in de afvalbak.

Hahaha als ik niet te werkloos en te blut ben om een rondje te geven. Over 1 min bij de deur?

Ik betaal wel. Dus we hebben een deal lol?

Is er ook maar íéts minder charmant dan iemand ergens toe dwingen, daar botweg voor uitkomen en er toch gewoon mee doorgaan? Dan maar liegen.

Is goed

...maar niet heus. En hij wéét dat ik een vriend heb. 'Dus hij heet Robin,' zei hij een keer. 'Lol, noem je hem wel eens Cock Robin,' en toen ik zei van niet: 'Hahaha, lachen man.'

Geen spoor van Callum als ik bij de deur kom. Ik wacht vijf minuten die vijf uur lijken te duren en DM hem dan een vraagteken. Er gaan nog drie minuten voorbij, en dan komt hij eindelijk tevoorschijn.

'Beetje druk binnen nu ik alleen sta.'

Moet ik nou sorry zeggen, vraag ik me af?

Ik kijk naar wat hij in zijn handen heeft. Een beige trenchcoat.

'Die is niet van mij.'

'O.'

'Mijn jas is roze en pluizig.'

Callum duikt het restaurant weer in. Minuten verstrijken, en ik denk: hoeveel jassen met de kleur van taramosalata kunnen in die garderobe hangen dat het zo lang moet duren? Ik buk en gluur onder de theebruine netten in het raam door. Callum neemt bestellingen op aan een tafel met acht personen. Hij staat te kletsen en te geinen en heeft zo te zien absoluut geen haast.

Dan wint de frustratie het van de schaamte, en ik trek de deur open en been naar binnen. Ik voel een heleboel ogen in mijn rug prikken terwijl ik de jashaken in de deur achter de bar afga tot ik mijn eigendom heb gevonden.

'Mevrouw? Jongedame!'

Ik draai me om en zie dat Mr. Keith mijn aandacht probeert te trekken. Ik kijk even angstvallig naar de deur van de keuken, maar wat kan Tony me nu nog maken? Moet hij me nog een keer ontslaan?

Ik loop naar Mr. Keith toe. Hij dept zijn mond met zijn servet.

'Mijn excuses voor hoe het is gelopen. Als ik dat had geweten...'

'Geen probleem, hoor,' zeg ik. 'U kon er niets aan doen.'

'Eerlijk duurt het langst, denk daar in het vervolg aan.'

Ik kijk hem verbluft aan. Krijg ik nou weer een veeg uit de pan? God...

'Ik was juist eerlijk. De kok loog,' zeg ik kortaf.

'Zeg je nu dat hij wel verse pasta voor me heeft gemaakt?'

O ja.

'Nee, dat niet, maar hij zei tegen mij dat hij het niet van plan was, dus ik –'

'Loog?'

'Om mijn baan niet kwijt te raken! Ik moest van hem liegen!'

'En hoe bevalt die strategie?'

Mijn mond gaat open en weer dicht, en dan zeg ik mat: 'Hij stond tegen u te liegen.'

'Hoe dan ook, ik heb besloten hier geen stuk over te schrijven om je niet te kijk te zetten.'

Mijn mond valt open.

'Daar is hij juist op uit! Daarom ontsloeg hij me! Om u een schuldgevoel te bezorgen over uw commentaar op het waardeloze eten!'

Mijn stem schiet de hoogte in en iedereen kijkt naar me.

'Schrijf die recensie gewoon! Vertel maar hoe het hier is, schrijf maar dat ik werd ontslagen, mij hebt u er niet mee!'

'Dat is niet erg collegiaal, vind je wel?'

'Of...' zeg ik. Iedereen houdt de adem in. 'Ik schrijf het zelf. Ik kan een geweldig stuk over dit restaurant voor u schrijven. Ik heb er toch geen belang meer bij.'

Mr. Keith schraapt zijn keel.

'Hmm. Medewerker van de maand.'

Ik sta al op het punt te vertellen over die keer dat er vermoedelijke pootafdrukken van knaagdieren in het blik margarine stonden en Tony met een ijsschep de bovenlaag afschraapte en het blik gewoon weer in de koelkast zette. Of zal ik Mr. Keith Tony's appje van net laten zien? Dat zou genoeg moeten zijn.

Callum kijkt ontzet toe. Als zijn ogen naar de keukendeur schieten, weet ik al hoe laat het is.

Tony komt zogenaamd nonchalant joviaal, borst vooruit de keuken uit met een nieuw bord pasta in zijn hand. Hij zet grote ogen op als hij mij ziet staan.

'Niet weg te slaan hier, zelfs zonder dat je betaald krijgt? Kom op, Georgina, tijd om te gaan. Meneer hier heeft al genoeg van je gezeur moeten aanhoren.'

Tony zet het bord op tafel. Het eten ziet er zowaar niet onaardig uit – het zou zomaar kunnen dat hij heeft gegoogeld op 'carbonara' en een heus ei heeft stukgeslagen.

'Ik zeur hem niet aan zijn hoofd, hij sprak mij aan. Ik kwam alleen mijn jas halen.'

Aan elk tafeltje hangen de messen en vorken nog stil in de lucht, dus je hoort alleen ons en *volare, oohoo heeoo*.

Dan blijft mijn blik hangen bij een gast achter Mr. Keith. Het is een klein meisje met een pagekapsel, een buitenproportioneel hoog voorhoofd met een grote papieren muts met HOERA erop, en wangen vol tomatensaus. Haar penne marinara zijn vergeten, en samen met haar verblufte familieleden volgt ze deze ongepaste confrontatie met ingehouden adem. We staan het verjaardagsfeestje van een vijfjarige te verpesten. Nee, ík verpest haar feestje, aangezien iedereen op dit moment gespannen wacht op mijn volgende zet.

Ik bewaar niet veel goede herinneringen aan mijn kindertijd, maar ik weet nog wel hoe opwindend het was om uit eten te gaan, met kipnuggets in een mandje en de pogingen om je ouders een tweede glas cola af te troggelen.

'Laat maar. Ik kwam alleen mijn jas halen. Ik ben er klaar mee,' zeg ik.

'Nou dag, hè, en tot nooit,' bromt Tony. Tegen Mr. Keith vervolgt hij op luidere toon: 'Ik hoop dat haar aanstellerij u er niet van weerhoudt van de maaltijd te genieten.'

'Ik hoop dat de maaltijd u er niet van weerhoudt van de maaltijd te genieten,' zeg ik, en Mr. Keith schudt verbijsterd zijn hoofd.

Ik draai me om en loop naar de deur, met ik weet niet hoeveel paar ogen in mijn rug. Mijn blik blijft strak gericht op het krijtbord met dagschotels om niemand te hoeven aankijken. Dat deze baan geen doorslaand succes zou worden wist ik van tevoren, maar dat het zou eindigen met de sloop van mijn waardigheid had ik ook weer niet verwacht. De deur valt achter me dicht, en ik adem uit.

In marstempo loop ik weg over de stoep, nog veel te nijdig om mijn sigaretten op te graven. Dit moet niet uitlopen op een paniekaanval. Ik denk aan wat de therapeut zei over bewust ademhalen als ik de spanning vanbinnen voel stijgen alsof de vloed opkomt.

Mijn telefoon pingt.

Zeg maar niks over die date, oké. Tony flipt totaal als hij het hoort en dan schopt hij mij er ook nog uit lol

Tony is al totaal geflipt, lijkt het: weer een ping.

SLIM BEZIG, tante. Hier hoef je niet meer terug te komen en ergens anders ben je ook niet welkom als ik mensen dit vertel. ZWARTE LIJST werk ze verder op je rug.

Ik typ venijnig een reactie:

LOL Je heet geen Soprano, Tony. Dan had je wel meer verstand van Italiaans eten gehad.

Niet dat ik echt zo luchtig denk over zijn dreigement. Het wereldje van de middelmatige bistro's in Sheffield is niet groot, en ik kan nu komende maand de huur niet betalen. Ik ben het niet gewend om mensen tegen me in het harnas te jagen, kampioen schikken en plooien die ik normaal gesproken ben. Georgina de Susser, dat ben ik.

Al maak ik mezelf dat misschien maar wijs, want het derde appje dat binnenkomt is van mijn zus Esther, die ik nooit echt heb kunnen sussen.

Komt Robin zondag nog mee? Ik stuur Mark mrg naar de winkel dus wel fijn als ik weet voor hoeveel, dus laat ff snel horen graag. Braadstuk. Ook of er nog iets van allergieën zijn voor Yorkshire-pudding of iets.

Esthers appjes aan mij klinken altijd alsof ik de luie uitzendkracht op haar accountantskantoor ben. Al is haar laatste op het randje van sarcastische zin specifiek een sneer naar Robin.

Nee hij is de hort op! Toch bedankt x

Leugens om bestwil zijn ook een specialiteit van me. Robin en mijn familie gaan niet goed samen. Na twee familiebijeenkomsten met mijn vriend erbij besloot ik dat integratieproject voor onbepaalde tijd op te schorten.

Ik sla de hoek om en merk dat het mentaal gezien een beetje helpt om uit het zicht van That's Amore! te zijn. Geen stress, niets aan de hand. Over twee jaar is het zo'n tapasbar waar ze gamba's pil pil uit de magnetron serveren zodat de bevroren garnalen de textuur van vaginale sponsjes krijgen.

En Robin gaat straks stuk op het materiaal van mijn ontslag.

In mijn hoofd hoor ik mezelf al de belangrijkste passages componeren en bijschaven, vooruitlopend op de verwachte lachmomenten. Vroeger op school wisten ze me allemaal te vinden voor mijn anekdotes, ik was er echt goed in. Op een waardeloze zomervakantie kon ik weer zeker een half schooljaar vooruit. *George, doe nog eens dat verhaal van toen je...*

Jo zei een keertje vol bewondering: 'Jou overkomen altijd van die idiote dingen, trek je dat aan of hoe doe je dat?' (Dat klinkt misschien alsof ze me eigenlijk niet geloofde, maar Jo komt nooit, maar dan ook nooit vals uit de hoek. Alles wat ze zegt, bedoelt ze altijd precies zoals ze het zegt.) Ik legde haar uit dat ik dingen zie. In mijn jeugd was oog voor het absurde een handige vaardigheid.

Met een klik-klik-klik van de prettig zware zilveren aansteker in mijn onvaste handen gloeit het puntje van mijn sigaret op. Ik zuig een goede roes van nicotine naar binnen en knap meteen op. Ophouden is in de huidige omstandigheden niet werkbaar.

Het is vroeg op deze bijna winterse avond, de kou legt op een paar meter afstand een rokerige sluier over de straat, en om me heen voel ik het weekend op stoom komen: het wordt druk in

Broomhill, de geur van aftershave mengt zich met de parfum-dampen en het geroezemoes stijgt op dat loskomt na die eerste twee drankjes die de kop eraf halen.

Ik zie mezelf weerspiegeld in de etalage van Betfred en ver-plaats mijn gewicht van de ene voet op de andere. Hoe fel ik er ook tegen in ga als mam dingen zegt als: 'Sjofel is charmant zo-lang je jong bent, Georgina, maar er komt een keer een eind aan,', ik begin me nu toch af te vragen of mijn geinige smaak in korte jurkjes en vloeibare eyeliner niet naar *Last Exit to Brooklyn* begint te neigen.

'Je moet uitkijken met die zware make-up als blondje. Voor je het weet, schiet je van punky als Daryl Hannah in *Blade Runner* door naar type Julie Goodyear.'

Ik ga ze zo missen, die beautytips van Tony.

Ik begin aan een appje naar Robin, maar bedenk me en laat de backspace mijn tirade ('wat die sukkels nou weer hebben geflikt') over het einde van mijn dienstverband opslokken. Opeens heb ik zomaar een vrijdagavond vrij en die ga ik niet verspillen aan een ordinair appje.

Dit vraagt om gevoel voor stijl.

Op een van onze eerste dates – ik zeg wel dates, maar het kwam neer op Robin die me meenam naar zijn huis om rode wijn te drinken en dan om een uur of negen wapperde met het foldertje van een of andere afhaal met de vraag: 'Heb je al gegeten?' – op zo'n date, dus, zei Robin: 'Deze song, zó moet je leven.'

'Suspicious Minds' van Elvis Presley stond op, dus ik vroeg: 'Achterdochtig, bedoel je?'

Hij heeft een stereotoren met een platenspeler erop, wat in-middels zo ouderwets is dat het weer hip wordt, met van die gol-vende lichtjes als volumemeter.

'Hoe het aan het eind wegsterft en terugkomt. Het is al een

briljant nummer, maar dat is geniaal omdat je het niet verwacht. Dat moment tilt het op van goed naar werkelijk magistraal.'

Robin zat voorovergebogen een joint te bouwen.

'Iedereen denkt dat voor alles maar één goede manier is. Monogamie, het huwelijk, de hypotheek. Twee-komma-vier kinderen, want hoe kom je anders de tweede helft van je leven door. Elke zondag de auto wassen en kip uit de oven. "Brein-gesmede ketens" noemde William Blake dat. Ze willen helemaal niet van al die regeltjes af, dat vinden ze maar eng. We zitten allemaal gevangen.'

Ik zou nu geen nee zeggen tegen kip uit de oven, eigenlijk, dacht ik. Dat zou een waarschuwing voor me moeten zijn, begreep ik, evengoed als Robin die zijn levensvisie uiteenzette.

('Als hij wilde trouwen en kinderen krijgen had hij dat nu al wel gedaan, Georgina.' Bedankt, mam.) Ik liet me niet kennen, had ik besloten.

'De werkelijkheid als construct, net als in *The Matrix*,' zei ik, reikend naar het menu van Shanghai Garden.

'Ja! Zoveel kan-niet en mag-niet is alleen maar een illusie.'

'Laat mijn reclasseringsambtenaar het maar niet horen,' zei ik.

Robin lachte, zette het raam een stukje open en stak zijn joint aan. 'Goeie.'

Ik koesterde me tevreden in mijn status van Coole Meid.

'Zin om samen te doen met de illusie van Kung Po met rijst?'

4

Ik speel met de gedachte om een taxi naar Kelham Island te nemen, tot ik bedenk dat de bus de verantwoorde optie is voor
iemand die weer van een uitkering moet leven. Dat soort onder-
handelingen met jezelf zijn Robin volledig vreemd.

Het is raar om het zo te zeggen, maar Robin is beroemd, min
of meer. 'Beroemd' is eigenlijk overdreven, maar 'bekend' is
ronduit misleidend. Je zou zijn kop en naam kunnen kennen als
je tot een heel specifieke leeftijdscategorie in Groot-Brittannië
behoort, naar de meer obscure tv-zenders kijkt en thuis bent in
de alternatieve comedyscene. En een blower bent, waarschijnlijk.

Toen ik zijn moderne penthouse in een verbouwde fabriekshal
zag, met de lippenstiftrode leren banken, witte vloerkleden en
slaapkamer op de vide, dacht ik: Jee, die uitdagende, verhalende
nichecomedy betaalt nog best goed.

We waren inmiddels een halfjaar samen, en in die tijd had ik
Robin allerlei aanbiedingen horen afslaan omdat ze niet 'simpa-
tico' waren met wat hij 'wilde neerzetten', en rekeningen onge-
zien in de prullenbak zien verdwijnen, en toch bleven de lichten
branden en zat hij nooit zonder warm water. Na een tijdje kreeg
ik in de gaten dat het geld ergens anders vandaan kwam.

Robins vader bleek een hoge piet in de overheid te zijn geweest, en zijn ouders genoten nu aan de kust van Cornwall van

hun pensioen. Robins penthouse stond afbetaald en wel op zijn naam, en 'er komt nog huur binnen van waar ik eerst zat'. Ik vroeg maar niet verder om geen likkebaardende geldwolvin te lijken.

'Zijn ze fan van je werk?' vroeg ik, als diplomatieke vertaling van *over gespreide bedjes gesproken, zeg, allemachtig.*

Robin woelde door zijn wilde haardos. '"Fan" is te sterk uitgedrukt, denk ik. Ze zien graag dat ik mijn volle potentieel benut, ongeacht wat ik als mijn potentieel beschouw.'

Die ongelijkheid zit ons nooit in de weg, behalve als ik doodmoe thuiskom na een dienst. 'Joh,' zegt hij dan schouderophalend, 'laat het ze lekker uitzoeken.' De woorden van iemand die geen idee heeft hoe het is om aan het klimrek te bungelen zonder rubberen veiligheidstegels onder je. Die levensfilosofie van hem dat 'het leven maar net is wat je ervan maakt', schuurt soms dan ook wel een beetje.

Maar het moet gezegd: hij klaagt nooit over de verschillen tussen ons, financieel of op andere gebieden; hij is de meest afgetrainde, pezige man met wie ik ooit naar bed ben geweest, maar is dol op mijn waterbedbuik en marshmallowbillen; en hij wordt laaiend enthousiast als hij eens op mijn zolderkamer in een rijtjeshuis in Crookes komt.

'Je moet maar zo denken: het tochtige zolderkamertje heb je alvast, mocht je schrijver willen worden.'

'Fijn dat je zo geniet van je achterbuurtsafari,' zei ik, en hij zei: 'Hmm, goed woord, achterbuurtsafari, dat ga ik gebruiken.' Hij zegt het heel vaak.

Ik trap mijn peuk uit als de bus eraan komt en stop een pepermuntje in mijn mond. Vanavond hoef ik geen hondenvoerbolognese aan ontgoochelde gasten te serveren maar heb ik vrij, en de nacht is nog jong. Kop op, meid.

Als ik bij mijn halte uitstap en door het donker en de kou de twee minuten naar Robins huis loop, begin ik te twijfelen aan de wijsheid van dat verrassingselement. Fantastisch concept, maar had ik het niet beter kunnen laten weten? Dat is het moeilijke aan onconventioneel zijn. Je weet nooit helemaal zeker of je niet gewoon irritant bezig bent.

Ik ben bijna bij zijn complex als ik Robin in het oog krijg. Hij is op weg naar de voordeur met in zijn hand een dunne blauwe plastic tas waarvan de hengsels zijn uitgerekt door het gewicht van alles wat hij – neem ik maar aan – net bij de buurtsuper heeft gehaald.

Dit is mijn kans! Nu moet ik hem bellen en iets zeggen als: hopelijk zit daar ook een fles wijn voor mij in. Net als Jason Bourne. 'Rust maar even uit, Pam,' terwijl Robin verrast om zich heen kijkt waar ik ben.

Ik scrol naar Robins nummer in mijn contactenlijst en leg het toestel tegen mijn oor.

Verderop zie ik Robin zijn iPhone uit zijn jaszak halen. Hij tuurt even naar het scherm en dan doet mijn mobieltje piep-piep-piep. Oproep beëindigd. Heeft hij zijn telefoon per ongeluk uitgezet? Robin stopt zijn mobieltje terug in zijn zak en loopt verder.

Ik bel hem nog eens, verbaasd en gekrenkt. Hetzelfde verloop: een snelle blik en weer afgebroken. Hij reageert snel genoeg om me duidelijk te maken dat ik bewust word weggedrukt. Ook als ik het niet zelf zag gebeuren zou ik dat nog weten, alleen al door de keren dat hij de telefoon laat overgaan.

Koppig en in het volle besef dat ik niet cool bezig ben, bel ik hem voor de derde keer. Hij staat al bijna voor de deur. Als zijn telefoon al overgaat, reageert hij er niet op.

Het toestel dat u probeert te bereiken is mogelijk uitgeschakeld, hoor ik.

Wat is dit? Heeft hij zijn mobiel uitgezet? Ik ben zijn vriendin en hij doet alsof ik een onbekende landlijn uit Manchester ben die hem een vage verzekering wil aanpraten? Is hij ergens boos om? Ik zoek in mijn geheugen, maar er komt niets boven. Robin doet trouwens ook niet aan boze buien, ondanks zijn hekel aan recensenten van stand-upcomedy. Het zit niet in zijn aard, denk ik, of het is al die marihuana die hij inhaleert. Of allebei.

Dit doet pijn. Starend naar Robin die de voordeur openmaakt en naar binnen loopt, probeer ik te peilen hoeveel pijn, en hoe terecht het is.

Ik loop vooruit op zijn excuus. *Mijn hoofd stond er niet naar, ik was echt geen goed gezelschap geweest.* Maar ondertussen heb ik drie keer gebeld, kort achter elkaar, op een tijd waarop ik aan het werk zou moeten zijn. Ik had wel in nood kunnen zijn. Dit gebeurt niet dagelijks, wil ik maar zeggen. Robin zegt altijd dat ik een rampdenker ben, maar je kunt ook té laconiek zijn.

Bovendien bel ik hem vaker dan ik app, omdat Robin graag mag zeggen dat hij zich verre houdt van 'de ontelbare manieren waarop de wereld zich tegenwoordig aan je opdringt'. Misschien verwacht hij een belangrijk telefoontje? Het hoofd Entertainment van de BBC zou wellicht rond deze tijd om een praatje verlegen zitten en of hij bereikbaar wilde blijven?

Ik klamp me vast aan een strohalm, dat mag duidelijk zijn. 'Wie luistert aan de wand verneemt zijn eigen schand,' zei mijn moeder altijd, en dat lijkt me een waar woord. Mijn voor even opgeklaarde humeur ligt in scherven op de grond. Ik heb een inkijkje gekregen in hoe mijn vriend mij af en toe ziet, en daar wordt mijn gevoel van eigenwaarde niet beter van.

Ik probeer me voor de geest te halen of het vaker is gebeurd dat ik belde en hij niet opnam. Gaat het vaker zo? *Jezus, wat moet ze nou weer.*

Ik steek een sigaret op en ga mijn opties na. Als ik nu naar huis ga, kan ik Karen tegenkomen op weg naar haar werk, en dat mag onder geen beding gebeuren. De gedachte alleen al holt mijn ziel vanbinnen uit. Ik herken dit gevoel en van mijn therapeut moest ik het benoemen als het zich aandiende. *Eenzaamheid.*

Een minuut of twee later weet ik nog steeds niet wat ik moet doen. Ping, zegt mijn telefoon. Esther.

Kun je rood ipv wit meenemen? Hier is het bijna op en ik krijg mam niet te pakken. Dank. (GEEN naamloos huiswit van onder in het schap. Tientje minimaal.)

Ze is niet het ideale publiek, maar dit is mijn kans om mijn verhaal in te studeren en zo te verpakken dat Robin lacht als ik het hem vertel, nu ik nog gloei van de adrenaline en de verontwaardiging. Ik bel mijn zus.

'Hoi Esther, ik wil best wijn meenemen, maar ik kan nu geen tientje missen. Ik ben net ontslagen.'

'Wat?'

Misschien was dit toch niet zo'n goed idee.

'Waarom?'

'Een klant klaagde over het slechte eten en die klant bleek recensent voor *The Star*. Tony deed alsof het aan de bediening lag en niet aan de keuken en ontsloeg me waar de man bij zat.'

'Jeetje. Dat klinkt als toen bij die hipsterzaak op Green Lane waar ze drankjes in jampotten deden en je een maandloon misliep na die ruzie over een kom kots met augurken.'

Ken je dat, dat je familie je op de kast kan krijgen met dingetjes die een ander niet eens zouden opvallen? Als een hondenfluitje, zeg maar? Ieder ander zou medeleven in Esthers reactie horen. Ik hoor niets van dat alles als ze een eerder ontslag aanhaalt.

'Het waren aardappelballetjes met kimchi en kaas en het zat anders. De manager daar zat steeds aan mijn kont dus ik kon daar niet blijven.'

'Oké... Als je wijn van een tientje koopt, krijg je het later terug. Kom op, George,' zegt ze als ik tegensputter, 'Mark is lid van het wijngenootschap, die wil echt geen Spar-wijn.'

Vanuit de coulissen klinken relativerende geluiden van mijn zwager Mark, en dan iets wat klinkt als een vraag.

'Mark wil je nog even spreken,' zegt Esther.

Ik hoor geritsel als ze het toestel aan Mark geeft.

'Hoi George,' zegt Mark. 'Jammer van die Italiaan. Het is misschien erg snel dit, maar ijzer smeden als het heet is en zo: een bekende van me zoekt iemand voor achter de bar morgenavond, een besloten gelegenheid. Het gaat om een kroeg in het centrum die in nieuwe handen is overgegaan. Het is maar voor één avond, maar handje contantje betaald en geen onaardig bedrag ook, als ik me goed herinner. Zal ik je gegevens aan hem doorsturen?'

'Heel graag, dank je wel,' zeg ik. Die goede oude Mark.

'Mooi zo. Ik denk dat je snel iets van hem hoort. Enfin. Zet hem op, zal ik maar zeggen.'

Er klinkt weer geritsel als Esther hem de telefoon afneemt.

'Dank je, schat. Wil je nu even kijken of alles goed gaat met het eten?'

Het blijft even stil terwijl Mark gehoorzaam vertrekt. 'Mark steekt wel zijn nek uit door jou voor die klus aan te bevelen. De bekende is een klant van hem.'

Daar kon ik op wachten.

'Ja?'

'Verkloot het dus niet, alsjeblieft.'

'En bedankt,' zeg ik gekrenkt. 'Ik sta bekend als de grote verkloter, tenslotte.'

'Je begrijpt best wat ik bedoel. Kom straks niet aan met zo'n grappig verhaal over hoe het allemaal één grote puinhoop werd maar jij kon er niets aan doen. Geen incidenten. Ik wil geen incidenten en geen smoezen.'

'Bedankt voor je vertrouwen, zeg. Godsamme.'

Zo denkt Esther er dus over – zo denkt iedereen erover. *Jeetje, wat een, eh... pech. Het zit haar niet mee, hè? Hoe vaak is het nou al misgegaan? Hmm.* Woest word ik ervan, maar ondertussen zit het me ook niet lekker. Ik ben bang dat ze gelijk hebben. Altijd als iemand kritiek op me heeft, ben ik bang dat ze gelijk hebben. Dat compenseer ik dan weer met extra verontwaardiging.

'Je begrijpt best wat ik bedoel,' zegt Esther.

'Je bedoelt dat ik een incompetente leugenaar ben, bedoel je? Ik begrijp het.'

'Maak er nou geen drama van, Gog. Hou er rekening mee dat het hier om Marks netwerk gaat, dat is alles wat ik vraag.'

Dat ze 'Gog' zegt is pure manipulatie. Daarmee reduceert ze mij en mijn bezwaar tegen haar karakterisering tot iets onbeduidends en sulligs.

'Ik snap het,' zeg ik afgemeten. 'Dank je wel, Esther. O, daar is de bus.'

Voordat ze iets kan terugzeggen heb ik al opgehangen.

Ik maak mijn sigaret uit. Wat nu? 's Avonds alleen op straat rondhangen is geen goed idee, dat weet ik wel. Ik recht mijn rug. Robin heeft de tijd gehad om te landen en als hij vraagt waarom ik niet even iets heb laten weten, dan heb ik gebeld, toch? Ik kan er verder ook niets aan doen.

Ik rommel in mijn tas en spoor de huissleutel op. Die kreeg ik niet in een doosje met een strik erom overhandigd; er zit een sleutelhanger van Westham aan, want hij was eerst van zijn broer Felix die een tijdje bij Robin op de bank heeft geslapen nadat hij door een blessure op de reservebank was beland bij Cirque du Soleil. (Ik vraag me serieus af of vader en moeder McNee vroeger dachten dat ze advocaten en artsen aan het opvoeden waren.)

Robin gaf me de sleutel na een ruzie. Ik kwam uit mijn werk en had eindeloos moeten aanbellen omdat hij keihard de Stones op had staan. Toen hij eindelijk opendeed, trof hij niet alleen zijn vermoeide en pissige vriendin, maar ook een buurman met zware jetlag en een slaapmasker om zijn nek die mijn verwoede pogingen om tot hem door te dringen wel had gehoord. ('Weet hij niet dat je zou komen?' Ik schaamde me kapot – die man was al tweeëndertig uur op – toen ik moest bekennen dat hij dat wel degelijk wist.)

'Sorry dat je geen *satisfaction* kon krijgen, maar *you can't always get what you want*. Bevalt mijn rode deur, of zeg je: *paint it black*?' zei Robin toen hij eindelijk kwam aankakken. Ken je publiek, maat.

'Totale lamlul,' zei de buurman.

Toen Robin me de sleutel gaf, vroeg ik: 'Wanneer mag ik deze gebruiken?'

'Als je de deur wilt opendoen,' antwoordde Robin. 'Daar zijn die dingen voor, toch?'

Dus hij heeft het zelf gezegd.

5

Na een keer kloppen zonder resultaat draai ik met een harde klik de sleutel om, laat de deur openzwaaien en dan zie ik de luxueuze vrijgezellenflat voor me, zoals gewoonlijk gevuld met muziek op standje gehoorbeschadiging. (Deze draaide Robin van de week ook. 'Hij is goed, die nieuwe St Vincent. En het zou er natuurlijk niet toe moeten doen, maar ze heeft ook nog eens een kont als twee chocolade-eieren in een satijnen handschoen.')

Robin is vooralsnog nergens te bekennen. 'Robin?' roep ik. 'Robin...'

Niets. Ik kom niet boven de stereo uit, denk ik. Hij staat vast in de keuken de wafels en de kant-en-klare hamburgers uit te laden.

Ik loop verder de kamer in. Nog steeds geen spoor van Robin, al zie ik wel de blauwe plastic tas verlaten op de bank liggen. De inhoud ligt er half uit, verspreid over de kussens: een stuk of wat tonnetjes Ben & Jerry's. Straks zit het leer onder het gesmolten ijs. Mijn handen jeuken om ze in de vriezer te zetten, maar dat lijkt me nog vóór een 'hoi' toch iets te bedillerig.

Ik kijk om het hoekje van de keuken, maar daar is hij niet.

Met mijn hoofd in mijn nek tuur ik naar boven, naar de vide waar het bed staat. Ik wil net weer 'Robin' roepen als ik rare verstikte geluiden hoor die niet op de officiële soundtrack staan.

Ungngng fuuuuh

Naf naf naf mmmpppppf
Niet... Niet... O, mijn god, ja
Ik blijf stokstijf staan. Mijn huid bevriest en is toch gloeiend heet, prikkelig van de schok. Hoorde ik dat nou goed. Hoe kan dit. Gebeurt dit echt. Nee. Nee? Dit kan niet. Toch? Dit gebeurt andere mensen, mij niet, niet nu. Dit is een hilarisch misverstand en later wordt het materiaal voor Robins show – die keer dat zijn vriendin binnenkwam toen hij net yoga aan het doen was of zo.

St Vincent luwt net weer even, en nu hoor ik:
Eh Eh UGH
Dat vind je lekker, hè, zeg dat je het lekker vindt.

De tweede zin komt me bekend voor, en ik voel een schok, een sterke, zure stuwing van gal tot achter in mijn keel. Roerloos sta ik daar, met op de achtergrond dat ritmische gezwoeg. Ik kan nu ook onmiskenbaar de druk onderscheiden die af en aan op een bedbodem wordt uitgeoefend.

Ik kan niet gaan kijken. Maar ik kan ook absoluut niet níét gaan kijken. Het vergt al mijn concentratie om mijn trillende handen in bedwang te houden en naar de metalen ladder te sluipen, waarna ik mechanisch en voorzichtig sport voor sport naar de vide klim, zorgvuldig positie kiezend met mijn laarzen met hak. Zelfs in ideale omstandigheden ben ik al niet dol op die ladder. Bij een dronken nachtelijk plasje waan je je in *The Crystal Maze* door dat ding.

Als mijn hoofd net boven vloerniveau uit komt blijf ik staan, met mijn zweterige handen muurvast om het aluminium.

In het grote lage bed onder het dakraam zie ik Robins blote reet als een zuiger op en neer pompen, en aan weerszijden steken twee dunne witte vrouwenbenen wijd uit. Ongeloof. Besef. Afkeer. En een gedachte: O, god, ziet dat er bij ons ook zo uit?

Verbaasd constateer ik hoe vreemd het is om twee mensen te zien neuken, van dichtbij, in het echt. Je bent zelf een deelnemer

54

geweest, je hebt het vaak genoeg op een scherm gezien, maar als lijfelijk aanwezige toeschouwer is het gewoon surrealistisch. Ik vertrouw mijn eigen ogen nog steeds niet helemaal, alsof Robin misschien toch gevallen zou kunnen zijn en niet meer overeind kan komen.

Ongewild maak ik de vergelijking: bij ons gaat het er nooit zo heftig en luid aan toe. Gíng.

Doe Robin doe ik hou van je aaaaaaaahhh

Lou. Praat. Geil.

Dat laatste komt eruit met een stoot bij elk woord, en zonder een bewust besluit om mijn aanwezigheid kenbaar te maken knapt er opeens iets bij me, en ik roep: 'Godsamme, wat is dit?'

De twee lichamen schokken en verkrampen van de schrik over de derde die zich in het gesprek heeft gemengd, en in een verwoede poging om van de vrouw los te komen rolt Robin zijdelings van het bed terwijl hij tegelijkertijd omkijkt.

De vrouw worstelt zich half overeind, en dan zie ik dat a) haar polsen aan de bedstijlen zijn vastgebonden met sjaaltjes, waaronder een gestreept voetbalsjaaltje dat ik pas nog heet voor hem heb gewassen, b) ze kleine borsten heeft met tepelpiercings als lange halters erin, en een tattoo van bloemen die zich om haar ribbenkast slingeren en c) ze bedekt is met een klonterige bleke substantie die ik na een korte niet-begrijpende schrikreactie determineer als de inhoud van de leeggeknepen tonnetjes Ben en Jerry's rond het bed. Het ijs.

Ze staart me verwilderd aan door een warrige wolk van bruine krulletjes en ik staar verwilderd terug, en dan realiseer ik me dat ik haar ken. Lou. Robins assistent.

Robin komt overeind, naakt, met haar als een halloweenpruik en een erectie die nu halfstok hangt alsof de vlag uit respect voor koninklijk bezoek is neergelaten. Hij ziet even bleek als het ijs.

'Jezus, tering, Georgina. Wat kom je doen?'

'Ik ben ontslagen. Wat doe jij?'

'Wat... Nou... Hoe ben je binnengekomen?'

Robin is zo te zien vooral boos op het lot, alsof hij het slachtoffer is geworden van een enorme administratieve blunder in plaats van zijn eigen halfzachte lul.

'Ik had de sleutel van je gekregen, weet je nog?'

'Mijn god...' Het begint Robin te dagen. Hij had zelf de hand in alle pijn die hij nu moet lijden. Hij vestigde nog een sprankje hoop op het verweer dat ik me op een of andere manier onrechtmatig toegang had verschaft, en nu het besef doordringt sputtert hij: 'Had je niet even kunnen kloppen?'

Het verbijstert me dat hij denkt te kunnen doen alsof hij het morele gelijk aan zijn kant heeft.

Dat zorgt er wel voor dat mijn woede de overhand krijgt boven de schrik. Ik heb mezelf weer min of meer in de hand.

Ik richt mijn blik nadrukkelijk op Lou, die rood aangelopen en sjorrend aan haar boeien op het bed zit en kijkt alsof ze nu graag losgemaakt zou willen worden. Dan kijk ik hem weer aan, om ten slotte mijn ogen te laten rusten op zijn verlepte lid, dat ik met mijn blik probeer nog verder te laten verschrompelen.

'Ik héb geklopt. Ik kwam niet boven de muziek uit. Jij sneu, achterbaks stuk vreten.'

Ik klim snel de ladder weer af en spring het laatste stuk, zodat mijn knieën en enkels een klap krijgen bij het neerkomen. Robin zet de achtervolging in. Tijd om iets aan te trekken heeft hij niet, en zo kom ik bij de deur wederom tegenover een piemelnaakte man te staan.

Daar haat ik hem nog hartgrondiger om, dat hij niet eens genoeg schaamte voelt om even iets aan te doen. Zelfs nu is hij nog aan het optreden. Zie mij eens kwetsbaar zijn. Kijk dan hoe onconventioneel ongekunsteld ik ben. Van mij mag er wel een handdoek om zijn onconventionele gekunsteldheid, alsjeblieft, dank je wel.

'George, George, wacht, het spijt me,' zegt hij.

'Mij ook. Een verbroken relatie met het prijskaartje van de therapeut er alvast aan, dat zie je niet vaak. Ik ben er kotsmisselijk van.'

'Eh... Een verbroken relatie?'

Ik draai me om en kijk hem aan.

'Je denkt toch zeker niet dat ik nu nog bij je blijf?'

'Nee, vanavond niet meer, natuurlijk.'

Ik knipper met mijn ogen. En nog eens. 'Ben je officieel gek geworden? Robin, het is klaar tussen ons. Ik begrijp niet hoe jij onze relatie nog voor je ziet na zoiets.'

Na een korte stilte zegt Robin: 'Onze relatie? Hadden we die dan?'

Ik ben zo verbijsterd dat ik niet meteen de goede gezichtsuitdrukking of een samenhangende reactie paraat heb.

'Hè?'

Meer komt er niet uit.

'Ik dacht dat we elkaar af en toe "zagen".' Robin harkt met twee vingers aanhalingstekens in de lucht. 'Ik had niet het idee dat het iets exclusiefs was, als in: verboden om met anderen om te gaan. Die vaste-relatie-scene is niet, eh... mijn scene.'

Het voelt alsof mijn bloed brandt. Dat hij me dit aandoet is één, maar dat hij de schuld bij mij legt is iets heel anders. Alsof dit de uitkomst is van míjn onredelijke verwachtingen.

'Meen je dat nou verdomme echt? Wil je dit serieus afdoen door te ontkennen dat we ooit een relatie hadden? Man, zelfs liegen doe je nog op kleuterniveau. Hou je straks ook je handen voor je ogen om te zorgen dat ik je niet meer kan zien?'

Robin maakt nog een showtje van diep uitademen, vol ongeloof zijn hoofd schudden en door zijn haar woelen terwijl hij bedenkt wat hij nu moet zeggen, een tic die hij op het podium ook inzet. Jezus, het lef van die lul om daar te blijven staan met zijn rossige zak in het volle zicht.

'Zo ken ik je helemaal niet,' zegt hij ten slotte zacht.

En weer valt mijn mond open. 'Moet ik je er nu echt op wijzen dat ik jou zojuist ook vanuit een geheel nieuw perspectief heb gezien? Waar haal je het vandaan?'

Hij zet zijn handen in zijn zij en gaat over op de redelijk-maar-verongelijkt-modus, alsof we staan te praten over een hoog uitgevallen offerte voor dakisolatie.

'Heb ik ooit iets gezegd of gedaan om jou het idee te geven dat ik belang hecht aan monogamie? Ik weet zelfs vrij zeker dat ik expliciet heb gezegd van niet.'

Ik sputter even als een afslaande motor. Hij klinkt als iemand die is betrapt terwijl hij een greep in de kassa deed en zich verweert door te zeggen dat niets is wat het lijkt en diefstal niet kan bestaan omdat we leven in een vals bewustzijn, gecreëerd door de CIA. Breng dan maar eens onvoorbereid tegenargumenten in stelling. God, ik ontplof zowat.

'Is dat je excuus? Daar doe je het mee? Dat jij dacht dat het ons allebei vrij stond om het bed in te duiken met iemand anders?'

'Dat dacht ik inderdaad, Georgina. We hebben nooit de voorwaarden doorgesproken. Dan kan je niet van me verwachten dat ik weet dat het anders zit.'

'Waarom hou je het dan geheim door je telefoon uit te zetten en het achter mijn rug om te doen?'

'Het zou niet erg beleefd zijn om het recht in je gezicht te doen, of wel? Ik nam aan dat je een doorlopend commentaar over wie en wanneer niet op prijs zou stellen.'

'Jemig, nou, echt reuzeattent van je, lul!'

Ik moet hier weg, alles mentaal verwerken, me bevrijden uit deze giftige waanzin.

Ik gooi de voordeur open. In de hal lopen net twee koppels voorbij, een stel van in de dertig en een ouderpaar van in de zestig. Dankzij het rumoer kijken ze al onze kant op.

Geheel in lijn met zijn – naar eigen zeggen – niet hypersensitieve of preutse aard kijkt mijn ex-niet-vriend gewoon poedelnaakt terug, recht in hun gezicht.

De vader zegt: 'Neem me niet kwalijk, maar kunt u uw schaamstreek niet even bedekken? Er zijn dames bij.'

'Ik schaam me er niet voor. Ik sta hier in mijn eigen huis. Feitelijk maken jullie hiermee inbreuk op míjn privacy.'

'In-bráák zul je bedoelen,' zegt de zoon, beter bekend als de Jetlagman, die op slag mijn held is.

'Het is toch niet nodig om op die manier te koop te lopen met je plasser,' zegt de vader van Jetlagman.

'Mijn plasser! Het menselijk lichaam is te mooi om er zo benepen over te doen, makker,' zegt Robin.

'Zo mooi is het van hieraf gezien echt niet, geloof me,' zegt Jetlagman.

'Doe Lou de groeten,' zeg ik tegen Robin als ik de deur uit loop. Tegen de twee verbouwereerd kijkende stellen voeg ik er behulpzaam aan toe: 'Dat is de vrouw met wie ik hem net in bed heb betrapt.'

'Aha, heeft hij eindelijk een sleutel voor je bij laten maken?' zegt Jetlagman.

'Ja, maar eigenlijk had hij geen relatie met mij, begrijp ik nu,' zeg ik met een ik-ben-ook-zo'n-suffie-gebaar.

'Het is ook nooit zijn afval dat in mijn container is beland,' zegt Jetlagman. 'Die man is net zo'n vuile zak als zijn afval.'

Ik schud Jetlagman vol vuur de hand. 'Het was me een waar genoegen.'

6

'Moet het weer van mij komen? Stelletje...' Clem schudt haar hoofd en kijkt onthutst naar Rav en Jo, die stommetje spelen en wegkijken.

Rav trekt even aan zijn voor grof geld geprerafelde marineblauwe manchet, en Jo staart als een sippe cartoonkoe voor zich uit.

'Wat?' zeg ik. Ik weet dat ze alle drie denken dat ik er kapot van ben maar me sterk houd, terwijl ik me juist opmerkelijk kalm voel. De shiraz helpt wel. Ik heb mijn veilige haven bij storm gevonden. Het is een zitje in donkerrood leer in The Lescar, een kroeg bij Hunter's Bar.

Ik weet nu dat je, ook als het heel kort dag is, je vrienden mee kunt krijgen naar de kroeg in het weekend als twee van de drie net dorstig uit de bioscoop zijn gekomen en de derde thuis op de bank zit om Weight Watchers-punten uit te sparen die ze toch maar heeft stukgeslagen op een heel kaasbrood met knoflook, én als je een gruwelverhaal over bondage en ontrouw als lokkertje kunt inzetten.

Ik had nooit durven hopen dat zo'n spectaculair bizarre vrijdagavond kon eindigen op mijn favoriete plek met mijn beste mensjes om me heen, maar dat is dus wel zo, en ik spreek boven mijn knabbels een stil dankgebedje uit.

Ik ben weer alleen, zonder baan, zonder geld, met een huur-zolder in een rijtjeshuis naast een madekweker met het rotste karakter in Sheffield en omstreken, maar ik heb mijn vrienden nog, en een groot glas rode wijn.

'Kom op, Rav. Ga je gang,' zegt Clem, en Rav kucht in zijn hand en kijkt haar donker aan.

'Wat?'

'Schijterd. Oké, als jullie het dan laten afweten zeg ik het wel. Georgina –'

'O, god, wísten jullie dat hij andere vrouwen had?' roep ik uit.

Dat is een klap in mijn gezicht, niet omdat Robin er blijkbaar mee te koop liep, maar omdat dit weerzinwekkende gedoe veel meer schade heeft aangericht dan het waard was als zij het voor me hebben verzwegen.

'Nee, natuurlijk niet, trut!' zegt Clem. 'Dan hadden we je dat toch verteld.'

'O. Hoe moet ik dat nou weten?' brom ik.

'Georgina,' zegt Clem gewichtig. Ze haalt diep adem. 'We vonden allemaal dat een blinde idioot nog kon zien wat een onge-hoorde, gigantische klootzak Robin was. Waar zat je in godsnaam met je hoofd?'

'Hè?' zeg ik suf. 'Zagen jullie hem niet zitten?'

Rav kucht nog maar eens, en Jo tuurt in haar cider.

'"Niet zien zitten" dekt de lading niet helemaal. "Intens veraf-schuwen" komt meer in de buurt.'

'Jezus, Clem!' roept Rav. 'Ze heeft hem net met een ander be-trapt.'

'Lijkt me relevant voor het verafschuwen.'

Er valt een korte, ongemakkelijke stilte, maar dan begin ik te lachen. Ze kijken me eerst nog geschokt aan, maar dan lachen ze mee.

'Ik was even bang dat je in tranen zou uitbarsten en me ging meppen,' zegt Clem met een hand op haar borst.

'Nee hoor. Als ik iemand wel kan slaan is het mezelf,' zeg ik.

'Het blijft natuurlijk evengoed vreselijk voor je,' zegt Jo met een hand op mijn arm. 'Ik vind het zo rot allemaal.'

Ik geef haar een klopje terug. 'Opgeruimd staat netjes.'

'Maar hij beweerde dus dat jullie een open relatie hadden?' zegt Clem en ze perst vol walging haar vlekkeloos dieproodgestifte lippen op elkaar. Clem ziet eruit alsof ze bij Pulp zit maar dan beter: roodgeverfd haar in een jarentwintigcoupe, van top tot teen in vintage gestoken en met puntige retronagels. Ze is helemaal erg puntig, uiterlijk en innerlijk.

'Volgens hem stond het ons vrij om het met anderen aan te leggen. Dan vraag je je toch af waarom hij er nooit met een woord over repte als het eens gebeurde.'

'Hij belazerde je als de vieze schoft die hij gewoon is, en nu probeert hij je te *gaslighten*.'

'Wat is dat?'

'Dat hij jou zover krijgt dat je aan jezelf gaat twijfelen en denkt dat alles aan jou ligt.'

'Het is wel zo dat we het nooit echt hebben gehad over "onze regels over seks met een ander". Hij zei wel eens dat wat hem betreft monogamie niet de enige manier was om je leven in te richten, maar... Ik betrok dat niet rechtstreeks op ons, denk ik. Hij ging om met mijn vrienden, mijn familie. Hoe moet je in godsnaam vrijheid, blijheid, niks moet en alles mag, ultramodern maar zien hoe het loopt en ondertussen uitvinden hoe het zit met die elementaire dingen?'

'Dat is dus gaslighten. Nu zoek je het alweer bij jezelf. Hij is degene die wieltjes onder de doelpalen heeft gezet.' Clem slurpt aan het rietje in haar gin-tonic en zegt dan met een vies gezicht:

'Hij noemde je "de serveerster". Hij liet geen gelegenheid voorbijgaan om te laten merken dat hij zich boven jou verheven voelde.'

'Ik dacht dat hij... weet ik veel, gewoon wat zat te geinen.'

Clem kijkt me met opgetrokken wenkbrauwen aan, Rav en Jo mijden nog steeds mijn blik en dan besef ik wat Robin me heeft nagelaten: dat ik me rot voel bij de gedachte hoeveel fout gedrag ik heb getolereerd en goedgepraat, terwijl het voor iedereen overduidelijk fout was. Dat, en een blijvende afkeer van Ben & Jerry's.

'En je kende die vrouw dus ook nog?' zegt Clem.

'Ja. Lou, zijn PA. Ze hebben vroeger iets met elkaar gehad, maar ik dacht dat dat ver voor mijn tijd was.'

Robin zei dat hij 'eeuwen geleden' één keer met Lou naar bed was geweest, 'voor de ijstijd', maar of dat over het tijdvak ging of over de seksattributen, dat mag Joost weten.

Ik moest wel even slikken toen hij dat vertelde, omdat ik net een hele avond met haar had doorgebracht in de overtuiging dat ze een vriendschappelijke werkrelatie hadden, en ik geen moment bij de mogelijkheid had stilgestaan. Aantrekkingskracht is geen exacte wetenschap, dat weet ik wel, maar Lou is mijn fysieke tegenpool: lange, wilde bruine krullen, een neusknopje, knobbelknieën in panty's met print en ladders erin, en bonkige zilverkleurige glitterschoenen.

Je moet altijd even een knop omzetten in je hoofd als je hoort dat iemand op dezelfde plekken is geweest als jij.

'Ze ging er chill mee om, ze is ook echt chill,' zei Robin, wat ik vertaalde als: het had geen gevolgen toen ik duidelijk had gemaakt dat het niets te betekenen had.

Toen had hij een stilte laten vallen.

'Dat is verder toch geen issue voor jou? Wie het heeft gedaan met wie?'

O, jawel dat is zeker een issue voor mij zoals voor zo ongeveer iedereen, wat ook verklaart waarom zoveel popliedjes daarover gaan.

'Nee, joh. Ik had het alleen niet verwacht, jullie samen.'

'"Samen" kun je het niet echt noemen, denk ik. We eindigden onder de douche in een hotel in Luton na een voedselgevecht en toen gebeurde het vanzelf. In Luton is verder ook niet veel te beleven.'

Ik beet op mijn tanden. Op dat moment voelde ik me allesbehalve het chille type dat benieuwd was naar de details, en ik vond het niet fijn dat Robin voor mijn gevoel probeerde mij als preuts en burgerlijk weg te zetten. Toen zag ik al dat hij hierop kickte en zichzelf op de schouders sloeg omdat hij zo'n erotische vrijbuiter was, naast tutje Georgina.

Dus toen hij vroeg of ik liever had dat hij er in het vervolg niets meer over zei, antwoordde ik meteen 'Ja', en begon over iets anders.

Ik vroeg niet hoe hij het zou vinden als de rollen omgedraaid waren. Als ik zou moeten ontrafelen waarom, is dat waarschijnlijk omdat hij daar alleen uit kon komen als hypocriet, óf als niet jaloers te krijgen, wat voor hem vast lekker, maar voor mij maar matigjes zou zijn.

Waarom zei ik niet dat die vrije liefde, doe-wat-je-niet-laten-kunt-benadering van Robin niets voor mij was? Ik was bang dat ik dan de provinciale verloofde in *Billy Liar* zou zijn, een vrouw die in het verleden is blijven hangen, de tegenpool van alles wat ook maar een beetje opwindend is.

En ik was bang dat mijn verwachtingen nooit uit zouden komen. Ik weet nu dat onrealistische verwachtingen altijd nog beter zijn dan helemaal geen.

We zijn twee rondjes op streek, en nu is vastgesteld dat ze hem gerust kunnen afkraken, hangt Robin gemarineerd en wel aan het spit boven een roodgloeiend kolenvuur. Nog een uur of wat en een broodje warm vlees is alles wat van hem rest.

Ik ben op een vreemde manier blij en beschaamd tegelijk dat ik niet verdrietig ben en ook geen behoefte voel hem te verdedigen. Is mijn hart dan niet uit mijn borst gerukt en bespuwd? Maar ik voel me alleen onthutst, vernederd en leeg. Die leegte was er al vóór Robin; hij was alleen een afleidingsmanoeuvre.

'Komieken zijn vaker nare mensen,' betoogt Rav. 'Wat ben je voor type als je op een podium besluit te klimmen, in je eentje, om grappen te maken met het risico dat niemand lacht? Dan moet je wel onaangepast zijn. Het verdriet van de clown, dat cliché. Ik zou nog liever in Hitlers Adelaarsnest zitten dan backstage in een comedyclub.'

'Dat had je me wel wat eerder kunnen vertellen,' zeg ik.

'Dat was ik ook van plan, maar jij was er al als een sloerie met hem tussenuit geknepen voordat ik je mijn deskundige mening kon geven. Daarna leek het me niet meer gewenst.'

Feitelijk is het Ravs schuld dat ik Robin überhaupt heb leren kennen. Hij had ons getrakteerd op kaartjes voor een avondje open podium. Robin trad als laatste op en stak er met kop en schouders boven uit met een verkorte versie van zijn voorstelling *Niet om lollig te doen maar*. Er zat meer samenhang in zijn verhaal dan bij zijn voorgangers, die hangend aan de microfoonstandaard losse grappen de zaal in slingerden. Dat hadden we zo langzamerhand wel gezien.

We eindigden die avond in een hotelbar met Robin en nog twee komieken, een plussize vrouw met turquoise haar die zich had uitgedost als een RAF-pin-up, en een depressieve man uit Solihull met een hipsterhoedje. Eindelijk was ik doorgedrongen in het creatieve wereldje van Sheffield, dacht ik.

Robin was lang, had haar als een bos telefoonsnoeren en kleine, scherpe blauwe ogen die goed afstaken bij zijn roodgeruite overhemd. Op het podium maakte hij een rusteloze, energieke indruk, ijsberend over het podium, woelend door zijn haar. De geur van podiumzweet hing nog om hem heen.

Ik merkte dat ik het spannend vond om hem te leren kennen. Hij leek me weer eens iets anders dan de mannen die ik gewoonlijk tegenkwam. Een ster in opkomst. Met iets te vertellen. Die wist wat hij deed. Ik aasde op het perfecte moment om zijn aandacht te trekken.

Met zijn mobiel horizontaal voor zijn kin – hét kenmerk van een eersteklas lamlul dat ik meteen had moeten herkennen – zat Robin zijn agent een recensie voor te lezen. Twee avonden terug had hij zijn tour afgetrapt in Londen, en kennelijk was vandaag het oordeel geveld.

'*McNee heeft een scherp oor voor de terloopse talige dommigheden waar het dagelijks leven van vergeven is. In zijn van Stewart Lee geleende korzelige rancune tegen beroemdheden, vakgenoten en zelfs zijn publiek verliest hij uiteindelijk het onderscheid uit het oog tussen bewust zelfparodiërende humor en onvervalst zichzelf kietelen... zodat hij juist eindigt als de snoever die hij te kakken wil zetten. Zijn ego zit dronken achter het stuur, maar als hij zijn betere ik het heft in handen kan geven, zou hij ons nog wel eens kunnen verbluffen.* Zeg jij het maar, Al, is dat lof of niet?'

Stilte.

'Dat snap ik. Ik vraag hoe jij het leest.'

Stilte.

'Als jij het zegt. Ik zou dit knipsel graag twee keer dubbelgevouwen met een afvalknijper bij deze "Lee Hill" willen inbrengen.'

Stilte.

'Ja, ik weet dat *Chortle* een website is en dat er geen printversie is. Volgens mij mis je een beetje het punt.'

Hij hing op. Niemand zei iets. Ik had geen last van zenuwen, vooral dankzij twee pittige cocktails met vette kersen op een stokje erin en de smaak van satanische jam.

'Een recensie met de termen "onvervalst", "verbluffen" en "een scherp oor" erin. Ik zou het wel weten,' zei ik.

Robin keek me aan.

'En dat mijn ego bezopen achter het stuur zit, dan?'

Ik schokschouderde. 'Zonder ego kom je nergens. Hadden Richard Pryor of, of... Lenny Bruce soms geen ego? Dacht het wel. Hetzelfde met demonen. Ego en demonen. Die twee zijn voor kunstenaars wat eieren en spek zijn voor je ontbijtje.'

Robins ogen werden groot.

'Wow. Wie ben jij precies?'

We stelden ons aan elkaar voor, er werd champagne besteld en op iemands rekening gezet, en de avond kon nu officieel beginnen.

'Maar jij schrijft dus?' zei Robin. Zijn arm lag om de fluwelen leuning van het bankje en daarmee dus eigenlijk om mij.

'Haha! Nee hoor. Wie zegt dat?'

'Je advies van net, dat voelde als schrijvers onder elkaar...'

Ik straalde. Zelden had iets me zo zalig in de oren geklonken.

'...al ben je er misschien te blakend voor. Alsof je niet op cafeïne en nicotine leeft, maar wel eens buiten komt en frisse lucht krijgt.'

Ik had wel door dat ik versierd werd, maar het alcoholgehalte in mijn bloed en de bas van een Prince-nummer hadden elkaar gevonden en ik liet me graag complimenteren.

'Ik ben serveerster.'

'Ha! Grappig.' (Dat toontje dus. Clem had het goed gehoord.)

Ik wilde bijna zeggen dat ik wel schrijfaspiraties had, maar dan was de volgende vraag geheid wat ik zoal geschreven had – waarop het antwoord 'geen ene letter' is, op een dagboek na waar ik lang geleden heel trots op was – dus dat zei ik maar niet.

'Misschien kun je me helpen bij de research voor mijn act,' zei Robin. 'Hoe voelt het om mooi te zijn?'

Achter hem zag ik Rav een denkbeeldig pistool tegen zijn slaap zetten en de trekker overhalen.

Normaal gesproken zou ik hebben gekreund, maar op dat moment vond ik Robin verfrissend en verrassend. En geef toe, er zijn véél ergere dingen om te horen.

'Ik ben niet mooi.'

Ik bezweek niet voor de verleiding om aan mijn haar te zitten, maar hield wel mijn buik in.

'Dat ben je overduidelijk wel.'

'Nou, bedankt.'

'Maar zo voelt mooi zijn dus, begrijp ik? Dat je denkt dat je niet mooi bent?'

Ik lachte. 'Eh... Als jij het zegt.'

'Dat valt me toch tegen. Ik dacht dat het zou voelen alsof je de hoofdrol speelt in een Disneyfilm waarin je de potten en pannen zichzelf laat afwassen en de bezem laat dansen.'

Een paar minuten later boog Rav zich naar me toe en fluisterde: 'Zijn bezem kan je zeker laten dansen, zullen we maar zeggen.'

Ik lachte en realiseerde me dat ik voor het eerst in tijden weer eens iemand zag zitten.

Die avond deed ik wat ik anders nooit doe: toen Robin weer naast me aanschoof en mijn glas bijvulde, dacht ik: Jou neem ik. Jij gaat mee naar huis.

Na een paar gefluisterde ik-vind-jou-wel-leuk/ik-jou-ooks en zoenen bij de taxistandplaats eindigde de avond met tamelijk middelmatige gemeenschap in een hotelkamer, aangezien Robin te bedonderd was om terug te gaan naar zijn flat. Dan waag ik me eens aan seks op de eerste avond – voor het eerst van mijn leven

– en kom ik niet verder dan hotsen op een stomdronken komiek die half in coma ligt en aan een stuk door kreunt: 'Praat geil tegen me, Georgina de serveerster! Ik wil het grof, grofgebekt en vunzig!'

Vunzig?

'Neuk me!' riep ik. 'Jij snoever met je krullen!'

Rav zit nog steeds Robins tekortkomingen te overpeinzen.

'Ik heb hem niet vaak genoeg meegemaakt om hem langs de diagnostische meetlat van de Duistere Triade te kunnen leggen,' zegt hij, 'maar ik denk dat ik wel weet wat eruit zou komen.'

'Dat klinkt als een hiphopgroep.'

'Narcisme, manipulatie, geen empathisch vermogen,' zegt Rav, aftellend op zijn vingers, die vervolgens in de open chipszak verdwijnen. 'Mensen die je inpakken en met hetzelfde gemak weer dumpen, zonder een greintje schuldgevoel.'

Rav is therapeut. Niet dat je dat ooit zou denken bij het zien van dat tengere Aziatische joch met zijn Morrissey-kuifje en zijn discreet fatterige kledingstijl. Hij is onderkoeld analytisch en niet sentimenteel, en vermoedelijk de ideale persoon om in de buurt te hebben als je het aanlegt met zo'n spectaculair vat vol disfunctie als Robin. Al is onze met drank overgoten deconstructie misschien zo langzamerhand uitgelopen op het verheffen van een banale egocentrische zakkenwasser tot een snoodaard van shakespeareaanse proporties.

Jo knauwt op haar lip.

'Ik vond Robin erg idio... idio...'

'Idioot?' zegt Clem.

'Nee, je weet wel, idi...'

'Idi Amin?' zegt Rav.

'Nee, een woord voor individualist maar dan niet individualist!'

'Idiosyncratisch?' zeg ik.

'Dat! Maar hij deed wel vaak erg bot tegen jou, vind ik.'

'Ik zag het echt als een beetje plagen,' zeg ik fronsend.

Ik kan goed tegen een geintje, en daar ben ik trots op. Het is naar om te horen dat mijn vrienden er met kromme tenen bij zaten, en dat ik blijkbaar niet weet waar de grens ligt.

Clem tuit haar lippen.

'Altijd als jij je mening ergens over gaf, kwam Robin er meteen overheen met: "Ja, maar de tegenstanders hebben ergens wel een punt," of: "Je trekt het je misschien ook te veel aan." Dat viel me al meteen op, omdat een psychopathische ex van me dat ook altijd bij mij deed. Ze halen je steeds weer onderuit. Alles om te zorgen dat je constant aan jezelf blijft twijfelen.'

God, ze heeft gelijk. In het begin was ik diep onder de indruk als Robin weer eens een van mijn heilige huisjes sloopte, maar nu zie ik dat het er altijd op neerkwam dat alles goed zou komen als ik mijn houding maar veranderde en niet het prinsesje uithing. Goed bezig, dacht ik dan, je hebt nu echt een slimmerik gevonden, een uitdaging. Hij neemt tenminste geen blad voor de mond. Wat ik nooit dacht: Kan die gast niet eens een keer mijn kant kiezen?

Ik gaf Robin die ruimte omdat ik dacht dat hij 'Andere Mensen' was, een gezant uit een slimmere, meer verheven en vrijzinnige wereld dan die van Georgina het Serveerstertje. Als me eens iets in het verkeerde keelgat schoot, was dat natuurlijk omdat ik niet avant-gardistisch genoeg was en geen kunstenaar was met de bijbehorende levenshouding. Ik begrijp nu – zie ook het gesprek over Lou – dat hij keer op keer subtiel het gevoel versterkte dat ik achter de troepen aan hobbelde.

'Hij is gewoon een rijke kakker, en zijn idee van jou een leuke avond bezorgen was dat jij naar zijn flat kwam die zijn ouders voor hem hebben gekocht om te blowen en naar zijn onzin te luisteren,' zegt Clem. 'Hoe vaak nam hij je nou ergens mee naartoe?' Hmm. Nooit. En ook daar had ik een verklaring voor. Heerlijk dat hij geen platte materialist was. Geld genoeg, maar geen belangstelling voor dure restaurants, indruk maken, als een haantje door de stad stappen en mij proberen te betoveren met zijn rijkdom. Hij praatte liever over intellectuele onderwerpen. (Zichzelf. En zijn werk.)

Ik slemp wijn en stel een memo aan mezelf op over een goedgetraind vermogen om positief te blijven – van het soort dat er vooral bij meisjes wordt ingeramd: lach eens, niet zo negatief! – en waarom dat niet altijd goed is. Soms moet je jezelf afvragen waarom dat zou moeten.

En ik denk na over andere succesvol door mij geblokkeerde signalen. De eerste keer dat ik Robin officieel introduceerde in mijn vriendenkring was op Clems dertigste verjaardag. Ik dacht dat Clem steeds net ergens anders was omdat ze zich met haar gasten moest bezighouden, dat Rav glorieus dronken werd doordat er te veel rum in de kannen Dark 'n Stormy zat, en dat Jo stilletjes was door het PMS. Ondertussen stond Robin zich opzichtig te vervelen en zei hij dat hij 'niet tot zijn recht kwam' in mensenmassa's.

Ik tuur met een grimas in mijn glas. 'Als jullie maar niet denken dat ik op een hufter viel omdat hij wel eens met zijn kop op tv was geweest.'

'Nee hoor,' zegt Rav. 'We denken dat je op een hufter viel omdat je dacht dat hij anders was. Ja toch? Bijzonder. En dat was hij. Bijzonder...'

'Niet dat wij het nou zoveel beter doen,' merkt Jo op.

Ik had het niet willen zeggen, maar ik ben normaal gesproken niet degene die met een koekoeksjong komt aanzetten. De paar vriendjes die ik als twintiger heb gehad waren allemaal even niet-spannend en niet geschikt voor mij, maar verder waren het prima jongens.

Ravs stoet internetdates is als puntje bij paaltje komt nauwelijks te onderscheiden van zijn cliëntenlijst – 'Ik krijg er alleen niet voor betaald' – Jo is al tijden ongeneeslijk gek van de plaatselijke onweerstaanbare eikel, Player Phil, en Clem ziet de romantische liefde als instrument om de mens te knevelen en knechten. Haar dates zijn meestal alweer verdwenen voordat wij hen te zien krijgen.

Rav loopt met Clem mee naar de bar om het derde rondje te halen, en dan zegt Jo vanonder haar rechte, glanzend bruine pony – ze heeft momenteel een dipdye met twee derde cappuccino en een derde melkschuim (ze is kapster): 'Je houdt je er goed onder. We zijn toch niet te hard, hoop ik?'

'Vind je? Dank je. Nee hoor, helemaal niet. Eerlijk gezegd kan ik mezelf wel schieten. Ik vraag me af hoelang ik mezelf nog was blijven wijsmaken dat we zo'n goed stel waren als dit niet was gebeurd. Terwijl we dus niet eens een stel wáren.'

Nu alle opwinding en de adrenalinestoot van Robins ontmaskering en zijn onbeschaamde daad beginnen te zakken voel ik me opeens leeg vanbinnen.

'Natuurlijk waren jullie wel een stel!'

'Nee hoor, Jo. Ik klampte me vast aan iemand die ik cool vond.' Ik wrijf over mijn slapen en weersta de verleiding om met mijn hoofd op tafel te beuken. 'Het engste is nog dat ik er geen gevoel bij had. Misschien word ik wel nooit meer écht verliefd. Misschien was dit het gewoon, en is het vanaf nu alleen nog maar de minst slechte opties en verdomme eindelijk eens volwassen worden.'

Mijn rodewijnniveau heeft de sentimentele fase ingeluid.

'Je komt echt nog wel iemand tegen! Je hebt ze voor het uitkiezen, serieus.'

Ik val even stil en speel met een bierviltje. Je kunt meer kwijt tegen iemand die je al twintig jaar kent. Iemand die weet hoe je in elkaar zit. Die je hele verhaal kent.

'Ik weet niet of er wel iemand is die ik zou willen kiezen. Ik ben nooit echt voor iemand gevallen...' Ik zet door, roekeloos door de drank, maar durf haar niet aan te kijken. 'Of misschien die ene keer. Toen ik nog jong en onnozel was. Maar achteraf bleek dat ook niets voor te stellen.'

'Richard Hardy?' fluistert Jo, vragend maar eerbiedig. Mijn god. Vrienden die al zo lang meegaan zijn echt levensgevaarlijk.

Ik ben er nauwelijks over begonnen of ik realiseer me dat ik het hier niet over wil hebben. Nu niet, nooit. Bij het horen van die naam krijg ik al een knoop in mijn buik. Ik brom iets vaags.

'Ik zie wel eens foto's van hem voorbijkomen. Hij zit tegenwoordig toch in Toronto?'

'Hm-m. Kan wel, ja, dat hij naar Canada is verhuisd,' zeg ik, mijn lege glas vervloekend omdat ik nu niets heb om mijn mond mee bezig te houden.

Jo wrijft even over mijn arm. Ik voel dat ze nog iets wil zeggen en weet niet hoe ik haar daarvan moet weerhouden.

'Ik wist niet dat je –' begint ze, maar ik snij haar de pas af.

'Waar blijft Rav? Staat hij zelf de druiven nog te persen of hoe zit het?'

Ze kijkt om zich heen, en ik weet dat ze voelt dat er iets niet goed zit, maar dat dit moment alweer voorbij is voordat ze zich goed en wel kan afvragen wat dat zou kunnen zijn.

7

Die eerste paar minuten van het wakker worden met een kater zijn het allerergst. Alsof je bijkomt in een weiland nadat je bij een auto-ongeluk door de voorruit bent geknald, maar dan met jou als het auto-ongeluk.

Mijn hoofd speelt het staartje van de nacht voor me terug: zout likken, in limoenen happen, tequila's wegtikken die naar nagellakremover smaken, kakelen van het lachen in de taxi. Arghhhhhh. Shotjes. Een ervaring waar welbeschouwd niemand enig plezier aan beleeft, en de volgende ochtend moet je zwaar boeten.

In een reeks flitsen vol bloot puzzelt de werkelijkheid zich weer in elkaar: Lou topless en vastgebonden, Robin in zijn blote zak tegenover toevallige passanten. Het trekt als een wel heel rare droom aan me voorbij, en ik denk ook even dat ik het heb gedroomd, totdat ik een verfomfaaide tourposter van *Niet om lollig te doen maar* op de vloer zie liggen met LULHOOFD in lippenstift op Robins voorhoofd.

O, god, heb ik veel herrie gemaakt? Karen maakt me af. Ze werkt in een koekjesfabriek, de ene week in de nacht en de andere week overdag, en ik vergeet vaak in welke week we zitten. Toen ik hier kwam wonen vroeg ik: 'Eten mensen echt zoveel koekjes dat er 's nachts koekjes gebakken moeten worden?' 'Is dat een grapje of ben je echt zo dom?' zei ze toen, en daarmee was de toon voor ons voordeurdelersschap gezet.

Ik hang als een hagedis mijn tong uit mijn gortdroge mond en voel mijn scharnieren knarsen als ik me probeer uit te rekken. Ik ga maar voor een sloot cola, twee smelttabletten Neurofen citroen en nog twee uur slapen, denk ik.

Hoe laat is het? Ik kantel mijn telefoon om te kijken en zie dat ik een bericht heb van een onbekend nummer. Ik kom op een elleboog overeind, zie mezelf in de spiegel van de kast met het haar van wijlen Rick Parfitt op een comebacktour van Status Quo – waarom altijd zoveel volume rond je kruin als je dronken in slaap bent gevallen? – en veeg het bericht open.

Hoi Georgina, Devlin hier, ik heb je nummer van Mark, die zei dat je een handje kon komen helpen op de wake vanavond. Kun je er rond drieën zijn? Laat het ff weten, we kunnen je hulp goed gebruiken!

Kuuuuuuuut... Ik heb die klus voor Marks klant! Die ene die ik van Esther echt niet mag verkloten! Nu afbellen nu afbellen AF-BELLEN KAN ECHT NIET. Ik kan mijn zus niet boos maken, om nog te zwijgen van het geld – in het volgende bericht staat een best behoorlijk lekker bedrag, contant ('plus wat je aan fooi bij elkaar bietst') waarmee ik het deze maand zeker moet kunnen uitzingen.

Het is halfelf. Ik ben om drie uur besteld. Een extra uurtje slaap zou niet verkeerd zijn, maar ik kan maar beter meteen in beweging komen. Straks verslaap ik me, en dan hang ik.

Ik neem een hete douche en ben eindeloos in de weer met make-up die mijn toestand moet verhullen. Het is beperkt houdbaar, besef ik, met mijn roze oogwit en grauwe huid. Voor de beslagen spiegel lijk je nog als Lazarus verrezen door je driedubbele laag smeer, maar als je in de loop van de dag per ongeluk een glimp van je spiegelbeeld opvangt, zie je een verlopen Baby Jane.

Vast voedsel is nog te veel gevraagd. Ik giet een sterke bak koffie naar binnen die korrelig is van alle suiker en krijg zo'n alwetende blik van Jammy de schildpad waar ik *Gut, zijn we weer brak?* in lees.

Ha, fijn, er ligt ook weer zo'n lief briefje van Karen op de keukentafel.

Georgina.

Kennelijk is er een TAMPONKABOUTER onder ons. Dit sprookjeswezen sluipt door het huis om sanitaire producten te stelen. Ik had een doosje Super Plus met nog ong. drie tampons erin dat nu leeg is. Heb jouw mini's maar gepakt, maar als ik die wilde gebruiken kocht ik ze zelf wel. Ik bloed ook nogal zwaar en dat kunnen ze gewoon niet aan. Graag ZSM vervangen.

Karen

PS toegevoegd om zes uur 's ochtends, voor mijn werk: denk je dat je (alleen? neem ik aan) om twee uur 's nachts EEN UUR LANG kunt rondstampen in je slaapkamer en dan Taylor Swift draaien met oortjes in en dat ik je dan niet HOOR MEEZINGEN. ZO ONGELOOFLIJK RESPECTLOOS.

Aangezien ik me niet eens herinner dat ik thuiskwam, zal ik dus behalve nieuwe tampons ook nog excuuswijn moeten halen.

Ik weet heel zeker dat ik die van haar niet heb gebruikt. Karen heeft een slecht geheugen en geniet van mensen aan hun kop zeuren, een van de vele redenen waarom het zo'n voorrecht is om een huis met haar te delen.

Ze heeft trouwens ook geen gevoel voor humor, dus Dobby de

huiself op haar briefje tekenen, en hem 'Blobby' noemen, is Echt Geen Goed Idee.

Marks klant is een kordate, vriendelijk-maar-bruusk klinkende man met een Iers accent die Devlin heet, met die afwijking die veel mannen hebben om een telefoongesprek te voeren alsof je iemand door het autoraampje vertelt hoe hij moet rijden: een staccato reeks zakelijke mededelingen, uitgesproken op luide toon.

Hij belt meteen terug na mijn berichtje dat drie uur prima is omdat hij wil uitleggen dat a) het om een wake gaat, en wel voor een vriend van hem, en b) dat hij omhoogzit omdat The Wicker op Ecclesall Road net verbouwd en nog niet officieel heropend is, en of ik geen bezwaar heb om het grootste deel van de avond alleen te staan? Nee hoor, mooi, mooi, oké, dan zie ik je om drie uur. Klik.

The Wicker. Hmm. In dat geval hoop ik dat ze een flinke zak met geld hadden, want dat was geen kleine klus.

Aan de buitenkant zag The Wicker er altijd aantrekkelijk uit, met een victoriaanse gevel van metrotegels in verschillende tinten diepgroen en een enorme massieve plaat van een deur in glanzend zwart. Als je niet bekend bent in Sheffield zou je zomaar speciaalbier en kaasplanken met tafelzuur in weckpotjes kunnen verwachten. Helaas was het binnen schemerig en muf en zagen de drankjes altijd troebel. Het is zo'n kroeg die je vanzelfsprekend overslaat, eentje waar de stamgasten waarschijnlijk alleen maar blijven komen omdat ze aan het stockholmsyndroom lijden.

'Hallo?' Ik roffel met mijn knokkels op de imposante deur, die op een kiertje staat. 'Hallo?'

Ik duw de deur verder open en doe een stap naar binnen. Ken

je dat gevoel als je in het buitenland uit het vliegtuig komt en je automatisch schrap zet voor de koude Britse lucht, en het dan opeens voelt alsof er een föhn op je staat?

Zoiets, maar dan met schoonheid.

Er staat een lange, gebogen mahoniehouten bar die duidelijk origineel is en met veel liefdevolle zorg volledig is hersteld van de slijtageslag van een eeuw van ellebogen, met daarachter een wand met antieke facet geslepen spiegels met rijen flessen sterkedrank ervoor. Goede flessen, trouwens, waar je dorst van krijgt: zeker tien verschillende soorten gin, Aperol, goede whisky's. Ik heb een zwak voor die sjofel-chique combinatie van oud en nieuw. Excellent, wat mij betreft.

Ze hebben de hele zaak gestript, maar de ziel bewaard. De zitjes bij de ramen zijn nu bekleed met ossenbloedrood leer in plaats van dat ribbelige kriebelspul dat ook op de stoelen in de trein zit. Het licht komt van lage witporseleinen hanglampen.

Op de vloer is de dikke plak kleverig en kaal gelopen tapijt vervangen door bijna zwartgelakt parket. De knusse en duur ogende muren hebben de kleur van de lucht bij schemering – Hague Blue van Farrow & Ball denk ik, van wat ik me herinner van Esthers eindeloze keuzestress bij het inrichten van haar huis.

Zo te ruiken staat er iets vlezigs te stoven. Op de schraagtafels langs de muren staan schalen met driehoekjes van zacht witbrood te zweten onder plasticfolie, en rauwkost ligt als vuurwerk rond kommetjes met dipsaus geschikt.

'Hoi! Georgina, neem ik aan.'

Ik draai me om en zie een man die een fors bloemstuk neerzet, met een tekst in oranje gerbera's en chrysanten als witte lolly's. Dan komt hij met grote stappen op me af en schudt me de hand.

'Devlin.'

Hij ziet er totaal anders uit dan hij klonk aan de telefoon. Door zijn diepe stem en melodieuze accent zag ik een reus à la Hagrid voor me, maar hij blijkt een energiek mannetje van één meter zestig met inktzwart haar, scherpe groeven in zijn gezicht en een hip jasje. Hij is in de veertig en knap, al heeft hij dan wat gebruikssporen.

'Je bent onze redder in hoge nood. Fantastisch dat je wilde bijspringen.'

'Graag gedaan. Het ziet er hier echt goed uit, zeg.'

'Ja, vind je?' vraagt Devlin tevreden. 'Het was bloed, zweet en tranen, maar ik ben er wel content mee. Kende je deze kroeg?'

'Eh... Ik wist ervan, maar ik kwam hier eigenlijk nooit.'

'Nee, het was een beetje een tent voor beroepsdrinkers, zogezegd. De oude eigenaars hadden de boel flink laten versloffen. Maar ik zag er meteen potentie in.'

'Nou, en terecht! Jeetje.'

Het ziet er nu zo goed uit dat ik er alleen al blij van word om hier te staan.

'We gaan pas over een week open en de kassa's zijn nog niet aangesloten, dus het is vanavond vrij drinken. Scheelt jou ook weer werk.'

Ik glimlach en knik, maar ik heb genoeg barervaring om te weten dat het met vrij drinken een complete veldslag wordt, en voor vrij drinken op een wake geldt dat dubbel en dwars. Mensen worden beesten zodra ze niet hoeven te betalen. Mark zei al dat het een goedbetaalde klus was, en nu begin ik te begrijpen waarom. Dit wordt een beleg zonder spelregels of eindtijd.

En het is de eerste begrafenis waar ik iets van meekrijg sinds die van mijn vader, twaalf jaar geleden.

Toen ik een jaar of vijftien was, hing mijn moeder het boekje van de uitvaart van haar nicht Janet op het prikbord, een fysiotherapeut in Swansea. DE VIERING VAN HET LEVEN VAN, stond erop, en binnenin stonden foto's van Janet in een clownspak op een feest, Janet in een kajak en Janet naast haar vriendin, proostend naar de fotograaf met een watermeloenmargarita. 'Maak een regenboog' was het kledingvoorschrift. Mam stuurde bloemen.

Ik weet nog dat mijn vader snoof: 'Ik heb het niet op dat "vieren" met die vakantiefoto's en dat opleuken van de sterfelijkheid. Laat de dood gewoon de dood zijn. Het is verdrietig, daar hoeft geen modernisering overheen totdat we in hawaïshirts "Kumbaya My Lord, Kumbaya" kwelen en ze gezellig uitzwaaien.'

'Janet heeft haar uitvaart zelf zo gepland,' zei mam.

'Dan was Janet egoïstisch bezig. Het is toch niet voor haar? Een uitvaart is bij uitstek een gebeurtenis waarbij je alleen rekening zou moeten houden met andermans gevoelens.'

Mam keek hem ontzet aan, en pap mompelde iets over boodschappen doen en of iemand nog iets nodig had, en vertrok.

Pas jaren later realiseerde ik me dat mam de uitvaart waarschijnlijk had laten schieten omdat ze wist dat pap zo zou doen. Konden heppie-de-peppie afscheidsdiensten hem echt iets schelen of gaf hij hun beiden zo een excuus in handen om verstek te laten gaan? Alles om niet een weekend samen in Wales te hoeven zitten? Die discussie ging niet over het onderwerp. Misschien gingen al hun ruzies wel over iets anders dan waar ze over gingen.

Op paps begrafenis drie jaar later hielp het niet dat we wisten dat hij vrolijkheid zou afkeuren, dat hij niet gelovig was en het een 'duik in de eeuwige tv-sneeuw van het niets' had genoemd. Krom genoeg had hij geen rekening gehouden met onze gevoelens.

We namen het standaardpakket voor zijn uitvaart, met de goedkope kist van gefineerd mdf, een dienst in een kerk waar pap nooit kwam maar die mam graag wilde omdat het chiquer was dan een crematoriumzaal, en daarna een wake in het zaaltje ernaast waar jong personeel in witte overhemden en donkere broeken warme dranken schonk uit vaten van horecaformaat, en warme azijnwijn uit pakken.

Ik herinner het me als de dag van gisteren, dat misselijkmakende losgesneden gevoel, als in een nare droom. Alsof het universum een slinger aan het stuur had gegeven en ik links af was geslagen, recht een grotesk altiversum in waar ik ook weer uit zou moeten kunnen klimmen. Mam en Esther hadden het lichaam geïdentificeerd; ik zat in mijn eerste studiejaar. Op een gewone maandag had mam hem in de keuken horen vallen, en toen ze naar beneden rende, vond ze hem op zijn buik in een zee van koffie uit de cafetière.

Ik wilde op een van die onbewogen mannen met witte handschoenen van de uitvaartonderneming afstappen, die hebben geleerd om geen oogcontact te maken, en hem bij zijn grijze revers grijpen. En zeggen: 'Er is iets heel erg fout gegaan. Mijn vader ligt daar in die kist. Mensen gaan dood, dat weet ik, maar ándere mensen. Niet mijn eigen vader, en zeker niet nu al. Ik moet het dringend met hem ergens over hebben, dus haal hem hier weg.'

Het woord verlies kreeg een nieuwe betekenis, of de betekenis werd me nu voor het eerst duidelijk: iemand die op een volkomen unieke en onvervangbare manier van me hield was van de aardbodem verdwenen, met onze relatie erbij. En niet alleen pap was verdwenen, maar zijn kijk op de wereld ook, zijn steun, zijn goedkeuring en wat hij van mij vond. Niemand anders kon mijn vader zijn, en ik had er toch echt nog heel hard een nodig. Zag ik hem nooit meer terug? Helemaal nooit meer?

We hadden geen dag gezegd.

Ik haal de herinneringen met tegenzin op. Dan stop ik ze weer weg. Alsof je te veel spullen in een kast propt en de deur dicht-doet om de boel klem te zetten, terwijl je wel weet dat het maar een tijdelijke oplossing is, en ook wat er gebeurt als je het deurtje weer opendoet: spontane lawine.

De volgende aanwijzing dat deze wake meer 'nicht Janet' dan 'mijn vader' is, zijn de foto's die als een feestslinger door de bar hangen. Een man van in de dertig met een grote kin en holle wangen die lol maakt: wandelend in het Peak District, verkleed als Romeinse centurio, vergeelde kroegfoto's uit de jaren negentig, toen je nog geen foto's maakte met je telefoon en elke man in houthakkershemd en lichtblauwe spijkerbroek liep. Erboven hangt een doorgezakt spandoek met RIP DANNY.

Nee, hè. Hij was nog jong. Dat had ik niet verwacht, met die wake op zo'n afgelegen, niet-hippe plek. Dat komt aan. Het is toch anders wanneer iemand een lang leven heeft gehad en in een verzorgingstehuis zat en misschien niet eens meer wist wie hij was. Ik bekijk de foto's nog eens en voel mijn keel dichtknij-pen. Al wordt het nog zo laat vannacht en daalt mijn uurloon navenant, denk ik, mij zullen ze niet horen klagen.

'Zal ik dan eerst maar eens de glazen uitpakken?' Ik gebaar naar de stapels wijnglazen en een lege behangtafel met een pa-pieren tafelkleed erop.

'Heel graag. Zet maar aardig wat rood en wit klaar ook, want dronken worden ze, dat weet ik wel.' Hij kijkt op zijn horloge. 'Nog een halfuurtje te gaan; de kerk is net uit en ze staan nu nog na te kletsen. Katholieken, dan weet je het wel.' Hij maakt het gebaar van de pratende hand. 'De plechtigheid kan ze niet lang genoeg duren.'

Dan valt mijn blik weer op de bloemen en dringt de tekst pas tot me door.

'Eh... Irn Bru?' zeg ik.

Devlin kijkt naar de bloemen en dan weer naar mij. 'Ha, ja. Dan was gek op Irn Bru. Toen we zijn liefdes op een rijtje probeerden te zetten kwamen we uit op Irn Bru, pokeren, drank en tieten, en met die andere drie hoefde ik bij de rouwbloemist vast niet aan te komen, dacht ik.'

Ik lach, maar kap mezelf af. 'Gecondoleerd,' zeg ik, al weet ik uit eigen ervaring hoe ontoereikend dat woord is.

'Dank je, Georgina, bedankt,' zegt Devlin, en ik merk hoe aangenaam het is om te werken voor iemand die je naam onthoudt en die ook gebruikt. *Ik weet dat je meer bent dan mijn knechtje en ook nog een boeiend leven hebt buiten deze transactie*, is de onuitgesproken boodschap.

'Te jong natuurlijk, veel te jong, maar Danny was ook niet gebouwd op bejaard worden.'

'Ach,' zeg ik. 'Wat rot.'

Hij schudt zijn hoofd. 'Ik kende hem van mijn eerste baan, in een magazijn. Sindsdien waren we beste vrienden. Goeie gast, echt een wereldgozer, stond altijd voor je klaar. Maar ja, dorstig type, hè. Alle dagen feest.'

Ik heb het gevoel dat Devlin niet snel iets verkeerd opvat, en daarom durf ik te vragen: 'Is hij... Is de alcohol hem fataal geworden?'

'Zoiets. Ja en nee, eigenlijk. Hij donderde met zijn zatte kop van een trap, sloeg zijn eigen hersens in, gigantische bloeding. Hij zou er niet meer uit komen, zeiden ze in het ziekenhuis. Of in elk geval niet als de oude Dan.'

'Allemachtig.'

'Drieëndertig. Geen leeftijd.'

'Drieëndertig!' Ik sla mijn hand voor mijn mond. 'Afschuwelijk. Wat zwaar voor je, Devlin.'

'Een jaar geleden stierf mijn schoonzus ook op die leeftijd, dus het was echt een rotjaar.'

Mijn variaties op ontzette geluidjes en gemompeld medeleven zijn op, maar dan worden we onderbroken door een man met zijn spijkerbroek halverwege zijn kont, niet als 'look' maar vanwege te bedonderd om een riem om te doen, die binnenkomt met een speaker.

Ik voel me meteen minder bezwaard over mijn zwarte t-shirt en spijkerbroek. Ik twijfelde nog of spijkerstof wel voldoende respect uitstraalde, qua materiaal.

'Waar wil je deze hebben?'

'Eh... Even kijken. Zet maar bij die deur daar.'

'Is er ook muziek vanavond?' vraag ik aan Devlin.

'Zeker weten. Het jankt beter op muziek,' zegt hij. Als hij mijn verwarring ziet, voegt hij eraan toe: 'Ik had je misschien even moeten waarschuwen dat vanavond meer bedoeld is als feestje dan als wake. Danny had duidelijke instructies achtergelaten voor het geval van een onverwacht vertrek en die volgen we naar de letter op.'

Na een korte stilte vervolgt hij: 'Hij zal wel zat zijn geweest toen hij dat schreef, maar evenzogoed.'

8

Ik geniet volop van iets waar ik absoluut niet van dacht te genieten, wat mijn genoegen een sterk goedje maakt – tweeënhalf keer zo krachtig als verwacht plezier. En ik krijg er nog voor betaald ook.

Ter verdediging kan ik aanvoeren dat iedereen het zo te zien naar de zin heeft. Uit de speakers blèrt muziek, het gepraat is oorverdovend maar allemaal even goedmoedig, en iedereen die ik spreek is beleefd, ook al zijn ze nog zo ver heen.

Het afscheidsfeestje van nicht Janet moet een quakerbijeenkomst hebben geleken naast Dans wake, en ik vind het jammer dat ik hem nooit heb gekend. Al zou ik misschien wel last van mijn geweten hebben gekregen als ik hem drank had moeten schenken.

Devlin hield een korte speech waarbij de tranen over zijn wangen rolden, en vertelde over Dans hekel aan zwartgallige herdenkingsdiensten.

'Hij vergeeft jullie de zonde van het doorgaan zonder hem en vraagt jullie om dat feit juist te vieren. En dat is meteen de beste samenvatting van wie Dan was. Op Dan,' zei hij met geheven glas.

'Op Dan,' proostte iedereen met het glas in de lucht, en ik proostte mee met prikkende ogen en haalde even mijn schort over mijn gezicht.

In het eerste uur zei Devlin tegen me: 'Zorg je dat je zelf ook niet zonder komt te zitten? Zolang je nog uit je ogen kunt kijken, lijkt me dat niet meer dan redelijk. En dat buffet staat er ook voor jou.'

Ik schenk champagne voor mezelf in, ook al krijg ik nauwelijks de kans om eraan te ruiken, maar het is het hartverwarmende soort druk dat de tijd met grote sprongen in plaats van kruipend voorbij laat gaan, en ik word er oprecht blij van dat niemand iets tekortkomt, alsof ik hier op persoonlijke titel met gulle hand sta uit te delen.

Devlins vrouw Mo – 'Die pik je er zo uit. Ze is klein met geblondeerd haar en zit me voortdurend op mijn nek.' – houdt de voorraad fruit en ijsblokjes op peil, maar verder regel ik alles zelf.

Ik herontdek iets wat in de loopgraven van That's Amore! was weggezakt: ik sta mijn mannetje. Na honderd gasten in twee uur tijd zet ik onder de tap met een simpele handbeweging van rechts een shamrock in het schuim van een glas Guinness en haal tegelijk met links de hendel van de maatschenker om.

Als het iets rustiger wordt, verandert de open ruimte in het midden spontaan in een dansvloer.

Ik ontdek nog een doos champagne die in het gewoel over het hoofd is gezien en meld dat bij de rood aangelopen, euforische Devlin.

'Zeg maar Dev! Alleen voor mijn moeder en de politie ben ik Devlin. Goed dat je het zegt.'

Hij tikt met een vork op een flûte.

'Mag ik even jullie aandacht! Onze fantastische barvrouw heeft nog meer Moët opgedoken. Je moet het goede spul pas aanbreken als het schorriemorrie naar huis is, zeg ik altijd maar. Ik stel voor dat we er nog eentje nemen en samen drinken op die beste Dan.'

Gejuich.

'En als we toch bezig zijn: mag ik een applausje voor het harde werk van de onvermoeibare Georgina?'

Devlin wijst naar mij, iedereen klapt en fluit, en ik bloos en denk: Nou, Esther hoeft in elk geval niet te miepen dat ik Mark in verlegenheid breng.

Hoe later het wordt, des te uitgelatener voel ik me. Ik waan me al een halve Ier, met de oppervlakkige toe-eigening van Rose die in *Titanic* spontaan opgaat in het feestgewoel benedendeks door haar rokken op te schorten en de horlepiep te dansen op de deun van een tinnen fluitje.

Als ik een collectie wijnglazen verzamel en een tweede golf champagne begin uit te delen, valt me opeens een man op die net is komen binnenlopen met een mollige, zandkleurige hond naast zich.

Hij is lang en donker, en de kraag van zijn donkerblauwe jas staat omhoog. Zijn haar is gitzwart en krullerig, en net lang genoeg om het achter zijn oren te kunnen doen. Hij viel me op, besef ik nu, omdat hij niemand begroet en niet meedoet, maar als een danceversie van Mr. Darcy op het bal een trefzekere, narrige uitbeelding van 'zwaarmoedig' ten beste geeft.

Terwijl het losgeslagen eenentwintigste-eeuwse plebs staat te wiegen op 'What's Love Got to Do with It' van Tina Turner, staart hij voor zich uit.

Het voelt raar om naar hem te kijken zoals hij daar staat te kijken, tussen de drom gasten door die er steeds voor schuiven. Hoort hij hier wel te zijn? Als je alleen een kroeg in komt, probeer je toch normaal gesproken iemands aandacht te trekken om te laten weten dat je er bent? En waarom kom je nog zo laat naar een wake? Is hij de wakevariant op de ongenode gast op een bruiloft? Maar waarom dan die hond? Dan val je toch alleen maar meer op? Nee. Hij zit hier niet verkeerd. Ik vraag me af wat voor verhaal erachter zit. Misschien is hij een goede vriend van Dan en heeft hij moeite met zoveel oneerbiedige uitbundigheid.

Als zijn blik mijn kant op draait, buig ik me snel weer over de glazen.

Hé, 'Atomic' van Blondie. Lekker. Dansend maak ik de bar aan kant.

'Heb je even, blondie?'

Ik draai me met een lach om. Devlin wenkt me naar de zijkant van de bar en steekt me een pak geld toe.

'Je hebt het eersteklas gedaan vanavond, ontzettend bedankt.'

Ik bedank hem en zeg naar waarheid dat ik het met veel plezier heb gedaan, om meteen te ijzen van die ongepaste uitdrukking terwijl we hier een afschuwelijk voortijdige dood gedenken.

'Eerlijk gezegd zoek ik nog iemand die de bar fulltime kan runnen, maar ik heb zo'n hekel aan dat gezeik met gesprekken en cv's en alles dat ik het steeds voor me uit schuif. Ik loop liever tegen iemand aan die ik aan het werk kan zien, dan merk je vanzelf wat je aan ze hebt. Het gaat ook weer te ver om audities te houden, maar stel dat dit een auditie was, met terugwerkende kracht? Zou je er dan oren naar hebben?'

'Ja!' zeg ik. Gevolgd door een minder hijgerig en wanhopig, maar heel beslist: 'Daar heb ik zeker wel oren naar, dank je.'

'Mooi. Het moet nog wel even langs mijn broer, maar dat komt wel goed.'

Ik temper mijn oplaaiende hoop met de gedachte dat een mondeling aanbod gedaan in straalbezopen toestand niet bindend is.

Devlin draait zich weer naar me om, en ik zie dat Narrige Man Alleen naast hem is opgedoken en zijn aandacht probeert te trekken. Hij is echt heel knap, zie ik nu ik hem goed kan bekijken: fraai gewelfde, donkere wenkbrauwen, een volle, gevoelige mond en een heel lichte stoppelschaduw op zijn filmsterrenkaken. Alles klopt aan het plaatje.

Maar... Wacht eens even. Ik verstrak. Ik ken dat gezicht. Het ligt er anders bij dan toen en mijn ogen hebben het lang niet bezocht, maar het is me niet zo onbekend als ik eerst dacht. Integendeel.

De fractie van een seconde waarin ik hem herken treft me recht in het hart.

Mijn adem stokt als zijn blik de mijne vindt.

Blondie haalt uit met haar stem terwijl ze zingt over mooi haar.

'Ik zal je even voorstellen aan mijn broer, Lucas.'

9

'Luke,' zegt Lucas, die zijn hand uitsteekt en de mijne kort maar krachtig schudt, terwijl ik naar lucht hap en wezenloos 'hallo' en 'Georgina' mompel.

(Mijn onbezonnen *Luke? Sinds wanneer dat?* slik ik in.)

Er ligt een film zweet over mijn huid waarvan ik maar hoop dat die pas na ons fysieke contact is komen opzetten.

Lucas begint een verhaal met zijn mond vertrouwelijk vlak bij Devlins oor, wat niet uitnodigt tot meepraten, en zodra ik denk dat het kan zonder dat het lijkt of ik vlucht, vlucht ik naar de wc.

Er is niemand, tot mijn opluchting. Het is hier iets koeler en de dreun van de muziek wordt gedempt door de muur.

Ik sluit mezelf op in een hokje, ga met mijn kleren aan op het toilet zitten en staar naar de wand van het lege wc-hokje naast het mijne.

Dus Devlin is Devlin McCarthy? Staat Lucas McCarthy daar aan de bar?

Christus. Hoe dan? Hè? Hoezo?

Er staat me wel iets bij van een 'gevaarlijke' oudere broer van Lucas die al van school af was, maar die liep zo ver op ons voor dat ik zijn naam niet eens wist. Onze monden zaten te vaak aan elkaar vastgeklonken om te worden gebruikt voor het uitwisselen van stamboominformatie.

O, god, o, god. Dit had ik graag eerder geweten. Zo'n belangrijk iemand zou niet zonder toeters en bellen je leven in moeten mogen wandelen, zonder enige aanloop. Ik moet opeens denken aan dat zinnetje over de dood die maar een kamer verderop is. Lucas was dood voor me, maar nu zit hij hier in dezelfde kamer. Dat kán gewoon niet. Natuurlijk wist ik dat het een keer kon gebeuren. Twaalf jaar is alleen lang genoeg om te denken dat je zeker weet dat het niet meer gaat gebeuren.

Na een afgedwongen plasje – uit strategische overwegingen, omdat ik nu niet over vijf minuten écht kan moeten plassen – houd ik mijn klamme handen onder het koude water en bekijk ik mezelf in een aanval van ijdelheid kritisch in de spiegel. Ik zet mijn tanden op elkaar, kijk of er niks tussen zit, en wrijf driftig make-up weg die van boven naar onder mijn oog is gezakt.

Ik tril een beetje. En als je hem nu ziet!

In mijn hoofd was Lucas McCarthy nog die magere achttienjarige van toen. Ik heb er nooit bij stilgestaan dat hij in de tussentijd zou kunnen uitbotten tot oogverblindende filmster. Hij is van een ondervoede, ietwat schichtige altojongen veranderd in de vleesgeworden romantische poëzie.

En ik? Ik ben in elk geval niet getransformeerd tot een femme fatale. Ik ben nog hetzelfde appeltje, dat in de fruitschaal intussen bruine plekjes heeft liggen verzamelen.

'Type Julie Goodyear,' hoor ik Tony in mijn hoofd zeggen.

Ik strijk mijn haar achter mijn oren, recht mijn rug en doe mijn best om positief te denken. Er is niets mis met mij. Niets aan de hand. Ik voel de band van mijn spijkerbroek in zacht vlees snijden en wens mezelf strak en trots, gepolijst en glanzend als een edelsteen, en jezus sinds wanneer heb ik van die hangwangen?

Het stomme is dat ik hier wel sta te stressen, maar dat Lucas mij niet eens heeft herkend. Dat weet ik vrij zeker. Ik ben vrij goed in mensen duiden. Ik weet hoe het is als mensen naar je kijken en over je praten. Hoe het is om heimelijk bekeken te worden.

Lucas verraadde helemaal niets, hoe miniem ook. Geen spoortje ongemak of schrik, niet het minste blijk van herkenning. Zijn blik was van begin tot eind de afwezige, neutraal beleefde blik van iemand die een plichtpleging afwerkt met iemand met wie hij niets heeft. Er lag niets in zijn ogen.

Kan dat? Georgina is geen zeldzame naam, maar je hoort hem toch ook niet dagelijks. Het is twaalf jaar geleden. Is dat lang genoeg om iemand compleet te vergeten? De vraag stellen is hem beantwoorden, fluistert een stem in mijn achterhoofd. En wie weet hoeveel 'iemanden' er sindsdien zijn geweest? Eén Georgina kwijtraken in een stadion vol Georgina's? Zo gebeurd.

Ik wil niet eens dat Lucas weet wie ik ben, maar toch voel ik een steek in mijn hart bij de gedachte.

Jammeren kan altijd nog, besluit ik dan praktisch. Gelukkig kwam deze aardverschuiving op het moment dat de wake toch al op zijn laatste benen loopt.

Als ik terugga en weer achter de bar ga staan, krijg ik een stijve nek van het nadrukkelijk níét kijken naar Lucas McCarthy en alles wat hij doet. Het wordt steeds stiller aan de andere kant van de bar, tot de stroom gasten definitief is opgedroogd.

Als Devlins vrouw Mo zegt dat ik zo langzamerhand wel 'kan gaan', geef ik haar een stevige knuffel als bedankje en wacht ik niet tot ze kan vragen hoe ik thuis denk te komen. Achter haar gebaart Devlin 'Ik bel je' met zijn duim en pink aan zijn oor, en ik antwoord met een opgestoken duim en een steen in mijn maag.

Daar is de deur, kijk voor je, laat je niet afleiden, doe de deur achter je dicht... En adem uit.

Ik steek een hard nodige sigaret op terwijl ik wacht tot de taxi die ik heb gebeld de hoek om komt zetten, stampvoetend om warm te blijven. De temperatuur zal me worst wezen, zo blij ben ik dat ik daar weg ben. Ik check de taxiapp. Mijn chauffeur Ali is nog 4 MIN van mij vandaan.

Ik loop heen en weer, voor het oog om mijn lijf warm te houden, maar vooral om mijn hersens af te koelen. De muziek dreunt nog door de deur heen, en ik vraag me af hoelang ze het daarbinnen nog uithouden met de laatste whiskyflessen en hun herinneringen.

Lucas McCarthy is Devlins broer. Devlin is de broer van Lucas McCarthy. Ik kan er niet over uit.

Ik klem mijn vrije hand om mijn elleboog, ijsbeer en kijk naar de gestaltes die langs de niet beslagen delen in het patroon in de ramen bewegen. Als ik hen kan zien, zien zij mij ook.

Zou iemand zich afvragen waarom de barvrouw staat te gluren en er iets over zeggen? Die angst slaat nergens op, maar na mijn ontmoeting met Lucas sta ik zo strak als een straatkat. Voor alle zekerheid ga ik maar om de hoek staan, uit het zicht.

Iets verderop staat een raam open om de warmte uit de keuken te laten. Als ik dichterbij kom, vang ik een gesprek op. Soms valt een flard weg als de sprekers van het raam af bewegen. Ik luister half en half mee en speel met mijn telefoon. Je chauffeur zit op 1 MIN, meldt de volgapp.

'Raap even op. Nee, dat hoort daar. Zie je?'

'Welke...'

'Luke! Dáár, kijk.'

Ik spits mijn oren. Is een van die stemmen van Lucas? De dialoog heeft nu mijn volle aandacht. Het kost me moeite om het te verstaan; ze praten snel en met nadruk, maar ik kan de woorden niet onderscheiden.

En dan komen ze blijkbaar pal naast me staan, want opeens kan ik hen woordelijk verstaan.

'...van overtuigd. Het was af en toe complete chaos, maar ze redde zich prima. Geen dwarse betweter. Precies wat we zoeken.'

'Waar baseer je dat op? Je bent lam.'

Iemand laat iets zwaars vallen, maar met beleid.

'Kun je nagaan! Zo goed is ze dus. Zij schonk wel door.'

De vette lach die daarop volgt komt onmiskenbaar van Devlin.

'Je hoeft geen Einstein te zijn om glazen te vullen, hè.'

'Dat gaat voor een kroeg runnen ook op.'

Hebben ze het over míj?

Nee hè... Daar is mijn taxi. Even mijn sigaret oproken, gebaar ik in paniek tegen de chauffeur, die zo te zien niet blij met me is.

'...maar dat is dus onze hele selectieprocedure? Als het maar blond is en mijn broer er graag naar kijkt? We zijn Hooters niet, Dev.'

Dat dit echt over mij gaat! Maar het gaat toch echt over mij.

'Ze is overduidelijk een aardige, prima meid. Ze heeft iets wat me heel erg aanstaat. Ik zie het probleem niet.'

'We weten niets van haar, ook niet of ze aardig is. Je hebt me gewoon gepasseerd en haar iets beloofd, dat is mijn probleem. Heb ik er ook nog iets over te zeggen?'

'Geef die meid gewoon een kans, cynische klojo. Als vanavond érgens over ging, was het wel dat je geen cynische klojo moet worden.'

'Volgens mij ging het erom dat je geen stomme dingen moet doen als je zwaar onder invloed bent. En dan nog dat nep-Ierse gedoe met haar "krek" en die shamrocks in de Guinness? Laat haar lekker bij Scruffy Muffy gaan werken of hoe het tegenwoordig ook mag heten.'

Bulderend gelach. 'Och, lieve god, Luc. Je hebt gelijk, hoe zouden we dat nou kunnen oplossen, dat leer je mensen niet meer af, NIET TE DOEN gewoon...'

'De meter gaat nu lopen, meid, kom op!' roept de chauffeur, en ik schrik op en loop snel naar de auto, zo stil mogelijk zodat de broers niet in de gaten krijgen dat ik zo dichtbij stond.

Ik heb Lucas McCarthy zojuist het besluit om mij aan te nemen op gelijke hoogte horen stellen met dronken doodvallen.

Als we aankomen in Crookes en ik afreken, kom ik erachter dat Devlin me vijftig pond boven op het afgesproken bedrag heeft gegeven. Hij was dronken, zou je normaal gesproken denken, maar ik vermoed dat Devlin van zichzelf gewoon zo hartelijk en gul is.

Verdomme. Eén zalig moment lang dacht ik dat ik een baan in was gemazzeld die me leuk leek, voor iemand die ik leuk vind. Maar hij is de broer van Lucas McCarthy.

Sinds wanneer heet hij trouwens 'Luke'? Dat steekt me, stom genoeg, alsof hij de boel nept. Ik voel me verraden. *Verraad.* Ik proef dat woord. Er zitten scherpe kantjes aan die je openhalen. Een woord als een nopper in je slokdarm.

Bijna in trance loop ik van de keuken naar de badkamer naar mijn kamer en trek mijn pyjama aan. Ik ben er niet bij; mijn hoofd zit heel ergens anders.

We weten niets van haar.

Meen je dat nou?

We zijn Hooters niet, Dev.

Die arrogante klootzak! Hoe seksistisch kun je zijn? Waar word je nou aangenomen om je haar? Nergens toch zeker? Al moet ik toegeven dat het wel prachtig glanst. Misschien had hij het over de DD-cup. De smeerlap. Alsof ik mijn koppel zelf online heb uitgekozen en besteld of zo.

Dus Lucas is nu een volwassen man die kroegen bezit en runt. Ik ben dertig en mag blij zijn als ik er mag werken. Zo vernederend.

Ik hoef die baan van je niet eens, dus jammer voor jou.

Behalve dat ik die baan wél wil. Christus. Tot deze confrontatie zou ik hebben gezegd dat werken voor Lucas McCarthy, in de woorden van mijn vader, een kaas-voor-het-slapen-nachtmerrie zou zijn.

Nu het weerzien achter de rug is, slaat de twijfel toe. Ik heb hem horen zeggen dat ik problemen zou geven – of dat ze 'niet weten of ik aardig ben' – en ik ben trots genoeg om zijn ongelijk te willen bewijzen.

Deed Lucas alleen alsof hij me niet herkende en wilde hij er daarom niets van weten dat ik die baan kreeg? Die versie staat me wel aan, en dat maakt me wantrouwig. Dat zou betekenen dat hij het niet vergeten is, dat het wél iets betekende. Lang niet zoveel als voor mij, dat niet. Zo blind ben ik ook weer niet.

Het is allicht beter dan 'een of ander blondje' zijn.

Ik kam in gedachten onze hereniging uit op minuscule spoortjes ongemak aan zijn kant. Niet te vinden, concludeer ik. Als hij zo'n perfecte pokerface had, draaide hij wel mee in het internationale pokercircuit.

De afloop van de discussie heb ik niet meer gehoord, dus misschien krijg ik de baan ook wel niet.

Ik weeg de mogelijke scenario's tegen elkaar af.

Een telefoontje van Devlin: O jee, ik heb me vergist, de baan is al vergeven. Dat lijkt me geen onwaarschijnlijke uitkomst van dat afgeluisterde gesprek, als Devlin weer nuchter is. Ook zonder

onze voorgeschiedenis had hij niet het recht om Lucas mij ongevraagd in de maag te splitsen.

Ik krijg de baan wel, maar Lucas blijft het me nadragen, en
daaroverheen komt dan nog zijn reactie als het kwartje eenmaal
valt en hij bedenkt wie ik ben. Blijf daar maar eens bij overeind.

En dan nog het gunstigste scenario: ik krijg de baan en het gaat
prima. Lucas moet morrend erkennen dat ik voldoe en we kunnen redelijk samen door een deur. En hij bedenkt nooit wie ik
ben.

In bed, onder de spookwolkjes van mijn adem in de vochtige
lucht, vraag ik me af waarom mijn gunstigste scenario op een of
andere manier toch als de slechtste optie voelt.

10

Ik wist pas wat verlies was na het verlies van pap, en ik wist pas wat berouw was toen ik berouw had over Lucas McCarthy.

Ik had weliswaar geen volledige controle over de situatie, zoals mijn therapeut Fay zei, en hoewel je uit de aard van mijn berouw zou kunnen concluderen dat ik de volle verantwoordelijkheid droeg, had ik toch echt alleen invloed op mijn eigen aandeel daarin. Lucas 'handelde autonoom'.

Ik zei: 'Hmm. Oké, dan heb ik spijt van mijn aandeel.'

'Neem die verantwoordelijkheid dan. Hier.' Ze pakte een mok die mijn aandeel moest symboliseren, zette hem op het bureau en schoof hem naar me toe. Ik zag eerlijk gezegd niet goed hoe dat moest werken, aangezien King Kong op de mok stond en die duidelijk van haar persoonlijk was, dus niet iets wat ik letterlijk kon aannemen.

Ik trok de mok naar me toe en knikte. 'Moet ik me nu beter voelen?'

'Niet beter, op zich. Die woorden zijn geen toverspreuk die alles spontaan in orde maken. Het kan je wel helpen ontsnappen uit ondermijnende denkpatronen waarin je continu vol zelfverwijt zit en jezelf onderuithaalt om iets wat niet ongedaan kan worden gemaakt. Je bent geen almachtige godheid, maar een mens dat ook maar zo goed en zo kwaad als het gaat haar leven probeert vorm te geven en daar af en toe de mist mee in gaat, net als ieder ander.'

Ik moest huilen, en dat was goed, zei ze. 'Serieus? Hoe dan?' zei ik door de draaikolken van eyeliner heen, plukkend aan de tissues in het doosje op haar bureau. 'Door de pijn toe te laten,' zei ze toen, 'breek je zijn macht over je en kun je het achter je laten.'

Eigenlijk komt therapie toch vaak neer op accepteren dat je tot aan je tieten in de stront zit en leren hoe je daar zen onder blijft. Omdenken. Je hebt nu wél lekker warme tieten, tenslotte. Of zoiets.

Ik was blij dat ik de stap had gezet, dat wel. Ik vond Fay aardig, met haar hennarode piekhaar als koperdraad, flodderige gebreide jurken en die bril op het puntje van haar neus. Na het wekelijkse uurtje in die rustgevende kamer met de bamboeplant en het schilderij van zeilboten in de haven van Mousehole zat ik nog steeds in de knoop, maar de knoop zat wel iets losser.

Volgens het briefje dat in de wachtkamer aan de muur hing, kon ik hier verschillende problemen aanpakken, waaronder:

Emotie-eten
Piekeren
Schuldenstress
Theatrale persoonlijkheidsstoornis
Internetverslaving
Omgaan met chronische pijn

Klinkt als de gemiddelde week bij mij thuis, dacht ik. Grinnik. (Die zelfspot was een automatisme van me, volgens Fay. Ik zei dat ik mijn problemen niet serieus kon nemen terwijl er mensen dakloos door de stad zwerven. 'Er zullen altijd wel ergens mensen slechter af zijn dan jij. Dat betekent niet dat jouw problemen betekenisloos zijn, of dat ze eerst langs een internationaal erkende meetlat van pijn moeten worden gelegd om te bepalen of de ernst van je toestand behandeling rechtvaardigt.')

Ik kwam daar niet eens om over Lucas te praten, maar over mijn vader, maar de therapeut zei dat mensen wel vaker ergens anders eindigen dan ze van tevoren dachten. Het gebeurde zo vaak bij gezinstherapie dat ouders bij haar kwamen voor een analyse van een bijzonder onhandelbaar kind, vertelde ze, en dat ze uiteindelijk vooral hún problemen onder de loep legden.

'Nou,' zei ik, 'daar kijk ik eigenlijk niet eens van op.'

Ik had nooit iemand over Lucas verteld, zelfs Jo of mijn zus niet, en het was heel raar om daar mijn malende gedachten om te zetten in echte klinkers en medeklinkers, in zo'n kamer, tegenover een onbekende. Opeens bestond het buiten mijn hoofd.

Maar ook Fay vertelde ik niet het hele verhaal.

Wat de meeste schade had aangericht, denk ik, was dat Lucas en ik elkaar na het eindfeest nooit meer spraken. Onze relatie werd niet alleen niet geconsumeerd, maar zelfs nooit afgesloten. Op geen enkele manier. De examens waren voorbij, school was geschiedenis, en we hadden geen wederzijdse vrienden die ons weer bij elkaar in de buurt konden brengen, ook na de zomer niet. Als zoveel ongezegd blijft, krijgt je hoofd de ruimte om alles wat je elkaar nooit zei op honderdduizend manieren in te vullen, en neem maar van mij aan dat ik ze allemaal heb gehad. Toen ging mijn vader dood, ik stopte met mijn studie, en sindsdien gaat het eigenlijk alleen nog maar hollend achteruit. Lucas doet niet aan sociale media, voor zover ik heb kunnen achterhalen – of hij heeft me preventief geblockt – anders was ik misschien wel een keer voor de bijl gegaan en had ik contact met hem gezocht. Niet dat ik weet wat ik zou moeten zeggen, als ik eerlijk ben. Het was vast een sneue toestand geworden. Des te beter dat ik niet in de verleiding kon komen. Ik wilde ook eigenlijk alleen maar van hem horen wat ik toch nooit ofte nimmer van hem te horen zou krijgen.

Aan het eind van de sessie zei Fay: 'En als jouw berouw nou eens niet gaat over hoe het afliep tussen jou en die jongen, maar over jou? Over de jij die je achterliet? De persoon die je was op je achttiende, daar gaat het om, en wat er toen gebeurde, en hoe dat een keerpunt voor jou is geworden. *Je hebt het uitgemaakt met jezelf.*'

Dat kwam aan als een schrikbarend waar woord.

Stel dat ik de nieuwe metgezel van Doctor Who was, wil ik maar zeggen, en hij holde zoals gewoonlijk als een gek rond in de Tardis om allemaal hendels over te halen, de tijdmachine kwam op gang met dat blaasbalggeluid, en hij vroeg: 'Waar gaan we heen, Georgina Horspool?' Dan zou ik geen moment aarzelen en gaan voor die ene avond in een uitgewoonde kroeg in Noord-Engeland in het begin van de eenentwintigste eeuw.

Een blond meisje is onderweg naar die kroeg. Ze loopt op ongemakkelijke schoenen en draagt een rode jurk van Dorothy Perkins.

Ze heeft vooralsnog geen ervaring met omgaan met chronische pijn.

11

Als er iets is waar je niet op zit te wachten na een nacht van existentiële wanhoop, zo eentje waarin je de akeligste momenten uit je leven herbeleeft en de toekomst je grimmig toegrijnst, is het wel een zondagse lunch met je familie.

Zeker met mijn familie. Het zou me een lief ding waard zijn als ik Esther kon ontwijken vandaag, maar ze wil natuurlijk een verslag van gisteravond, en bovendien zou ze me een gigantisch schuldgevoel aanpraten over al het eten dat ze dan voor niks heeft gemaakt.

De strijd tussen Gezeik Als Ik Niet Ga vs. Gezeik Om Me Erheen Te Slepen wordt vanwege Esthers onontkoombaarheid ruimschoots in het voordeel van het tweede beslecht.

Ik ben om twaalf uur besteld, met acceptabele wijn. Gelukkig heb ik nog een paar flessen goede beaujolais kunnen opduikelen van de laatste keer dat Robin hier was. Robin eet alsof hij permanent in de introductieweek zit, maar zijn wijn is bij voorkeur duur.

De enige haalbare optie om op zondag bij Esther te komen is een taxi, aangezien ze aan de verkeerde kant van de stad woont en ik drie bussen en het halve Peak District verder zou zijn voordat ik met het ov in de buurt kom. Ik staar onderweg somber naar buiten, naar de naoorlogse huizen die net grote brievenbussen lijken, de afhaalrestaurants, de snackbars en de gokkantoren van de weinig honkvaste bevolking van Crookes, totdat ze plaatsmaken voor het stadscentrum, dat weer overgaat in de groenere en aanlokkelijkere omgeving van de Peaks.

Mijn zus, haar man en hun zoon wonen in het dorp Dore, in een onder architectuur gebouwd vrijstaand huis. Het is een paleis met een dubbele garage en grote harmonicadeuren in de keuken die leiden naar een nette rechthoekige lap tuin met een groot terras om in de zomer op te barbecueën.

Esther houdt erg van die opbeurende muurkunst in de categorie LIVE LOVE LAUGH, wat opmerkelijk is voor iemand die zo van de rust, reinheid en regelmaat is als zij. 'De zweep erover tot het moreel verbetert,' dat proef ik er een beetje in. Misschien moet ik eens een bordje voor haar kopen met LACHEN, KRENG.

Als ik mijn overgevoelige maag mag geloven is mijn katerdag in de herhaling gegaan, en ik voel me wankel – ken je dat gevoel als je te snel over zo'n vliegveldloopband hebt gelopen? – maar het uitzicht is rustgevend.

Er zijn duizend redenen om mezelf een mislukkeling te voelen, maar ik hou halsstarrig vast aan mijn trots op het feit dat ik nog in mijn geboortestad woon. Ik hou van Sheffield, ook al is alles er heuvelop en is het er veel te vaak koud. Als steden een ziel hebben, is dit mijn zielsverwant.

'Daar hebben we het roze schaap van de familie,' zegt Geoffrey met een bedenkelijke blik op mijn jas als hij de deur opendoet. Als ik Geoffrey in één Geoffrey-citaat zou moeten vatten, is het deze begroeting: een ogenschijnlijk lolligheidje met venijn in de staart. Het is niet aan hem om zoiets te zeggen, en het is te bot om zomaar even weg te lachen.

Toch zal ik moeten lachen, want anders ben ik weer lomp. Behulpzaam mezelf te kakken laten zetten: ik kan dat.

Hij loopt altijd in te kleine truien met v-hals, en zijn keurig over zijn schedel geplakte haar heeft een rare onnatuurlijke kleur die Esther en ik stiekem Flespompoen Glans hebben gedoopt. Ik glimlach geforceerd en haal mijn armen uit mijn pluizige jas terwijl hij de wijn van me aanneemt, het label naar zich toe draait en zijn leesbril rechtzet.

'Hmm, die ken ik nog niet. Lijkt me in elk geval heel geschikt om de broccolismaak mee weg te spoelen, haha.'

Bam, twee vliegen in één klap. Hij grijnst, ik grimas en denk zoals wel vaker: Mam, ik weet dat je het moeilijk had, maar serieus – Geoffrey? Waarom?! Tot ik bedenk dat ik te veel boter op mijn hoofd heb om te mogen oordelen.

In de keuken wordt hard gewerkt, de ovendeuren van het grote fornuis worden opengetrokken en weer dichtgeslagen en ovenhandschoenen slaan tegen elkaar. Geoffrey ziet zich graag als een Yorkshirepudding-expert – hij is zo'n man die overal een wedstrijdje van maakt – en hij, Mark en mam houden een strategiebespreking rond een hardglazen litermaat met pasteivulling, al houdt mam een beetje afstand uit angst voor vlekken op haar wikkeljurk. Mijn moeder heeft duurbetaald zilverblond haar en ziet er zoals altijd perfect uit. Geoffrey noemde haar een keer 'de gulden standaard'. Brr.

Esther roept tegen me: 'Ga Milo maar gezelschap houden, ik breng je zo iets te drinken,' en ik sjok maar al te gewillig terug door de gang en de voorkamer in.

Mijn neefje Milo is zes, heeft een tuinbroek aan en gaat helemaal op in wat ik met mijn ongeoefend oog aanzie voor een boomhuis van Lego.

'Hallo Milo!'

'Hoi.'

'Wat is dat? Het grote beren... bos?'

'Ewoks,' zegt hij, zichtbaar gefrustreerd dat hij uit zijn spel wordt gehaald.

'O ja, nou je het zegt. Die ken ik wel. En wonen ze allemaal hier?'

Geërgerd: 'Ja.' Zelfs het kind vindt het maar niks dat ik er ben.

'Deze ziet er wel heel fraai uit. Wie is dit? Is het een hij of een zij?'

Milo's gezicht is één grote frons, zo'n inspanning vergt het om beheerst te blijven reageren op mijn stompzinnige opmerkingen.

'PAPLOO!'

'Paploo! Mooie sjaal heeft hij.'

'Hoofdtooi,' mompelt Milo.

Dan komt Esther binnen met een glas blozend roze cava voor mij. Mijn eerste reflex bij het zien van dat glas is: Argh, hou op met me, maar die gedachte wordt meteen verdrongen door: Of nee, kom maar door, hebben!

'Vertel, hoe ging het gisteravond?' zegt ze. Ze kijkt me ingespannen aan. 'Heb je het beschaafd kunnen houden?'

Esther lijkt op mij, maar dan slanker en met een kleinere boezem, en ze heeft een korte, in laagjes geknipte druk-druk-druk-coupe. Ze kan van alles wat ik niet kan. Belastingaangiftes controleren. Zelf bechamelsaus voor de lasagne maken. Zich in de hand houden. Ik weet dat het fout gaat als we te diep ingaan op gisteravond – het is nog te vers voor me om overeind te kunnen blijven in een kruisverhoor – maar gelukkig heb ik het ideale nieuwtje om haar af te leiden. Aan Tony had ze dan misschien een intense hekel, Robin verafschuwde ze echt, dat weet ik vrij zeker.

'Ja hoor, ging goed, maar het echte nieuws is eigenlijk dat Robin en ik meteen na mijn ontslag bij That's Amore! uit elkaar zijn gegaan.'

'O,' zegt Esther. Ze kijkt me met grote ogen aan, aarzelt even, maar gaat dan toch maar zitten met het andere glas cava in haar hand. 'Wat is er gebeurd?'

'Ik, eh...' Het staat me tegen dat haar wantrouwen nu achteraf gerechtvaardigd wordt, maar als ik een goede band wil met mijn zus zal ik dingen met haar moeten delen. Ik kan zo'n mooi verhaal trouwens ook onmogelijk onverteld laten. 'Ik betrapte hem...' Ik wrijf over mijn neus en kijk naar Milo. '...met zijn Pee Ee En Ie Es in een mevrouw.'

Esther hapt naar adem, tast naar haar Tiffany-kettinkje en haalt het zilveren hangslotje heen en weer. 'Betrapt? Je stond erbij en keek ernaar, bedoel je?'

'Ter plaatse en met vrij zicht op het podium,' zeg ik en ik neem een flinke slok cava om me moed in te drinken. 'Eerste balkon, zal ik maar zeggen. Hij had me de sleutel van zijn appartement gegeven, en ik kwam natuurlijk onverwacht eerder thuis van mijn werk.'

'Mijn god. Ik zou echt niet weten hoe ik zou reageren als ik kon... Als ik het pal voor mijn neus zag gebeuren.'

'Ik wist het ook niet. Ik heb vooral staan schreeuwen. Het was Louisa, zijn assistent.'

'Gatver. Terwijl hij tegen jou had gezegd dat hij de stad uit was?'

Het 'Nee, hoezo?' ligt me al op de lippen als ik me mijn smoesje herinner waarom hij vandaag niet kon komen, en ik buig het snel om naar: 'Hmm? O. Ja.'

'Ik zou graag zeggen dat ik niet weet wat ik hoor, maar hij leek me al van begin af aan geen man op wie je kunt bouwen. Een beetje een ongeleid projectiel. Met zijn geintjes over drugsgebruik tegen mam en Geoff. Echt hoor.'

'Hm-m.' Dat was inderdaad egocentrisch.

En dat vat hem ook wel zo ongeveer samen: Robin was vooral ziekelijk egocentrisch. Ik staar naar de zuil van opstijgende luchtbelletjes in mijn glas en mijn afgebladderde groenblauwe nagellak.

'Ik wist nooit zo goed hoe serieus het tussen jou en Robin was,' merkt Esther op.

'Ik ook niet echt. Niet heel serieus, denk ik. Ik vond het wel best om maar te zien waar het schip strandde, en nu is het dus zover.'

Esther kijkt even of Milo nog opgaat in het spel met zijn plastic poppetjes en zegt dan zacht: 'Jij en je feministische vriendinnen zouden mijn kop eraf bijten, ik weet het, en het is ook ouderwets, maar volgens mij is meteen de eerste avond het bed in duiken met iemand die je feitelijk nog niet eens kent ook gewoon geen goede basis voor een relatie.'

Ik kreun. Deze preek is te danken aan een eerder moment van onverstandige openhartigheid, vanuit dezelfde motieven als deze ronde.

'Dan kan je wel zo'n blik opzetten,' zegt Esther, 'en het klinkt misschien hard, maar het is nou eenmaal zo dat mannen én vrouwen niet waarderen wat voor het grijpen ligt. Je was er vast niet op uit om als een inwisselbare groupie behandeld te worden, maar ondertussen...'

Ze kijkt me peinzend aan.

Mijn zus heeft een totaal vertekend beeld van mijn seksleven. Ze denkt dat ik tot het radicaalfeministische bevrijdingsfront behoor en dat onenightstands voor mij even frequent en vanzelfsprekend zijn als voor haar latte macchiato's. Ik heb nooit de moeite genomen om dat beeld bij te stellen en uit te leggen dat ik het alleen heb gedaan met de vriendjes die zij zelf heeft ontmoet. Ik weet ook niet waarom. Ze denkt dat ik nog geen geschikte partner heb gevonden omdat ik niets serieus neem. Misschien wil ik liever dat ze me zo ziet dan als een zielenpiet.

'Ik denk niet dat uitstel iets had uitgemaakt in Robins geval. Hij kwam met die smoes van "Ik bind me niet aan maar één vrouw, daar geloof ik niet in," alsof hij nog in de jaren zestig leeft. We waren als schepen die elkaar in de nacht penetreren.'

We kijken snel naar Milo, maar die fluistert Paploo iets in het oor.

'Sorry,' zeg ik geluidloos tegen Esther.

'Kijk uit met wat je zegt, hij is net een papegaai de laatste tijd,' sist ze. 'Zonde van je tijd, die man,' zegt ze dan hardop. 'Je bent dertig. Niet gek dat je wel eens wat meer vastigheid wilt.'

Ze klinkt net als mam, alsof ze hopen dat het vanzelf waar wordt als ze het maar als feit presenteren. Ik schiet in standje opstandige puber, omdat ik me een sloerie voel door die twee.

'Op een aanzoek of zoiets zit ik ook niet te wachten hoor, maar iets meer toewijding dan Es Ee Ka Es met andere vrouwen zou wel fijn zijn.'

Esther trommelt met haar vingers op de stoelleuning.

'Waar ben je naar op zoek? Ik krijg er echt geen hoogte van. Geen doorsneetype, lijkt me.'

Ze lijkt Rav wel. Doe ik te moeilijk? Wil ik te veel? Ben ik een uitslover? Pap zei een keer dat ik een geboren uitslover was die het vreselijk vond om in het middelpunt van de belangstelling te staan, 'een paradox waar je nog eens iets op moet vinden'. Hij kneep er te vroeg tussenuit om dat mee te maken.

'Ik heb het sterke vermoeden dat er geen meneer Georgina bestaat,' zeg ik luchtig. Ik pak een handje pistachenoten uit een bladvormig schaaltje op de salontafel en peuter er eentje open. 'Dus zette ik maar een joker in, denk ik.'

'Natuurlijk bestaat die wel. Maar...'

Daar gaan we. Er zit altijd een addertje onder het gras bij mijn zus.

'...wat je op je negentiende of twintigste voor liefde aanziet, en volwassen, realistische liefde zijn twee heel verschillende dingen. Soms blijven we altijd op zoek naar die eerste versie, terwijl we die allang hadden moeten loslaten,' zegt Esther. Dat komt hard aan, met gisteravond nog zo vers in mijn geheugen, en ik zeg maar niets.

'Wat ik op die leeftijd aanzag voor liefde, bedoel ik,' voegt Esther eraan toe, die mijn stilzwijgen en eigenlijk alles verkeerd interpreteert. Ik weet dat ze het goed bedoelt. 'Voor jou was het anders, dat weet ik. Je moet je verwachtingen bijstellen, dat probeer ik eigenlijk te zeggen. "Houden van" is een soort tevreden op elkaar uitgekeken zijn. Je zal nooit een man vinden die je in vuur en vlam zet en die daarbij ook nog een verstandige optie is, en weet je waarom? Omdat in brand staan geen verstandige optie is. Dat is alleen maar destructief. Als mensen het tegenwoordig over liefde hebben, gaat het meestal over lust.'

Ik lach met mijn hand voor mijn mond om geen stukjes noot rond te strooien.

'Wat is er zo grappig?'

'Mijn verwachtingen bijstellen. Ik kwam binnen terwijl Robin diep in de pruim van een ander zat. Moet ik de lat nóg lager leggen? Zal ik dan maar seriemoordenaars met levenslang gaan aanschrijven? Lieve Peter Sutcliffe...'

Daar gniffelt Esther zowaar om.

Milo laat een netje vol pistacheschilletjes zakken en zegt: 'Pruim. Pruimmmmmm.'

'Milo? Weet je nog wat we hadden gezegd over woordjes nazeggen? Tante Georgina had het over pruimencrumble. Waar of niet?'

'Helemaal waar. Pruimencrumble, de alom bekende herfstlekkernij.'

'Crumble,' zegt Milo. 'Pruim. Crumble. Prumble.'

'Precies!' roept Esther uit. 'Prumble! Zo schattig. Maar...' Ze schudt haar hoofd, gaat met een engelachtige glimlach in mamamodus en vraagt: 'Vertel eens, Milo. Wat doet die Ewok?'

'Penistreren.'

Na een grondige debriefing van Milo zei ik tegen Esther dat het ook erger had gekund: hij had ook de naam van de Yorkshire Ripper kunnen onthouden en nazeggen. Het stemde haar niet gunstiger.

Als we eenmaal zijn aangeschoven en ons als beesten door de ovenaardappeltjes heen eten – iemand heeft getoverd met een semolinakorstje – draait een groot voertuig de oprit op. Ik zie de bestuurder uitstappen en een rolstoel uitladen en uitklappen. Even later wordt de lijvige gestalte van de tachtigjarige Nana Hogg erin geholpen.

Marks oma van vaderskant wordt door Esther in gelijke mate gevreesd en veracht om haar excessieve, onbeschrijflijke botheid. Esther beweert dat ze seniel is, maar ik vraag me af of ze niet gewoon obstinaat is en al decennia geleden heeft besloten dat alles haar aan haar reet zal roesten. Als ze een middagje wordt losgelaten uit het verzorgingstehuis kan ze haar anarchistische hart eens goed ophalen.

Uit plichtsgevoel en eerbied voor haar ouderdom wordt nooit overwogen om haar niet uit te nodigen voor de zondagse lunch. Esther kan haar niet luchten of zien, maar ik word altijd ontzettend blij van haar. Waarschijnlijk omdat ik als enige geen respectabel frontje heb waar zij dwars doorheen kan beuken.

'Ik wist niet dat Nana Hogg ook kwam!' zeg ik opgewekt.

'Hm-m,' zegt Esther met een krampachtige grijns. Ze kijkt op de klok. 'En maar een uur en een kwartier te laat, dat valt mee. Volgens mij denkt ze dat ze prinses Margaret is.'

'Ze had last van een blaasontsteking, dan duurt alles wat langer,' wijst Mark haar terecht, op weg naar de voordeur. Hij heeft nooit openlijk kritiek op Esther, behalve als ze negatief doet over Nana Hogg.

Ze is ook zijn oma, natuurlijk, maar Mark is sowieso ongelooflijk aardig. Een vriendelijke goedzak met oog voor ieders goede kanten en belangstelling voor anderen – oprechte belangstelling, niet alleen om zijn eigen nieuwsgierigheid te bevredigen.

Toen Esther vertelde dat ze iemand had leren kennen op haar accountancyopleiding – 'Volgens mij is dit de ware!' – dacht ik: Joepie, dat is dus in het slechtste geval een gewetenloze schoft en in het gunstigste geval een dooie struik. Als tiener had ze een gevaarlijk zwak voor van die hondse sportschooltypes, maar – gelukkig, aangezien hij haar man en de vader van haar kind is geworden – Mark bleek een fijne vent, getuige ook zijn groothartige baangeregel voor mij. Hij loopt binnenshuis op handgestikte pantoffels, en toch zou ik mijn leven voor hem geven.

'Waarom zouden jullie ook op mij wachten,' zegt Nana Hogg bij wijze van 'Hallo' en 'Sorry dat ik zo laat ben' als ze de volgeladen tafel ziet.

'Fijn dat u kon komen,' zegt Mark en hij bukt zich om haar op de wang te kussen. Het is zijn modus operandi om haar toon gewoon te negeren. En wat ze zegt. En hoe ze doet.

In haar zilvergrijze haar kan je de rollers bijna nog zien zitten, en ze heeft een buste als het aanzwellend tij.

'Hallo,' zeg ik. Ik zwaai even. 'Leuk om u weer te zien.'

Ze reageert niet, maar misschien hoorde ze me niet door het gedoe om haar over te hevelen in haar stoel.

'O, rundvlees? Dat kan mijn maag niet aan,' zegt ze, en Esther kijkt alsof iemand haar tasert in haar geboortekanaal.

'We hadden nog speciaal nagevraagd –'

Mark legt zijn hand op die van Esther. 'Des te meer kunt u op van wat er verder allemaal is. Geoff, als jij de erwtjes en worteltjes even aangeeft...'

'Geoffrey,' zegt Geoffrey op zalvende toon tegen Nana Hogg, 'we hebben elkaar al vaker ontmoet,' en hij komt half overeind om haar over de rosbief heen de hand te schudden. 'De man van Patsy.'

'Ik weet wie je bent hoor, ik ben wel oud maar niet van lotje getikt,' zegt ze, zijn hand negerend, en ik stop een pastinaak in mijn mond om niet te lachen. Dat ik nog heb overwogen om deze lunch te laten schieten! Koolhydraten, nog meer alcohol, warme jus en de lol van Nana Hogg. Ik had me geen betere afleiding van mijn ellende kunnen wensen.

'Gog is ontslagen bij het restaurant,' zegt Esther om het gesprek een andere kant op te sturen. Wel jammer dat ze mij daarvoor voor de wolven gooit.

'Och nee, Georgina!' zegt mam. Ze legt met een knal haar mes en vork op haar bord. 'Wat heb je gedaan?'

'Ik deed niks, maar de restaurantrecensent van *The Star* zat in de zaak en had een klacht, en toen heeft chef-kok Tony mij met veel drama ontslagen. Als zoenoffer, zodat die man niet over het waardeloze eten zou schrijven.'

'Het ongewisse lot van wie als oproepkracht blijft werken,' zegt Geoffrey, zichtbaar genietend. Hij zet zijn glas aan zijn mond. 'Bedroevend weinig rechtsbescherming.'

Ik kan mezelf er maar net van weerhouden om een rare bek naar hem te trekken. Geoff was vicedirecteur van een verwarmingsinstallatiebedrijf en geniet al eeuwen van een belachelijk riant pensioen.

'Tijd om in actie te komen,' zegt mijn moeder. 'Doe een cursus steno en zoek een kantoorbaan.'

'Naar steno is volgens mij niet zoveel vraag meer, mam. De typekamer is gesloten. Er jagen geen directeuren meer achter de secretaresses aan rond de bureaus.'

'Je bent toch al bijna te oud om nog achterna gezeten te worden, waar dan ook.'

Oef. Recht op de solar plexus.

'Lokaas, zo noemden we dat in mijn tijd,' zegt Nana Hogg tegen mij, en Esther loopt naar de keuken om de jus bij te vullen. Een smoesje, weet ik, omdat ze zich wild ergert aan die ongepaste praat waar haar kind bij is. Hoe zit het met de ongepaste praat waar haar jongere zus bij is?

'Voor Georgina draait niemand de gevangenis meer in hoor,' zegt Geoffrey met iets wat hij vast voor een schalkse blik houdt. De griezel.

'Er zijn nog wel meer manieren om de wet te overtreden, Geoff, zeker nu vrouwen geen particulier eigendom meer zijn,' zeg ik.

'Pas op,' zegt mam bezwerend, met een scherpe blik naar Milo.

'Ach ja, ik heb het natuurlijk weer gedaan. Alsof ik erover begon.'

'Hoe heette dat restaurant?' vraagt Mark.

'That's Amore! Die Italiaan in Broomhill.'

'Ik hou niet van Italiaans eten. Ik nam een keer champignonsoep in een Italiaans restaurant en die smaakte alsof ze er iets in hadden gestopt,' zegt Nana Hogg.

'Wat hadden ze er dan in gedaan?' vraagt mam.

'Dat weet ik niet. Het smaakte alsof er iets in zat.'

'Iets anders dan champignons?' Mam houdt stug vol.

'Ja. Er zat iets in. Ze hadden er iets in gestopt.'

Dat 'ze' begint te klinken alsof ze het over de Illuminati heeft.

'Wat voor iets?'

Nana Hogg schudt haar hoofd. 'Iets. Om het een sterkere smaak te geven.'

'George, hoe ging je klus gisteravond?' Ik kan Mark wel zoenen voor zijn reddingspoging. 'Ik had George in contact gebracht met een vriend die op korte termijn om een goede werkkracht verlegen zat,' legt hij de anderen uit.

'Het ging goed, heel erg bedankt voor de aanbeveling,' zeg ik. De kans is groot dat Lucas alsnog een streep zet door Devlins aanbod om voor vast te komen werken, dus ik doe maar niet alsof dat al in kannen en kruiken is. 'Als ze vast personeel zochten, zou ik het wel weten, maar anders was het al heel mooi dat ik kon helpen bij de wake.'

'Was het een wake?' zegt Geoffrey, prikkend naar een miniworteltje met zijn vork. 'Dan hoop ik dat je gepast ingetogen was.'

Hij geeft me een knipoog. Wat een...

'Ik had mijn glitterlegging aan en kwam toeterend op een vuvuzela binnen. Is dat niet goed?'

'O, de ijzige kilte van vernietigend sarcasme!' zegt Geoffrey, op wiens begrafenis ik heel goed lachend vooraan zou kunnen staan.

Esther komt terug met een volle juskom, en ik durf te wedden dat ze in de keuken van vijftig naar nul heeft staan terugtellen tot ze zeker wist dat ze die jus niet in iemands gezicht zou gooien.

'Het eten is verrukkelijk,' zeg ik tegen haar, en met een zuinig lachje zegt ze dat Mark het meeste werk heeft gedaan.

'Ahum,' zegt Geoffrey, 'en deze Yorkie-maestro, niet te vergeten,' en iedereen reageert heel aardig en zwaait hem in koor lof toe. Het lukt me niet om mee te doen. Er staan hier een stuk of negentien gerechten op tafel, Geoff heeft maar voor één element de oventemperatuur een beetje staan managementconsulten, en dan denkt hij dat hij evenveel dankbaarheid verdient? Bah.

'Hoe is het met Robin?' vraagt mijn moeder, met een flinke snuf afkeuring bij zijn naam.

'We zijn uit elkaar,' zeg ik en ik schoffel nog zo'n sensationeel lekkere, hele halve ovenaardappel naar binnen.

'O!'

Net als ik denk dat mijn status als single met evenveel sensitiviteit ontleed zal worden als mijn werkloosheid komt Nana Hogg ertussendoor. 'Geef me toch maar een stukje vlees, graag. Dat ga ik vast berouwen, maar ik wil ook niet met een lege maag naar huis.' Esther schuift met kracht haar stoel naar achteren. *Ikhaalnogevenwatwijn.*

Als ik na het eten help met afruimen komt Esther de eetkamer in met Milo, die ze met een hand op zijn schouder meetroont. Zijn pruillip is ook op twintig passen afstand onmiskenbaar.

'Tante Georgina, Milo heeft iets voor jou. Toch, Milo?' zegt Esther.

'Echt waar, Milo?' Ik buig me naar hem toe.

Hij steekt een vinger in zijn mond, haalt zijn hand achter zijn rug vandaan en geeft me een opgevouwen vel papier. Ik vouw het open en zie een tekening van een stokpoppetje met een driehoek als jurk en een bos haar in strogeel potlood. Op de achtergrond staat een huis met een rokende schoorsteen, en er is ook een mannelijk stokpoppetje, in het bruin, met een te grote hoed.

'Die is mooi, zeg! Dat ben ik dan zeker, en dat... Is dat mijn huis?'

Milo knikt.

'Zonder roofzuchtige maden,' zegt Geoffrey, alweer volop in Geoffrey-modus.

'En wie is dat? Met die hoed? Meneertje Hoed?'

'Dat is jouw man.'

'Ik heb alleen geen man.'

'Voor als je straks groot bent en gaat trouwen.'

Ik moet er wel om lachen. Gelukkig maar, want iedereen lacht erom. 'Ik vind het wel leuk dat je me nog niet groot vindt, want dat betekent denk ik dat ik er jong uitzie.'

Ik buk me om hem een zoen en een knuffeltje te geven.

'Deze hang ik op in mijn kamer, dan kan hij me hoop geven voor de toekomst.'

Milo knikt ernstig en schiet dan snel terug naar de woonkamer en zijn Ewoks. Mam staat op zachte toon met Geoff en Esther te praten.

Als ik op het punt van vertrekken sta, laat Esther bij het aangeven van mijn jas met een rukje van haar hoofd weten dat ik mee moet naar de Crisiskamer, waar niemand ons kan horen. Die naam heb ik bedacht voor de beneden-wc toen ik merkte dat het de aangewezen plek voor preken was. Esther lijkt af te stevenen op een vermaning dat ik niet zo duidelijk hoef te laten merken hoe vreselijk ik Geoffrey vind, maar ik besluit haar af te kappen en mijn eigen plan te trekken. Het is wel zo handig als ik haar alvast over die baan in The Wicker insein, voor het geval het echt iets wordt.

'Ik weet niet of je het had meegekregen aan tafel, maar ik heb een baan aangeboden gekregen. Op die wake, gisteravond. Die klant van Mark geeft me misschien de kans om de bar daar te runnen.'

Esthers gezicht betrekt. 'Dat is heel goed, maar pas je wel op, Gog? Als het misloopt... Het gaat wel om Marks reputatie.'

'Het ging echt goed op de wake. Maar bedankt voor je vertrouwen, alweer!' zeg ik monter, al doet het pijn, en zonder uitgebreid afscheid te nemen loop ik met de tekening van Meneertje Hoed de deur uit.

Op weg naar huis veeg ik de brandende tranen van mijn wangen. Ik vraag me af wat de meeste tranen heeft opgeroepen: het gebrek aan vertrouwen van mijn zus, de opmerking van mijn moeder dat mijn houdbaarheidsdatum in zicht komt, of wat er gisteravond gebeurde.

Vijf minuten later piept mijn telefoon. Ze is dus echt bang dat ik haar te schande maak, net als iedereen.

Over de baan bij die bar. Veel succes. MAAR AUB GEEN, IK HERHAAL: GEEN, ONBEDOELDE SEKS.

Zolang Esther zo te koop blijft lopen met haar lage dunk van mij, voel ik me niet verplicht om haar gerust te stellen.

En als het nou mijn Meneertje Hoed is?!

Dat poppetje tekende Milo nadat hij een foto van Tommy Cooper had gezien, dus verwacht er niet te veel van x

Nog een bericht, nu van Robin. Daar knap ik vast van op. Ik had al gezien dat hij me tijdens de lunch vier keer had geprobeerd te bellen. Ik weet niet wat hij denkt te bereiken. Alsof praten helpt tegen de herinnering aan de geluiden die hij maakt als hij in een ander zit. Misschien denk je dat overal over te praten valt als je verhalen vertelt voor de kost.

Hallo, negeer je me of lijkt het maar zo? Ik begrijp dat wat er vrijdag gebeurde een suboptimale ervaring was, maar kunnen we als beschaafde volwassenen praten over hoe nu verder? Lou & ik zijn op geen enkele manier een 'item', dan moeten we hier toch uit kunnen komen. We hadden het goed samen, jammer om dat te vergooien om gekrenkte trots en misverstanden.

Suboptimaal? Ik ril bij de gedachte dat ik me ooit door die man heb laten aanraken.

Ik moet zeggen dat het ook heel bijzonder is om de les te worden gelezen over beschaafd volwassen doen door iemand die ik voor het laatst heb gezien met gekaramelliseerde pecannoten in zijn schaamhaar.

12

Ik woon op zolder, in dit smalle huis met de rotte raamkozijnen, vette lichtknopjes, piepend linoleum en krappe kamertjes dicht op elkaar. Karen woont op de eerste verdieping, tegenover de badkamer, neutraal terrein dat ze van daaruit des te beter met argusogen in de gaten kan houden.

In het begin vroeg ik me nog af waarom ze het goed had gevonden dat ik hier kwam wonen, maar nu denk ik dat ze vóór mij al zoveel kandidaten had afgekeurd of bang gemaakt dat de huisbaas het wel welletjes vond.

Het bevalt me dat ik hier op zolder uit de loop zit, maar het nadeel is dat ik, en iedereen die bij mij langskomt, op kousenvoeten langs Karens hol en dan een steile, smalle trap op moet sluipen. Ik beweeg me inmiddels zo steels als een juwelendief, want als ik haar stoor, sta ik oog in vuurschietend oog met een ware wraakgodin op Homer Simpson-sloffen. Als ik chronisch serieus van aard was en regelmatig leed aan aanvallen van razernij zou ik geen banaangele sloffen dragen, denk ik, maar Karen valt kennelijk niet over een ironische tegenstelling meer of minder.

Ze doet me vaak denken aan die keer dat ik een beveiliger zag die voor een goededoelenactie was verkleed als paddenstoel en in de supermarkt verwikkeld raakte in een ruzie met een winkeldief.

Met de lunch achter de rug en niets dan een saaie zondag-
avond om me mijn ellende te doen vergeten doe ik een rondje
sociale media. Lusteloos scrol ik op mijn laptop door Facebook
met een mok sterke thee in de hand.

Je hebt 1 nieuw berichtverzoek
Louisa Henry

Dat meen je niet. De Lou van Robin? Ik klik het bericht open.
We zijn niet bevriend op Facebook, en als ik wil kan ik haar bericht lezen zonder dat zij daar een melding van krijgt. Ik zit even
te dubben of ik zo magnifiek ijskoud wil zijn en besluit dan toch
van niet. Ik wil dat ze weet dat ik het heb gezien. Laat haar zich
maar afvragen hoe het is gevallen.

Hi Georgina. Dus, eh... – ongemakkelijk!!! wat er gebeurde
en spijt me zo als je overstuur bent. Robin zei dat jullie niet
moeilijk deden over dingen doen met anderen en ik ken R
niet anders dan open en eerlijk over alles!
Maakt hem ook zo charmant denk ik.
Weet niet hoe het tussen jullie zit nu maar geen probleem
om er even omheen te plannen/jullie de ruimte te geven. Ik
moet toch terug naar Londen.
Je zorgt voor ernstig goede vibes in Robins leven vind ik,
zou toch zonde zijn als de tover van jullie tweetjes verdween
door een misverstand. Peace.
Lulu xxxx

Ik lees het drie keer achter elkaar. 'Lulu' staat blijkbaar al even ver
van de werkelijkheid als Robin. Een degelijke dosis ouderwetse
schaamte is te veel gevraagd. 'Ongemakkelijk', daar blijft het bij.

Bij iemand die zo ver is losgezongen, moet ik ook concluderen, heeft een 'Ik hou van je' in het heetst van de hartstocht mogelijk evenveel zeggingskracht als een 'Ik hou van croissantjes' bij het ontbijt.

Goede vibes. De tover van jullie tweetjes. Mafketel. Ik dacht dat ze aandoenlijk maf was, maar dit is giftig. Bij de vierde keer lezen merk ik op dat ze nergens zegt dat ze niet meer met Robin neukt. Met haar 'eromheen plannen'.

Of is mijn idee van een normale relatie niet normaal? Is het saai achterhaald conventioneel, zoals Robin zei? Is dit het Nieuwe Normaal, is trouw niet meer wat het was en is dit alsof ze mijn auto alleen in de prak heeft gereden, in plaats van er zonder mijn toestemming in weg te scheuren en hem TOTAAL TOTAL LOSS te rijden?

Hé, hoi, ja sorry dat je net binnenkwam toen wij midden in een heftige vrijpartij zaten, niet zo handig van me, hier heb je wat chocoladetruffels en een flesje fairtraderosé.

Clem zei wel dat ik het mezelf niet moet verwijten, maar ik kan er niets aan doen. Waarom zag ik niet dat Robin zo was, wil ik maar zeggen, en zijn vriendjes ook? Ik hield mezelf voor de gek en zag iets voor heel iets anders aan. Waar ken ik dat van...

Ik denk aan hoe weinig geduld mijn familie met me heeft en realiseer me dat mijn geduld met mij ook rafelt.

Ik typ een sarcastisch antwoord aan Lou – Lief van je, maar hou hem maar – en wis het dan weer. Er valt niets meer te zeggen wat ik daar tot in de eeuwigheid bewaard wil zien. Iets wat Lou vol ongeloof met haar nep-Londense accent kan oplezen van haar telefoon, met haar spinnenpoten in een kekke maillot languit op Robins bloedrode bank.

Waarop Robin zijn hoofd schudt, een gezicht trekt alsof hij zich geneert en zegt: 'Ik heb nooit beseft dat Georgina en ik daar zo anders in stonden. Ik heb haar gezegd dat ik niet geloofde in dat hele twee-komma-vier-verhaal, maar mensen horen wat ze willen horen, denk ik. Wel sneu, ze was een leuke meid met wie je best lol kon hebben. Misschien is ze beter af met een jongen van hier die wel trek heeft in ruzie in de IKEA en missionarishouding met het licht uit.'

Woede, ook de ingetoomde, venijnige soort, zou trouwens suggereren dat ik ermee zit. En dat is niet zo, stom genoeg. Vroeger kon ik mezelf tenminste nog een tijdje laten geloven dat ik verliefd was op mijn verkeerd gekozen mannen, en moet je me nu zien.

Ik zie het gezicht van Lucas voor me. Denken aan hem doet ontzettend pijn, maar maakt me op een vreemde manier ook blij. Ook al deed ik er voor hem misschien helemaal niet toe, hij maakte wel van alles in me wakker, als eerste en als laatste. Achteraf bleef er niets van over, maar ik denk graag aan zijn aanraking, zijn woorden, en het gevoel dat ik door hem mijn beste zelf wilde zijn. Toen er eenmaal iemand kwam opdagen die belangstelling toonde, bleek ik opeens een schatkist vol interessante dingen.

Lucas – dit klinkt belachelijk en arrogant, maar ik kan er geen ander woord voor bedenken – bekeek me vol verwondering. Als ik zijn nietszeggende blik op de wake daartegenover zet, slaak ik een beverige zucht.

Dan maar even zwelgen in genadeloze recensies van That's Amore! denk ik, en ik open TripAdvisor. Er gaat me een licht op: waarom zou ik er zelf niet een schrijven? Ik werk er toch niet meer.

Ik maak een profiel aan. Even overweeg ik om het krankzinnige lef te hebben om het als *Georgina, Sheffield* te doen, tot ik bedenk dat Tony de aandacht niet waard is en het bovendien gerapporteerd kan worden als kwaadspreken. Uiteindelijk word ik Greg Withers uit Stockport. Vraag me niet waarom.

Het moet voelen als een echte klacht. Ik ga in gedachten de Greatest Hits van That's Amore! af. Zou een compilatie iets zijn? Alle voorvallen die ik me nog kan herinneren en waar ik zelf bij was. Volgens het boekje, toch?

HET SLECHTSTE RESTAURANT WAAR IK OOIT HEB GEGET

Greg was zo verontwaardigd, voel ik, dat hij niet merkte dat hij over de tekenlimiet ging. Ik ga hier toch zo allejezus van genieten.

Eén ster
Tja, waar moet een mens beginnen. Het was onze trouwdag, en mijn vrouw zei dat ze geen zin had in chique toestanden. Nou, je kunt veel van That's Amore! zeggen, maar wat niet chic zijn betreft stelden ze zeker niet teleur.
We kregen een plastic menukaart met aangekoekt eten erop. Je zou toch denken dat het niet bovenmenselijk ingewikkeld is om ze even af te nemen. Liefst met wat antibacteriële spray erachteraan. De zaak heeft betere tijden gekend en die liggen waarschijnlijk rond 1972.
Toen ik bij het voorgerecht vroeg welke ongewervelden gemoeid waren met de afstotelijke fritto misto van mijn vrouw kreeg ik alleen te horen: 'Behalve chef Tony? Geen,' wat toch verontrustend te noemen is, laten we wel wezen. Mijn minestrone kwam duidelijk uit blik en werd geserveerd met knoflookbrood 'van het huis'. Het huis zou toch eens ander brood moeten proberen. Een eetbare soort.
Daarna kregen we een risotto met zeevruchten waar surimisticks in zaten. Toen ik informeerde in hoeverre de surimisticks authentiek waren, kreeg ik van de jongeman van de bediening te horen dat 'alle Italianen surimisticks eten', en

toen ik vroeg waar hij Italianen dat dan had zien doen, zei mijn ober: 'Walkley.'

Toen ze vroegen of we nog een dessert hadden gewild had ik eerlijk gezegd mijn buik al vol van de bespottelijke toestanden daar, maar mijn vrouw had haar zinnen gezet op tiramisu, en ik zou geen dertig jaar getrouwd zijn zonder het gezegde 'Vrouwtje blij, iedereen blij' op waarde te weten schatten.

Enfin. Als ik het ratjetoe dat haar werd gebracht in één woord zou moeten beschrijven, is dat 'wanstaltig'. Een zompige berg lange vingers, gedoopt in merkloze rum en pudding uit een pakje, overdekt met een dikke laag – je raadt het nooit – korrels oploskoffie. OPLOSKOFFIEKORRELS. Zeg nou zelf. Mijn schoonmoeder van drieëntachtig, niet meer de helderste van geest, heeft ons een keer schuimige garnalen voorgezet, maar als ik heel eerlijk ben zou ik me nog eerder overleveren aan haar kookkunsten dan ooit nog een voet te zetten in deze abominabele tent.

Aan: newsdesk@sheffieldstar.com
Van: GogPool@gmail.com

Hi,

Ik vroeg me af of jullie is opgevallen dat deze gelegenheid op TripAdvisor 88% 'Vreselijk' scoort? Zou dit het slechtste restaurant van de stad zijn?
Daar zou iemand eens iets over moeten schrijven. Ik weet niet of jullie recensent er al is geweest?

Groet,
De zoveelste ontevreden klant

13

'Ben ik niet gewoon al een hele tijd heel langzaam te pletter aan het vallen?' vroeg ik Esther een keer, nadat ik was opgestapt bij die hipsterhel met hun weckpotjes, en ze zei: 'Je bent meer zo'n robotstofzuiger, Gog. Je knalt tegen de muur, piept, draait even rond en schuift weer verder.'

Ik denk dat zij en mam hun pogingen om mij te begrijpen staakten toen ik vertelde dat studeren niets voor mij was en in mijn geestdrift verklaarde dat er geen discussie mogelijk was. Ze gingen er natuurlijk van uit dat paps dood mij een zelfvertrouwenverzakking had bezorgd, maar ik trok een muur op rond dat gesprek en zette er gewapende schildwachten omheen.

Voor mijn dertigste verjaardag gingen we uit eten in een Frans restaurant, en de bezorgdheid en teleurstelling lagen als een saus over de rillette en de boeuf bourguignon. Ik was geen ontheemde zoekende twintiger meer; we konden geen van allen nog langer doen alsof het niet in mijzelf zat.

Ik ben niet zo goed in dingen onder ogen zien. Ik ben zeker niet zo'n positief, praktisch ingesteld persoon die denkt: O, ik ben mentaal aan het desintegreren als nat pleepapier dat een stel melige studenten in een boom heeft gegooid, laat ik eens een therapeut zoeken. Ik zal eens kijken wat de erkende opties zijn in een straal van drie kilometer, een afspraak maken en daar op tijd verschijnen.

Zo ben ik dus níét in Fays spreekkamer beland.

Acht jaar na mijn vaders 'acute en terminale cardiovasculaire incident met zwaar neurologisch insult tot gevolg', zoals een arts het omschreef – 'Zijn hart klapte eruit en toen hielden zijn hersens ermee op?' 'Zo ongeveer, ja.' – vertelde ik mijn toen nog nieuwe vriend Rav over hem.

Op de avond dat we elkaar leerden kennen droeg Rav een strak felgroen overhemd dat prachtig stond bij zijn espressokleurige huid. Hij had een smal gezicht en kraaloogjes als een waakzame vogel. Clems afterparty's hadden mij vaak een iets te hoog gehalte aan aanstellers, maar ik kreeg al snel in de gaten dat Rav, die Clem had leren kennen toen hij als dandyachtige klant in haar boetiek kwam, een blijvertje was. Hij was bijdehand, grappig en luchtig, tot hij heel terloops met een messcherp, verpletterend inzicht kwam waar je uren later in bed nog op lag te kauwen terwijl je wilde slapen.

Ik werkte in die tijd in een nachtclub, Rogues, waar zatlappen me bepotelden en ik injecties met pijnstillers nodig had om urenlang op hakken van tien centimeter te kunnen blijven staan. Dat was misschien wel de ergste baan van mijn leven, en aan geduchte concurrentie is toch echt geen gebrek.

Op die avond bij Clem liet ik op een onbewaakt moment vallen dat ik nog steeds elke nacht over mijn vader droomde. (Ja, feestbeest Georgina Horspool.)

'Elke nacht?' zei Rav, die naar voren schoof op het saffraangele fluweel van Clems bank en zich met moeite verstaanbaar maakte boven Goldfrapp uit. 'Echt elke?'

Ik bedacht te laat dat ik een gediplomeerde psycholoog tegenover me had.

'Wel vaak, in elk geval,' zei ik. 'Er ligt geen notitieblok naast mijn bed om het bij te houden. Mijn vader, mijn vader, mijn vader. Naakt, bus missen, weggerotte tanden. Betrapt bij het stelen van een lamsbout. Zonder kleren aan. Mijn vader weer.'

'Misschien moet je eens therapie overwegen. Hou er wel rekening mee dat je meteen in een veel duurdere behandelcategorie terechtkomt als ik zo een "naakt mét mijn vader" voorbij hoor komen.'

Ik lachte. Rav zoekt altijd het randje op, maar hij weet precies wat hij doet. Dat vind ik echt zo goed aan hem. Je zou denken dat hij met zijn achtergrond heel aftastend en braaf is, maar juist niet. Hij gaat er vol in. Maar wél op de goede schoenen.

Ik vertelde hem dat het zo tegenstrijdig was dat er geen dag voorbijging dat ik niet aan pap dacht (nog zo'n postuum cliché dat voor me was gaan leven, als dat geen foute uitdrukking is), terwijl ik het niet kon opbrengen om naar zijn graf te gaan.

Rav hoorde me aan met steeds diepere rimpels in zijn voorhoofd, en toen zei hij: 'Oké. Ik ga je niet behandelen, dat is niet ethisch en te ongemakkelijk voor jou, maar je gaat wel praten met mijn collega, Fay, en ik plan je alvast in.' Rav was blijkbaar zo goed in zijn vak dat hij doorhad dat ik anders haar gegevens zou aanpakken zonder er ooit iets mee te doen.

'Ik weet niet of ik wel eindeloos over mezelf wil zaniken. Wat stellen mijn problemen nou voor? Hele volksstammen verliezen een ouder,' zei ik, terwijl Rav mijn nummer in zijn telefoon zette.

'Doe niet zo belachelijk Brits,' zei hij. 'Wat een land. We maken er liever discreet een eind aan als we ergens niet uitkomen dan iemand tot last te zijn. Waarmee ik niet wil zeggen dat je suïcidaal bent.'

Ik heb een jaar bij Fay gelopen, en ze heeft me echt geholpen. Goed genoeg om nu op paps verjaardag bloemen bij zijn grafsteen te leggen. Dan maak ik zachtjes een praatje met hem, zo-lang er niemand binnen gehoorsafstand is, en geef ik een klopje op de koude ronde hoek van het met laser gegraveerde graniet. Ik staar naar de begin- en einddatum, die ik graag van tevoren had willen weten.

Het zou erg handig zijn als iedereen in je leven je die data kon geven. Dan kun je het allemaal veel beter doseren.

Het is nu een week na Danny's wake, en ik loop nog steeds met de dood in mijn hoofd. Zolang Devlin in theorie nog kan bellen heb ik niets te doen (ja, ik zou proactief ijzers in andere vuren kunnen leggen, maar je bent een robotstofzuiger of je bent het niet). Ondertussen maakt het na-ijleffect van het zien van Lucas McCarthy terwijl Lucas McCarthy mij niet zag me zo apathisch als een bokkige depressieve ezel.

Dus koop ik een supermarktbosje opzichtige lelies met de kleur van Turks fruit voor £4,99 ('Om te laten verleppen op een lapje grond een kilometer hiervandaan? Je bent niet goed wijs. Dat zijn twee biertjes! Jat gewoon wat bloemen van langs de weg, op zo'n ongeluksplek,' zegt net-alsof-pap) en dan loop ik naar de Tinsley Park-begraafplaats. Het is er dichtbevolkt, als je dat zo kunt zeggen, en ik moet nog een aardig eind lopen voordat ik pap heb gevonden.

Ik hou van sombere oude grafstenen vol smaragdgroen korst-mos, met data uit de negentiende eeuw en de namen van hele gezinnen die aan scheurbuik zijn bezweken. Van moderne glan-zende stenen krijg ik het benauwd.

Als ik bij JOHN HORSPOOL kom, de tastbare getuige van een waargebeurd feit, begint het te kriebelen in mijn buik.

Ik peins over de hypocrisie van wat op zijn steen gegraveerd staat: GELIEFDE ECHTGENOOT, VADER EN BROER. Van die drie zijn er twee niet waar.

Na de begrafenis was oom Peter zo snel weer naar Spanje vertrokken dat zelfs Harry Potter met een snuf brandstof het niet sneller had kunnen doen. In mijn hoofd hoorde ik pap iets sarcastisch mompelen over mensen die het mooist zijn van achteren.

Als hij mijn expatoom Pete – een stuurse droogstoppel – zo wegzette, lag ik altijd dubbel van het lachen. 'Hij is even welkom als kattenschijt in je kamer als je geeneens een kat hebt.' Ik had dat nog niet gedacht of ik realiseerde me dat ik zijn stem of zijn mening over wat dan ook nooit meer zou horen. Ik moest het voortaan van mijn verbeelding hebben. Pastiches, sterke verhalen verdund door nostalgie, fletse imitaties. Meteen overviel me zo'n intens besef van verlies dat mijn knieën het bijna begaven.

Toen hij twee jaar dood was, zei ik tegen Clem dat het voelde alsof het niet echt was gebeurd. Ik zat de hele tijd te wachten tot het tot me doordrong, tot ik het zeker wist. Clems vader was overleden toen ze veertien was. We leerden elkaar om één uur 's nachts kennen in een McDonald's, waar ze werd lastiggevallen door een twijfelachtig type. Jo en ik bemoeiden ons ermee en boden haar aan om met ons mee te rijden in de taxi. Uiteindelijk aten we onze quarter pounders bij mij thuis op en dronken we daarna gewoon verder, nodig of niet nodig.

Clem zei: 'Ik weet niet hoe ik het moet zeggen, George, maar het gaat niet meer echt doordringen. Dat moment komt gewoon nooit. De wereld draait door, maar dat scherfje blijft altijd ontbreken. Intussen leef je maar gewoon je leven, tot het eens boven water komt.'

Dat klinkt aannemelijk. Alles voelt maar tijdelijk. Omdat het dat altijd al was, alleen had ik dat nog niet in de gaten.

Ik schraap mijn keel en kijk even om me heen. 'Hoi pap.'

'Zo, jij bent ook weer bijgepraat,' mompel ik. Ik voel me te kijk staan, al ben ik nog zo overduidelijk alleen in dit vlakke landschap met die grafstenen als dominostenen tot aan de einder. Ik kijk even omhoog, alsof er een drone zou kunnen hangen die mijn banale geklets opvangt.

Ik heb bijna fluisterend melding gemaakt van mijn ontmoeting met Lucas. Iemand van vroeger, zei ik, aan wie ik hem nog eens had gehoopt te kunnen voorstellen. Ik probeer te bedenken of Robin bij pap beter zou zijn gevallen dan bij Esther en mam. Pap zou beter zijn best hebben gedaan, zegt mijn gevoel. Hij zou hebben gezien waar ik op mikte en dan tot de conclusie zijn gekomen dat ik had misgeschoten.

Er zit geen gevoel meer in mijn vingers, die al die tijd de prop cellofaan van de bloemen hebben omklemd, en ik stop mijn hand in mijn ene en de prop in mijn andere jaszak. Netalsof-pap vraagt: waarom draag je een jas met de kleur van het spoeldrankje van de tandarts? Welke Muppet heb je daarvoor geslacht?

'Ik zie je wel weer als je niet-vijfenzestig wordt, denk ik. Esther en ik hebben het erover gehad en besloten dat Milo deze keer meekomt. Geen schunnige taal of traytjes whiskycocktails dus.' Zijn favoriete kerstdrankje. Weer zo'n scherpe steek. Ik val bijna voorover als ik de bloemen rechtop tegen zijn steen zet, en dan zwaai ik even met een klein lachje.

Mam weigert het graf te bezoeken. Esther en ik hebben zo onze theorieën over haar onwil.

Ik ben klossend op weg naar de uitgang als zich ongevraagd een gedachte aan me opdringt.

Als Oscar het Moppermonster in zijn vuilnisbak hangt die gedachte met twee harige groene poten over de rand en schiet omhoog, met zijn borstelige wenkbrauwen en bolle ogen: *Je hebt na*

een week nog niks gehoord, dus je kunt nu wel ophouden met
wachten op Devlins telefoontje. SUKKEL.

Ik blijf even staan, laat mijn blik over de grafakker gaan alsof die letterlijk deze onwelkome waarheid in zich bergt, en dan loop ik weer door.

Het zat er wel in dat een afwijzing in deze context levensvragen zou oproepen, maar dat is niet de enige reden waarom het me triest stemt. Het helpt ook niet dat Lucas McCarthy me niet herkende en/of er een stokje voor stak dat ik die baan kreeg, of dat hij suggereerde dat ik geknipt was voor het serveren van spareribs en kippenvleugeltjes in een hemdje en oranje hotpants.

Als ik mijn teleurstelling analyseer, kom ik tot de ontdekking dat ik Devlin echt graag mocht en hoopte dat dat wederzijds was. Dat overkomt me tegenwoordig niet vaak meer, besef ik. En niet bellen als je hebt beloofd dat je nog zal bellen, is trouwens ook best onbeschoft. Als je me dan teleurstelt, dan graag zo dat ik je toch nog aardig blijf vinden.

Al had hij maar een berichtje gestuurd met de smoes dat er door een misverstand tussen hem en zijn broer twéé mensen voor de baan waren, en dat de ander een oorlogsheld met één been was of zo. Spaar dan mijn gevoelens, weet je? Een leugentje om bestwil maakt het ook veel minder ongemakkelijk als je elkaar weer eens tegenkomt. Ik kan het weten, met mijn duizend tijdelijke baantjes in en om de stad.

Of zou hij zo toeter zijn geweest dat hij het glad vergeten is? Nee. Als dat al zo was, zou Lucas er wel over begonnen zijn.

Hij wist niet dat hij me nog van vroeger kende, en in het nu wil hij me niet kennen. Of hij wist wel wie ik was, deed alsof hij me niet herkende en werkte me weg.

Ik loop de straat op en denk aan Lucas. Toen we een keer tegen de schemering nog in het park waren en ik in een rothumeur was omdat ik thuis ergens voor op mijn lazer had gekregen, legde hij een hand om mijn wang en zei: 'Ik hou van je, dat weet je, hè? Je hebt altijd mij nog.' Het zal wel makkelijker zijn geweest om zoiets te zeggen op een moment dat ik zo kwetsbaar en zielig was. Opeens was die rotdag de mooiste dag van mijn leven.

Ik weet nog dat ik 'Ik hou ook van jou' zei, voor het eerst. En: 'Jij hebt mij.' Hij had me ook echt. Ik was volledig in de ban van die jongen. Hij was alles: mijn grootste geheim, lustobject, zielsverwant en bondgenoot. Dat cliché dat niets zo heftig is als die eerste keer klopt echt, hè?

Maar had ik hem echt, hoe kort ook? Het enige bewijs is mijn dagboek, maar daar kan ik niet eens naar kijken. Het huist onder in mijn beha-la, altijd onder handbereik maar voorgoed onaangeraakt.

En dan, terwijl de eerste regendruppels neer miezeren, meldt mijn telefoon zich met een onbekend nummer. Mijn hart slaat een paar slagen over.

'Hallo, spreek ik met Georgina? Met Devlin. Die kleine Ierse turftrapper die je vorige week laveloos hebt gekregen.'

Ik kan even niets zeggen, zo verrast en verrukt ben ik, maar dan herpak ik me. 'Hoi, ja, dat ben ik! Zonder mijn hulp was je vast ook een eind gekomen, eerlijk is eerlijk. Als je me daarvoor betaalde, heb ik je een poot uitgedraaid.'

Devlin grinnikt.

'Nog bedankt voor het extraatje, heel aardig van je,' voeg ik eraan toe.

'Niks daarvan, je had het verdiend. Je liep daar rond alsof je een van de gasten was, en dan doe je wat mij betreft iets heel erg goed als gastvrouw.'

Devlin kan het niet zien, maar ik sta licht te geven.

'Ik vroeg me af of je nog beschikbaar bent voor die baan waar we het over hadden? Sorry dat het zo lang heeft geduurd, maar ik moest, eh... een paar dingen duidelijk krijgen.'

Waarmee hij bedoelt dat hij zijn broer zijn wil moest opleggen, neem ik aan. Ik ben hem diep dankbaar. En sterf duizend doden. Gefeliciteerd, u heeft de hoofdprijs gewonnen: werken onder een vijandig gezinde Lucas McCarthy!

Ik ben wel dolblij dat zijn bezwaren geen streep door de baan hebben gezet. Een kleine overwinning.

'Het is kort dag, dus zeg gerust nee, maar zou je vanavond langs kunnen komen? Rond halfzeven? Dan kan ik uitleg geven over de kassa's en weet je in elk geval een beetje de weg voor als het opeens loeidruk wordt op je eerste dag.'

Ik kijk op mijn horloge. Over anderhalf uur. Dan mag ik mezelf wel eens min of meer presentabel gaan maken.

'Moet lukken.'

'Je bent goud waard. Sorry voor het opjagen, maar je weet hoe dat gaat. Mijn agenda heeft opeens gierend uit de klauw gelopen ADHD en alles komt tegelijk vandaag.'

'Geen probleem hoor, ik was nergens mee bezig. Tot later dan maar.'

'Als je niks hoort als je klopt, zitten we waarschijnlijk achter. De deur is open, dus je kunt zo doorlopen.'

We. Het gaat echt gebeuren. Hij is weer in mijn leven.

Kan ik daar wel in mijn roze bontjas komen aanzetten? Waarom niet, denk ik er geërgerd achteraan. Omdat Lucas McCarthy over me praatte alsof ik een dom blondje ben? Baas in eigen garderobe! Dat stoere is een en al front, natuurlijk. Ik ben nog net zo'n lefmeid-van-buiten maar lafbek-met-minderwaardigheids-complex-van-binnen als op mijn zestiende.

Als ik huppelend op weg ben naar huis hoor ik mijn telefoon weer brommen in mijn tas. Ik wip de flap op, rommel met een hand rond in de diepte, vis onbedoeld een tube mascara op, en al die tijd blijft mijn telefoon maar piepen. Ik ben op van de zenuwen als ik dat ding eindelijk te pakken krijg – is dat Dev weer die zijn aanbod alsnog intrekt?

Het is Rav, zie ik op het scherm.

'Hoi!'

'Hé daar. Druk?'

'Niet direct.'

'Ik was benieuwd of je nog contact met de krant had gehad over die Italiaan waar je werkte. Over dat afbranden op TripAdvisor. Je zei zoiets, maar je was tegen die tijd al niet helemaal helder meer.'

Heb ik dat gezegd? Ik wist niet eens dat ik dat tegen mezelf had gezegd. Er vallen steeds meer drankgaten in mijn geheugen. Ik kan vast al een filmavond vullen met alle eruit geknipte scènes.

'Eh... ja?'

'Ze hebben er iets mee gedaan.'

'O, echt? Wat goed!'

'Nou, ik heb goed en slecht nieuws. Of wacht, laat ik niet liegen: vanaf hier is het nieuws alleen nog maar slecht.'

'Wordt mijn naam nog genoemd?'

'Nee, hoezo? Stond je naam er dan bij?'

'O, eh... nee,' zeg ik. Ik ben weer suf bezig. 'Omdat ik ze had getipt, bedoel ik.'

Iemand – niet Mr. Keith, maar een Ant-nog-iets – van *The Star* had gereageerd op mijn mailtje over That's Amore! met een afgeraffeld 'Bedankt we kijken ernaar', waarschijnlijk getypt met de ene hand op de toetsen en de andere om een baguette met ei en waterkers.

Dat ze me niet met mijn naam aanspraken vond ik wel wat kortaf, tot ik me herinnerde dat ze me alleen kenden als Gogpool. Ze gingen er vast niets mee doen, als ze al niet eens navroegen wie ik was en waarom ik Zoveelste Ontevreden Klant was. Nou ja, dacht ik. Niet geschoten en zo.

'Ze zeggen dat je wraak het beste koud kunt serveren, toch? Nou, *The Star* dient het op als een gerecht bij That's Amore! – wat je bestelt en wat je krijgt zijn twee heel verschillende dingen,' zegt Rav.

'Ik snap niets van wat je zegt.'

'Waar ben je?'

'Bij de... Bijna thuis.' Ik loop net mijn straat in.

'Haal ergens die krant. Het staat nog niet online. Dat ik het zag, was alleen omdat iemand op mijn werk erover begon. En wat denk je: zij kent iemand die zegt dat ze er een salmonellabesmetting heeft opgelopen.'

'Ik heb het niet meer van de spanning met dat geheimzinnige gedoe van je.'

'Sorry, dat was niet de bedoeling. Het is best grappig, eigenlijk. Zet een pot thee en geniet er op je gemak van. Regelrechte satire.'

Ik haal braaf *The Star* bij de kiosk op de hoek en ga naar huis. Ik kan me niet voorstellen hoe ze de scoop hebben kunnen verprutsen dat That's Amore! de verschrikkelijkste eetervaring biedt sinds Sweeney Todd zijn ambachtelijke pop-up met broodjes warm vlees begon.

Ik sla de krant open en begin te bladeren, maar de bladzijden plakken aan elkaar en dit schiet niet op, go go go Gog, ik wil nu toch echt weten waar Rav het in godsnaam over had.

Gevonden. Twee pagina's. Tony poseert stralend voor de voorgevel met op elke hand een bord pasta met een plas saus. Blijkbaar is hij naar de feestwinkel geweest voor een koksmuts, die zo overdreven poft dat hij zo in een reclame voor pastasaus kan.

That's Amore! – het slechtste restaurant van Sheffield, volgens TripAdvisor – zegt tegen alle haters...

SHADDAP YOU FACE!

Hè? Wat? Verkopen ze het serveren van ernstig ondermaatse gerechten nou als een dappere revolte van de kleine man?

Ik lees verder, en ja, dat doen ze dus echt. Getuige de vleiende foto's van Tony die in pannen roert, met zijn vinger en duim in een rondje in de lucht, en van Callum die met een grijns naar ons omkijkt terwijl hij de dagschotels op het schoolbord schrijft, heeft That's Amore! de pr-machine aangezwengeld en er met succes een dapper ik-worstel-en-kom-boven-verhaal vol zelfspot van gemaakt.

God. Samme.

Op de rechterpagina staat een kadertje met de dieptepunten van TripAdvisor, maar dan zwaar geredigeerd zodat er niets meer te lachen valt. Greg Withers maakt ook zijn opwachting – joechei! – alleen hebben ze er maar een paar zinnen uit gelicht, waardoor je in de gauwigheid zou kunnen denken dat hij alleen meer toeters en bellen wilde omdat het een bijzondere gelegenheid was.

Verdomme.

Tandenknarsend begin ik het stuk te lezen.

Er was een tijd dat klachten over een restaurant beperkt bleven tot het verzoek om een onderhoud met de bedrijfsleider. In het internettijdperk is er maar één muisklik voor nodig om je ongenoegen aan Jan en alleman kenbaar te maken. TripAdvisor is een welbekend forum waarop restaurantbezoekers hun oordeel kunnen geven over al het goede – of minder goede – dat in ons culinaire wereldje te genieten valt, en in de commentaren nemen gebruikers allesbehalve een blad voor de mond.

Je staande houden tegenover de stoottroepen van de verongelijkte klant: That's Amore! weet er alles van. Deze bistro in Broomhill kreeg talloze amateurrecensenten over zich heen die zich schamper uitlieten over de 'niet authentieke' gerechten en 'ondeugdelijke' bediening, met een 'Vreselijk'-score van 88% – de laagste in de hele stad.

Desondanks gaan de zaken uitstekend; elk weekend zijn alle zestig plaatsen bezet.

That's Amore! gaat het ondanks die lage score voor de wind, beamen ze desgevraagd, en het restaurant lijkt zelfs alleen maar populairder te worden. Dat werpt de vraag op hoeveel invloed sites als TripAdvisor nu daadwerkelijk op ons restaurantbezoek hebben.

'Internettrollen hebben hun mening altijd klaar, dat hou je toch,' aldus chef-kok Tony Staines van That's Amore! 'Als ik heel eerlijk ben, denk ik dat je moet kijken naar de locatie van de zeurdozen die zo om zich heen meppen, en dan zul je zien dat het van die Londense types zijn, of mensen van buiten die luxe-eten willen, met allemaal koude drukte en amuses. Lokaal zijn we een doorslaand succes.'

Hij lult uit zijn nek!

'Wij serveren hier eerlijke, huiselijke kost, bereid met verse ingrediënten, zonder gedoe of poeha, en daar komen onze vaste klanten graag voor terug. De aloude recepten van de moeder van de eigenaar vormen onze basis. Dus als onze klassiekers niet bevallen of ze beweren dat ze niet authentiek zijn: neem het maar op met zijn Nonna – ze woont in Turijn!'

'Dat mens woont verdomme in Bridlington,' snuif ik.

Het artikel vervolgt met een discussie over de zin en onzin van restaurants kiezen op basis van TripAdvisor, en niemand krijgt dus de kans om Tony weerwoord te geven. 'Greg Withers' had vast graag willen uitweiden, als hij een e-mailadres had gehad (of als ik Rav zo gek had kunnen krijgen om die rol te spelen).

Dit is toch verdomme niet eerlijk? Is het niet bij die verslaggever opgekomen dat That's Amore! misschien ontzettend negatieve reacties krijgt omdat ze ontzettend slecht zijn? Zou Ockhams scheermes hem iets zeggen? Heeft hij ook maar één hap van het eten daar geprobeerd? Dit stuk is gewoon gratis reclame voor That's Amore! Waar ik zelf de voorzet voor heb gegeven. Geen twijfel mogelijk; het artikel is geschreven door Ant Haddon.

Dat brengt de stand op 1-0 voor That's Amore!

Eerlijke, huiselijke kost, mijn reet. Ik heb zelf een keer gezien dat Tony een doos Quality Street omkeerde, alle bonbons uitpakte en afkantte met een kaasmes, ze in piramidevorm ophoopte op een schoteltje en bestrooide met een snuf oploscacao, waarna hij tegen mij zei dat ik ze aan de klant moest serveren als onze huisgemaakte bonbons. *Fawlty Towers*-aflevering 'Gourmet Night', maar dan zonder de gelikte presentatie.

Ik bel Rav.

'Waarom winnen de slechteriken uiteindelijk altijd, Rav? Waarom?'

Het is bedoeld als verontwaardigd grapje, maar ik ben ook echt van mijn stuk. 'Dat blijkt maar weer, toch? That's Amore! komt overal mee weg! Recensent op bezoek? Hopla, mij ontslaan en het probleem is weer opgelost. Wat moet ervoor gebeuren? Houdt het pas op als ze polonium door de pollo alla cacciatore doen?'

'Hiha. Ja, het gaat wel ver, hè,' giert Rav. 'Ik moest lachen bij dat stuk over dat mensen zo negatief zijn omdat ze een viersterrenrestaurant en sashimi van zee-egel verwachten. Dat moet de verklaring zijn, ja. Kan niet anders. Allemaal kakkineuze types uit Mayfair die twee hoofdgerechten voor een tientje en een halve karaf hoekige rode wijn verkeerd interpreteren.'

Ik barst in lachen uit. 'Een menu *dégustation* bij That's Amore! Ik zou niet meteen weten wat Tony in zijn schuim zou doen.'

'Ik wel.'

Ik hinnik.

'Dankzij mijn inspanningen zit het weer een maand vol bij That's Amore! Zelfs als iemand er door dit stuk gaat eten en me achteraf gelijk geeft, hebben ze toch hun geld weer binnen. God bestaat niet,' zeg ik.

'Nee, maar dat wisten we al. Maar waar ik je eigenlijk over wilde bellen: we zitten er alle drie een beetje mee dat we Robin laatst zo zaten af te zeiken.'

Ik lach met gierende uithalen. 'Rav, je weet dat ik dol op je ben, maar als Clem daarmee zit, ben ik Mr. Greg Withers uit Stockport.'

'Oké, ik geef het toe, Jo en ik hebben tegen Clem gezegd dat het haar niet lekker zou moeten zitten dat ze Robin zo zat af te zeiken.'

'En was ze het daarmee eens?'

'Ze zei: "Waarom verdedig je die verwaande lul van een nar die

George zo genaaid heeft?" waar jij vast net als ik heel duidelijk een impliciete spijtbetuiging in hoort.'

Ik blijf maar lachen.

'Hoe dan ook, Jo en ik krijgen haar nog wel zover dat we de rekening in drieën delen als we jou als goedmakertje mee uit eten nemen – heb je vanavond iets te doen?'

'O, wat leuk, waar? Ik moet om halfzeven ergens zijn, maar dat duurt vast niet lang.'

'Waar heb jij zin in?'

'Eh... Curry?'

'Geregeld! Of... That's Amore?'

'Mijn god, ik wil niet weten wat Tony met mijn eten zou uithalen.'

'Ik kan me er wel een voorstelling van maken.'

'Gatver!' Ik val stil. 'Er is echt niet zoiets als karma, hè Rav? Je krijgt nooit loon naar werken.'

'Daar kan ik een uitgebreid en een minder uitgebreid antwoord op geven, en aangezien ik je therapeut niet ben en jij me niet betaalt, krijg je de korte versie.'

'En die is?'

'Nee, karma bestaat niet en mensen krijgen nooit loon naar werken. Dat is een troostend sprookje dat ons moet verzoenen met de meedogenloze willekeur van het universum en het onrecht dat over ons wordt uitgestort.'

'Nee, hè. Is het uitgebreide antwoord iets verheffender?'

'Ja, daarom moet je er ook voor betalen.'

Ik lach, hang op en snuif de prikkelende oktoberlucht diep op. Ik weet ook niet waarom ik nog steeds in karma wil geloven, als je nagaat dat ik het in mijn dertigjarige bestaan nooit in actie heb gezien. Ik had dat bijgeloof gewoon tegelijk met de tandenfee moeten uitzwaaien.

14

Zoals Devlin al had gewaarschuwd reageert niemand als ik stipt om halfzeven bij de kroeg op de stoep sta. Door de kou lijk ik bij elke uitademing op een briesende draak. Drie keer timmer ik zonder resultaat op de deur, en dan probeer ik de klink, stap naar binnen en roep: 'Hallo?'

Er brandt geen licht.

'Hallo?' roep ik weer, aarzelend. 'Is er iemand?'

Het is best griezelig zo in het donker. In de vorige kroegen waar ik werkte, brandden altijd de muurlampjes nog, ook als het grote licht uitging. Alleen het beetje schemerlicht dat binnenvalt van de straatlantaarns behoedt me ervoor dat ik over de stoelen struikel.

Dan springt in een ruimte achter de grote bar een lamp aan, en in de deuropening van de loungebar tekent zich een silhouet af. De gestalte komt naar voren en doet onderweg meer lampen aan.

Hij draagt een zwart overhemd dat onder het stof zit en heeft een enorme ring met joekels van sleutels in zijn hand, en als hij mij ziet, blijft hij staan en kijkt me aan. Ik ben weer achttien, en Lucas McCarthy kijkt naar me, met zijn doordringende maar onpeilbare blik.

De eerste paar tellen weet ik geen enkele standaardbegroeting te produceren.

'Kan ik iets voor je doen?' zegt Lucas na een tijd. 'We zijn gesloten.'

Eh... Ja, zo'n idee had ik al. *Doe mij maar een kleintje pils, graag, en kan ik misschien een zaklamp lenen* lag me nou niet direct op de lippen.

'Dev...' Ik kuch nerveus en schraap mijn keel. 'Devlin zei dat ik wel door kon lopen. Hij wilde me wegwijs maken in de bar.'

'Aha, op die manier. Dev is even naar de winkel, hij komt zo terug.'

'O. Oké.'

Er valt een gespannen stilte. We wachten allebei tot de ander iets zegt.

Ik heb het gevoel dat de dingen die Devlin zogezegd nog 'duidelijk moest krijgen' omtrent mijn komst toch minder duidelijk gekregen zijn dan ik had gehoopt. Misschien is er zelfs wel niets duidelijk gekregen.

Ik sta daar maar te staan totdat Lucas zegt: 'Ga gerust zitten. Wil je iets drinken? De taps zijn nog niet aangesloten, maar er is al van alles geleverd. Colaatje? Hij is alleen niet koud, vrees ik.'

Nou, ik ben zelf ook niet bepaald cool haha.

Ik knik, mompel een bedankje en laat me zwaar in de dichtstbijzijnde stoel vallen. De bedompte warmte die gevangenzit tussen mijn huid en mijn kleren warmt nog verder op, en ik voel mijn zenuwen knetteren alsof ik een stopcontact ben dat op doorbranden staat. Moeten we nu een gesprek voeren? Hoelang? Waarom zei ik hier ja tegen, waarom zei ik niet tegen Devlin dat ik al iets anders had gevonden? Waarom zou ik Lucas McCarthy als baas willen? Het leven is toch zeker al vernederend genoeg? De echte antwoorden op deze vragen hangen net buiten bereik van mijn bewuste gedachten.

Lucas is even uit het zicht verdwenen, en ik kijk om me heen. Dan hoor ik achter mijn rug een vreemd zwaar ademen en het tikken van nagels op hout, en opeens verschijnt de aandoenlijkste laagpotige hond op aarde met een verwachtingsvolle blik aan mijn tafeltje. Het is die hond van de wake, zie ik. Hij is zo lijvig van achteren dat het lijkt alsof hij in een plasje roodbruine vacht zit, en hij kijkt heel enthousiast uit zijn lieve ogen. Zo'n hond die met zijn hele kop roept: HALLO IK BEN HOND WIE BEN JIJ IK VIND JOU LIEF.

Deze onvoorziene hondse tussenkomst maakt me erg blij. Ik ben op goede dagen al een enorme dierenvriend, en op slechte dagen als deze nog meer.

De hond laat een poot in mijn schoot ploffen, en ik neem hem aan en schud hem.

'Hallo daar! Heel leuk om kennis te maken! Wie ben jij?'

Het is zo'n lieverd om te zien dat het echt lijkt alsof hij naar me grijnst, en ik begin te lachen.

Lucas komt terug en zet een metalen emmer met rammelende ijsblokjes op de bar.

'Ik had je even moeten waarschuwen voor de loslopende hond. Hij heet Keith. Je bent niet allergisch of iets?'

'Hallo, Keith!' roep ik. 'Jij bent wel een schat, hè? Is het jouw hond?'

'Ja.'

Keith kroelen is nu mijn variant op verdringing, en het komt als geroepen.

'Keith,' zeg ik, als Lucas mijn cola komt brengen. 'Best een aparte naam voor een hond. De incognito restaurantrecensent van *The Star* reserveert trouwens als Mr. Keith. Maf toeval.'

Ik wil al gaan vertellen dat het zo toevallig is omdat ik de man nog niet zo lang geleden persoonlijk heb ontmoet, op mijn vorige werk, maar dat is gesprekstechnisch zo'n onhandige zet dat ik halverwege stilval.

Lucas kijkt alsof ik een beetje simpel ben en zegt: 'Zo maf of toevallig is dat niet, of wil je suggereren dat deze Keith incognito restaurants bespreekt? Ik weet namelijk vrij zeker van niet.'

'Haha, nee hoor, ik bedoelde alleen...'

Ik maak mijn zin maar niet af, want ik bedoelde niet eens iets.

'Keith zou een juichende recensie kunnen schrijven over het nat van witte bonen in tomatensaus op een bedje van vaatdoek. Hij is een enthousiaste eter, maar niet heel verfijnd.'

Ik lach moeizaam. Nam hij nou zijdelings mij ook op de hak of leek het maar zo?

Het is voor het eerst dat ik Lucas hele zinnen achter elkaar hoor uitspreken. Hij praat minder plat Iers-Engels dan Devlin. En dan dringt het eindelijk tot mijn botte hersens door: hij is een volslagen vreemde voor me. Iemand die je twaalf jaar geleden hebt gezoend kan je nu geen bekende meer noemen. Eigenlijk was hij trouwens toen al een vreemde voor me.

Lucas bukt zich om de hond over zijn kop te aaien. Ik ben blij dat ik hem niet meer hoef aan te kijken en neem een slok cola. Hij is kennelijk niet van plan om erbij te komen zitten.

'Was er een speciale reden dat Devlin had gevraagd of je langs kon komen?'

Shit. Niets duidelijk gekregen dus. Dat dacht ik verdomme al.

'Hij heeft me een baan aangeboden.'

'O. Vandaar.'

'Ik heb met de wake gewerkt, vorige week. Toen hebben we elkaar ook gesproken.'

'God, sorry, echt? Het was erg druk die avond.'

Leuk. Kan ik mezelf voor de tweede keer aan Lucas voorstellen. Of de derde, in totaal.

'Georgina,' zeg ik, met een vinger naar mijn roze bont, bozig dat het zo maf voelt dat hij dat niet weet. Of doet alsof.

'Luke. Of Lucas. Wat je zelf wilt.'

'Dan is het dus Luc, als in L-U-C? Net als, eh... Jean Luc Godard?'

Hou toch alsjeblieft je mond, Georgina.

'Ik ben geen Fransman.'

De voordeur zwaait open en Devlin komt binnen met een vat dat hij half voortrolt, half sleept. Ik zou kunnen zweren dat Lucas en ik allebei bijna hoorbaar zuchten van opluchting.

'Ha, je bent er! Hebben jullie elkaar al een beetje leren kennen?' vraagt Devlin.

'We hebben vastgesteld dat ik geen filmregisseur ben en mijn hond geen restaurants recenseert,' zegt Luc vriendelijk, maar kurkdroog.

'We kunnen open, ik heb de kassa's aan de praat gekregen. Wat zeg je ervan? Nog steeds fan?' zegt Devlin. Hij spreidt zijn armen, het vat begint te wiebelen en hij zet het snel rechtop.

'Ongelooflijk vind ik het, en dat meen ik oprecht,' zeg ik. 'Ik weet nog hoe het er hier vroeger uitzag, en jullie hebben gewoon wonderen verricht.'

'Nou hoor je het eens van een ander, Luke!'

Devlin heft triomfantelijk zijn vuist alsof hij Bruce Forsyth is.

'Ben je niet tevreden?' vraag ik Lucas.

'Jawel hoor, hij heeft alleen te veel geld uitgegeven,' zegt Lucas op zijn weinig onstuimige manier.

'Ga toch weg.' Devlin trekt er een stoel bij. 'Ik zal je zo alles laten zien, Georgina. Voorlopig staan we hier met ons drietjes: jij, ik en Luke. Misschien dat ik er meer mensen bij moet halen als het gaat lopen met de bovenzaal.'

'Zit er dan ook een feestzaal bij?'

'Zeker weten, en geen kleintje.' Devlin pakt een flyer van de

bar en houdt me die voor. 'Ik wil veel variatie in het programma,
zie je. Zodat iedereen weet dat The Wicker niet meer dat uitgewoonde drankhol is. Hier trappen we mee af, kijk... Van de
plaatselijke krant waren ze op zoek naar een gratis ruimte.'
Ik begin te lezen.

SCHAAMTE IN DE SCHIJNWERPERS
Schrijfwedstrijd / Open podium
Ben je een schrijver op zoek naar een podium? Kom met een
kort verhaal over een wekelijks vastgesteld onderwerp rond
het thema schaamte, gêne en afgaan in het algemeen. Gedeelde smart is halve smart, tenslotte. Na drie avonden se-
lecteert de jury een winnaar, en de hoofdprijs is een eigen
column in *The Star*.
Vrijdag aanstaande wordt het eerste onderwerp bekendgemaakt!
Eerste voorstelling: de zaterdag na Halloween!

'Open podium.' Lucas trekt een gezicht. 'Dat wordt *slam poetry*.
Mannen in zwarte coltrui met experimenteel cabaret zonder
grappen. Geflipte nieuwetijdskinderen die je aan je derde oog
laten voelen.'

Hij is stekeliger dan ik me herinner.

'Niemand verwacht van jou dat je meedoet hoor,' zegt Devlin.
'Ken jij toevallig schrijvers?' vraagt hij dan aan mij. 'Of ben je er
zelf een?'

Het is aardig van hem om die vraag te stellen aan een vrouw in
felkleurig nepbont die is ingehuurd om vaasjes vol te tappen, en
ik wil zijn vraag recht doen.

'Niet echt... Ik bedoel... Het is wel iets wat ik wil, eerlijk gezegd,
maar dat maakt me nog geen schrijver denk ik.'

Devlins gezicht plooit zich in zo'n grijns die je onmogelijk onbeantwoord kan laten. 'Je bent de ideale kandidaat! Het is juist voor mensen die net beginnen! En je kunt het tussen het werken door doen. Toch, Luke? Dat halfuurtje redden we ons wel. Zo stimuleren we onze medewerkers om een vertrouwd gezicht te worden, en wij bouwen ermee aan onze bekendheid in de buurt.'

Ik lach nerveus. Niet alleen iets schrijven, maar het nog voordragen ook?

Ik had ook eigenlijk gedacht dat Lucas McCarthy zich niet onder de klanten hoefde te mengen. Dat hij zijn dagen doorkwam met rondstappen in een loden jas met een roedel jachthonden naast zich en een stormlantaarn in de hand.

Devlin wendt zich weer tot mij.

'Ik zal af en toe iemand op proef laten meedraaien, maar ik neem niemand voor vast aan zolang jij de samenwerking niet ziet zitten. Alles staat of valt met een goede klik. Jij hebt vetorecht.'

Dan kijkt hij met een ruk op en knijpt zijn ogen tot spleetjes, en ik weet honderd procent zeker dat Lucas achter mijn rug en over mij heen met zijn blik 'O, ZÍJ WEL. LEKKER DAN,' heeft gezegd.

'Ga je mee, Keith?' zegt Lucas. 'Jij laat Georgina straks uit?' zegt hij tegen zijn broer. 'Tot maandag,' zegt hij tegen mij. Ik knik.

Op zoveel wellevendheid had ik niet meer gerekend. Ik vermoed dat de gebroeders McCarthy meer tact en goede manieren bezitten dan je aan hun uiterlijk en vertrouwelijke manier van doen zou afleiden.

'Hij is een nors stuk vreten, maar dat went vanzelf,' zegt Dev zodra Lucas om de bar is gelopen en we een deur horen dichtvallen.

'Wonen jullie samen boven de kroeg?' vraag ik, om niet te hoeven nadenken over wennen aan het norse stuk vreten omdat ik daar alleen voor moet zijn.

'Nee, daar is maar één slaapkamer. Luc zit daar, ik heb hier om de hoek iets gehuurd.'

Lucas is hier dus waarschijnlijk het vaakst aanwezig.

'Waar denk je dat je over gaat schrijven?' vraagt Devlin met een knikje naar de flyer. 'Dingen waar je je voor schaamt, is dat wat ze vragen? Ik zou het bij God niet weten, want ik heb nooit van mijn leven iets gedaan waar ik me voor zou moeten schamen.' Hij grijnst.

Ik moet even slikken.

'Nee. Ik ook niet.'

15

Een kind dat opgroeit met ouders die niet gelukkig met elkaar zijn, leert daarmee om te gaan. Het is als opgroeien in een huis met lage plafonds, of in een doodlopende straat: je gaat het gesprek er niet over aan en verwacht niet dat het verandert. Je weet niet beter, dus je doet het er maar mee. Alleen bij vriendinnetjes thuis kreeg ik soms een naargeestig gevoel als ik zag dat hun ouders het minzaam met elkaar oneens konden zijn, zonder venijn of decibellen. Dan dacht ik: O, kan het zo ook?

Ik ging toen ik klein was op zaterdag altijd met pap mee als hij op pad ging. Hoe saai zijn bestemming ook was – kluswinkels, de stort, zijn vriend Graham, platenwinkels afschuimen naar jazzalbums, voetbal kijken, gebakken vis halen – ik verveelde me nooit en meldde me er zelfs vrijwillig voor aan. In het begin vroeg mijn vader Esther nog wel mee, maar die verklaarde dat ze er niets aan vond en liever haar eigen gang ging.

Ik vond het heerlijk om in de auto naar buiten te staren, hand in hand naast pap te huppelen of met slingerende benen op stoelen te zitten waar ik te klein voor was.

Over aandacht van kassadames en winkelbediendes had ik nooit te klagen. Ik was geen meisje-meisje, daarvoor hield ik te veel van lange broeken en sweaters met superhelden, en

om een of andere reden lokte dat alleen nog maar meer uit-
roepen van 'Ach' en 'Wat een dotje!' uit.

Hoe de traditie ontstond zou ik niet meer weten, maar eens in
de zoveel weken zei pap, als de taak voor die zaterdag erop zat:
'Wat gaan we doen, commandant?'

Dat was de opmaat voor verwennerij. En zolang het binnen de
stad en binnen budget bleef, kon dat alles zijn wat ik maar wilde.
Stel je voor dat jij, als kind, mag bepalen wat er gaat gebeuren –
dan voel je je toch de koning te rijk?

'Chocoladepudding... in een glas?'

We gingen naar een warenhuis, en in het restaurant kreeg ik
een berg luchtig opgeklopte mousse, doorboord met een waaier-
wafel, terwijl pap nipte van zijn thee.

'Een avontuur. Iets met vliegen.'

De megabioscoop, *Batman*, en een zakje Revels.

'Schaatsen.'

Ik draaide eindeloos wiebelige rondjes rond de ijsbaan, met zo
strak dichtgeveterde huurschaatsen dat de striemen in mijn voeten stonden, terwijl pap zijn krantje las.

Toen ik te oud werd voor onze zaterdagen brak een ongemakkelijke overgangsperiode aan. Dan stond pap rammelend met
zijn sleutelbos in de gang en moest hij over de muziek heen roepen: 'Kom je nog of hoe zit het, Georgina?'

En dan bitste mam: 'Waarom zou ze in godsnaam met jou
naar een boerenlandwinkel willen, John?'

Na die onbestendige periode waarin ik mezelf er te oud voor
vond, maar ook nog te jong om er helemaal mee op te houden,
pasten we het programma aan: ik ging shoppen in de stad, en als
we allebei klaar waren, spraken we ergens af voor lattes en macchiato's en punten slagroomtaart met glazuur in rare kleuren.

Op mijn vijftiende bedacht ik op een sombere zaterdag in een druipend natte winter iets nieuws. Het was om vijf uur al donker en mam en Esther waren nog niet thuis van een middag winkelen.

'Kunnen we niet ergens een curry gaan eten?'

Mam vond pittig eten helemaal niks, en ik had zelfs nog nooit een Indiase afhaalmaaltijd geprobeerd. Pap hoefde geen moment na te denken.

'Het is zaterdag. Jij bent de commandant.'

Een volwassene die meeging in een spontane inval: het voelde regelrecht bevrijdend. Mam stond altijd meteen klaar met vijf redenen om een plan af te kappen met 'Ander keertje, misschien'. Pap snapte me, en ik snapte hem ook.

We gingen naar een restaurant op Glossop Road dat inmiddels niet meer bestaat. Met zijn leesbril op het puntje van zijn neus ging pap als de deskundige voor in de selectie van karakteristieke, beroemde gerechten, brood en wat yoghurt 'voor het blussen'.

Ik weet het betere Indiase restaurant met lassicocktails, plafondventilators en mooi opgemaakte borden nu ook te waarderen, maar toch ga ik nog steeds het liefst naar een zaak met een lichtbord boven de deur, sitarmuziek, bloemenbehang, sissende balti en hete handdoekjes die naar limoen ruiken, met een tangetje erbij. Dat geeft mij nou een proustiaanse kick.

Zodra ik een stuk papadum in de zoetige mangochutney en de zure limoenpickle op het draaiplateautje doopte, wist ik dat ik een dweper zou worden.

'Maar waarom eet je dit dan bijna nooit?' zei ik tegen pap, tussen de grote happen kip tikka masala door, nadat hij uitvoerig alle nóg interessantere gerechten had bewierookt die we konden proberen als mijn leertijd erop zat.

'Je moeder houdt er niet van.'

'Mis je het dan niet?'

'Het huwelijk is compromissen sluiten,' zei pap met een lachje. 'Dat begrijp je pas als je wat ouder bent.'

'Ik trouw nooit met iemand die niet van curry houdt. Vergeet het maar.'

Meestal vond mam het wel best als we er samen op uit gingen, maar ik weet nog dat ze die avond op ontploffen stond toen we thuiskwamen.

Pap had niets laten weten, haar bloemkool met kaassaus kon in de vuilnisbak, onze kleren 'stonken een uur in de wind' en konden meteen in de was, waarom hadden we Esther niet mee-gevraagd, waarom konden we niet als een normaal gezin samen eten, en wat had dat wel niet gekost. Toen mijn suspogingen ver-geefs bleken, liep ik stilletjes naar boven en liet die twee het on-derling uitvechten.

Esther was thuis na haar eerste semester in York, waar ze haar tijd doorbracht met deftiger volk en met zich voor ons schamen, als ik afging op haar verhalen. Nu kwam ze haar kamer uit stor-men en knalde mijn deur open.

'Waarom doe je dat nou altijd?'

'Wat doe ik dan?'

'Stoken tussen pap en mam? Je wist dat ze uit haar plaat zou gaan als jullie samen uit eten gingen en je weet dat je maar hoeft te kikken en pap doet alles voor je. En nu ga je er gewoon van-door en laat die twee elkaar de strot afbijten.'

'Ik wist niet dat mam van niets wist.'

'Hoe had ze het moeten weten als je haar niks vertelt? Pap ge-bruikt zijn mobiel nooit, dat weet je toch? Hij heeft dat ding niet eens aanstaan.'

Esther had geen ongelijk. Eerlijk gezegd wist ik best dat mam het niet wist. Ik wist van tevoren dat ze nee zou zeggen en daarom had ik niets gezegd. Maar tegen iemand die toch al zo kwaad op je is, geef je niet zomaar toe dat ze gelijk heeft. Dan kan je net zo goed meteen als een antilope op je rug gaan liggen en vragen of de leeuw zijn tanden in je slagader wil zetten.

Het stond in de ongeschreven regels van onze disfunctionele eenheid: de nucleaire optie was nooit ver weg bij ruzies tussen pap en mam, en het was onze verantwoordelijkheid om te bemiddelen, sussen en gladstrijken.

'Hoezo moet ík het trouwens tegen mam zeggen?' riep ik. Ik had verder geen verweer en had er ook niet echt over nagedacht. Dat kwam later, onder begeleiding van Fay.

Esthers woest priemende vinger wees in de richting van de harde stemmen beneden. 'Daarom! Ik moest vanavond smerige koude bloemkool met kaassaus eten en mams bloeddruk door het dak zien gaan terwijl jij lol had, en nu is de sfeer hier helemaal niet meer te harden. Val dood, Georgina, egoïstisch kreng dat je bent.'

Ze stormde weer weg, knalde mijn kamerdeur dicht, en ik ging op bed liggen en luisterde naar het gekijf beneden. Mams stem was door de houten vloer heen te horen.

'Ze is niet op de wereld gezet om jou te amuseren. Ze hoort uit te gaan met vrienden van haar eigen leeftijd.'

'Ik ben juist blij dat Georgina nog met me op pad wil. Ze blijft hier ook niet eeuwig wonen, hè?'

'Als je zin krijgt in curry kan je toch met Graham of een van je andere vrienden gaan?'

'Ze kwam er zelf mee!'

'Voor jou, ja. Omdat ze denkt dat jij dat leuk vindt. Ze wil het je alleen maar naar de zin maken, en jij bent zo'n egoïst dat je dat lekker over je heen laat komen.'

Dat was niet waar, maar ik had al jaren geleden gemerkt dat ik mam niet moest tegenspreken als ze mij in stelling bracht tegen pap. Pap en ik, de egoïsten. Mam en Esther hadden gesproken.

Terugkijkend besef ik dat onze expeditie naar Glossop Road van zichzelf al een melancholieke ondertoon had, al voordat mam er haar zegje over deed. Pap en ik zagen allebei op tegen de dag in een niet meer zo verre toekomst dat ik het huis uit zou gaan. We namen een voorschot op het verdriet.

Omdat we elkaar zouden missen, maar ook omdat hij dan alleen zou achterblijven met mam. Ik en mijn zus moesten als bufferzone en remschoenen dienen en er simpel gezegd voor zorgen dat ze allebei nog iemand in huis hadden met wie ze overweg konden. Binnenkort zouden we allebei gedeserteerd zijn. Esther en ik hadden ons al vaker afgevraagd hoe het dan verder moest. Elke ouder had een van ons geronseld als bondgenoot; zonder ons dreigde een uitzichtloze burgeroorlog.

En toen nam het verhaal een verrassende wending en leidden drie verstopte slagaders ertoe dat pap zelf het huis uit ging.

Dit heb ik tot nu toe van het leven geleerd: maak je niet druk over waar je je zo druk over maakt. Dikke kans dat het in het niets verdwijnt door iets waar je nooit op had gerekend en wat nog een miljoen keer zo erg is.

Maar wat ik zeggen wou: ik hou dus heel erg van curry.

Bloemkool met kaassaus, echter... Mwah. Ik eet het wel, maar daar is ook alles mee gezegd.

Pas als onze vier Kingfishers op tafel worden gezet, in glazen waar de condens van afdruipt, en we geproost, geklonken en gedronken hebben, zeg ik: 'Wordt jullie aanbod om mij vrij te houden vanavond weer ingetrokken als ik intussen ben teruggegaan naar Robin?'

Rav verslikt zich zogenaamd in zijn pils, Jo houdt verschrikt haar adem in en Clem zegt: 'Je verstand wordt ingetrokken als je die vuile hond hebt vergeven!'

Ik sla mijn ogen neer, ingetogen als prinses Diana, en zeg: 'Hij wil veranderen, dat heeft hij beloofd. Dat hij met Lou naar bed ging, was alleen uit angst voor de kracht van zijn gevoelens voor mij. Het is alsof hij een boobytrap in zich heeft, een tijdbom. Hij kan zichzelf geen geluk gunnen, daarom begaat hij dit soort daden van... ontheiliging.'

'Gebeurt dit echt, want dan ga ik even overgeven,' zegt Clem vlak.

'Ik wil hem helpen een beter mens te worden,' besluit ik, met een blik op de drie pipse gezichten tegenover me.

'Waarom zou je?' vraagt Clem. 'Kies liever een haalbaar levensdoel.'

'Ik denk echt dat hij wil veranderen,' zeg ik. Ik vind het wel een goede grap, al is het zorgwekkend makkelijk om hun te laten geloven dat ik zo stom ben. Een overwinning, maar dan van het type Pyrrhus.

'En R. Kelly dacht dat hij kon vliegen.'

Het blijft even stil, en drie paar ogen kijken me ongemakkelijk aan.

'Leuk geprobeerd, George,' zegt Rav dan. 'Maar je houdt veel te veel van curry om het risico te nemen dat we allemaal geen hap meer door onze keel krijgen.'

'Verdomme, je hebt me door.'

Ik proest het uit en de anderen schudden mopperend hun hoofd.

We zitten bij Rajput in Crookes, dat net als The Lescar altijd weer balsem op mijn ziel blijkt.

'Nemen we nog papadums?' vraagt Rav, en ik zeg: 'JAZEKER, zonder telt het niet, ik wil alles,' en als Clem zuinig kijkt en verklaart dat je daar zo snel vol door zit, zeggen we in koor: 'Je hóéft er niet van te eten,' en dan zegt ze: 'Als ze eenmaal op tafel liggen, moet ik wel, hè?'

Clem, gekleed in een ultrakort overgooiertje uit haar boetiek met witte knielaarzen eronder, houdt strak in de gaten wat ze eet om er te blijven uitzien alsof ze nog op voedselbonnen moet leven. Ze riep zelfs een keer 'O, dat wil ik!' toen ze 'Gewichtsverlies zonder duidelijke aanleiding' zag staan op een advertentie over mogelijke symptomen van kanker. 'CLEM!' riepen wij geschokt.

Als iemand tegen haar zegt dat zij toch niet hoeft te diëten, verklaart ze met het onwrikbare fanatisme van de ware gelovige: 'Ik hoef niet te diëten omdat ik op dieet ben.'

Ik zou alleen liever zien dat Clem haar neuroses niet uitleeft waar Jo bij is, met haar goedgevulde maat 46-48. Jo haat haar figuur en levert eeuwig strijd met haar stofwisseling met vreselijke dieetmaaltijden die zo uit een damesblad uit de jaren zeventig zouden kunnen komen, zoals biet uit blik met een kwak kwark en reepjes paprika. Kwark zal nooit iets kunnen veranderen aan haar basismodel, en ik word erg verdrietig als ik zie hoe ze zichzelf straft. We hebben natuurlijk het vermoeden dat haar periodieke obsessie, Player Phil, bijdraagt aan haar gevoel Niet Goed Genoeg te zijn. Of Te Veel.

Bij het voorgerecht vermaakt Rav ons met nieuwe afleveringen van zijn serie afschrikwekkende internetdates.

'Ze zei dat er volgens haar tarotlezeres een duistere, stormachtige ziel in haar leven zou komen, om dan weer te verdwijnen maar na korte tijd terug te keren.'

'Haar tarotlezeres?' zeg ik verbijsterd.

'Ja, ze was helemaal het type Luna Lovegood. Ik zei dat het klonk alsof ze elk moment kruidenrum kon gaan braken en maakte me met een smoes uit de voeten.'

Als het hoofdgerecht op tafel staat, praten Rav en ik Clem en Jo bij over That's Amore! en lees ik het commentaar van Greg Withers in zijn geheel voor.

'Jij kan dat echt zo goed,' zegt Jo als iedereen is uitgelachen.

Ik zet mijn telefoon weer uit en stop hem in mijn tas. 'Dank je. Wel jammer dat je in de winkel niet kan betalen met likes op TripAdvisor. Greg scoorde er best veel.'

'Dat zeg je nou wel,' zegt Rav terwijl hij roti in zijn dahl doopt, 'maar jij hebt een humoristische schrijfstijl, je bent goed met woorden en weet hoe je een verhaal moet vertellen. En je hebt veel ervaring in de dienstverlening. Die twee zou je toch op een of andere manier moeten kunnen combineren.'

Wacht eens even... Schaamte in de schijnwerpers?

'Dat ik best goed ben in andermans verhalen vertellen is misschien wel zo,' ratel ik, maar intussen maakt mijn hoofd overuren. 'Robin zei een keer dat ik "wel komisch elan heb maar geen discipline".'

'Dat bedoel ik nou, wat betekent dat in godsnaam?' zegt Clem, die bewonderenswaardig efficiënt haar lam pasanda opslorpt. Ter milieucompensatie leeft ze morgen de hele dag op een kom tomatensoep, cola light en mentholsigaretten. 'Alsof hij zoveel discipline heeft.'

'Ik wilde schrijven, volgens hem, en praatte ook als een schrijver, maar ik schreef nooit. Daar had hij wel gelijk in,' zeg ik.

Een jong stel vlakbij wenkt de ober. De man is hooguit vijfentwintig, denk ik, en ik vermoed dat hij indruk probeert te maken op zijn date, een meisje met torenhoog opgekamd haar en een heel erg klein lycra jurkje.

'Dit hebben we niet besteld? Waarom staat het er dan? Ik wil het straks niet op de rekening zien.'

De ober verontschuldigt zich tegenover de man, die verbolgen op zijn strepen blijft staan. Bah. Ik ken dat type, met die toon van een sultan tegen zijn lijfeigene.

'Die is gezakt voor de oberproef,' mompel ik.

'Wat is dat?' vraagt Jo.

'De stelregel dat iemand die onbeschoft doet tegen de bediening niet te vertrouwen is,' zeg ik.

'De Wet van de Ober,' zegt Rav. 'Klinkt logisch. Die had me heel wat tijd kunnen besparen.'

'Kenden jullie die nog niet?' Drie hoofden schudden van nee.

'Dat is een van de fundamentele wetten waarop het leven gegrondvest is. Zoals je ook mensen moet mijden die op hun geld zitten, weg proberen te komen zonder fooi te geven of de oepsportemonnee-vergeten-truc uithalen. Het is wetenschappelijk uitgesloten dat zo iemand een goed mens kan zijn. Meer hoef je niet van ze te weten.'

'Of ze zijn echt hun portemonnee vergeten,' zegt de edelmoedige, goedhartige Jo. 'Dat kan toch een keer gebeuren?'

'Dat kan. En als jou dat een keer gebeurt, betaal je de ander alles terug zodra je je portemonnee weer hebt, of niet?' zeg ik.

'Ja, natuurlijk.'

'Nou, deze portemonneevergeters doen dat grappig genoeg dus nooit, maar dan ook echt nooit.'

Ik bedenk dat hier, ondanks mijn afwerende reflex van 'mijn leven is veel te saai', misschien toch materiaal in zit voor de Schaamte in de Schijnwerpers-schrijfwedstrijd.

'Dat is wel interessant om te zien als ik akelige mensen in behandeling heb,' zegt Rav. 'Mensen met akelig gedrag, moet ik zeggen. Als ze erkennen dat ze nare mensen zijn, redeneren ze altijd dat de ander ze daar niet de kans voor had moeten geven. Alsof ze kinderen zijn, bijna, en de ander moreel gesproken de verantwoordelijke volwassene is. "Zij laten de koektrommel toch op tafel staan terwijl ze weten hoe lekker ik koekjes vind? Wat denken ze dan dat er gebeurt? Dan eet ik die koekjes toch op?" Nauwelijks in staat om zichzelf verantwoordelijk te houden voor hun gedrag.'

'En als je de koekjes opeet en daar wel verantwoordelijkheid voor neemt?' vraag ik voorzichtig. 'Ben je dan nog steeds een naar mens?'

'Nou, nee...' zegt Rav, 'al hangt dat waarschijnlijk ook af van het soort koekjes, en hoe groot ze zijn. En of je er een gewoonte van hebt gemaakt om koekjes op te eten. En ook van wie je vergeving verwacht, natuurlijk.'

'Ik snap het niet meer,' zegt Clem, en ik antwoord: 'Zeg dat.'

Een uur later heeft de hartverwarmende combinatie van curryverzadiging en schuimend bier mijn zelfvertrouwen een boost gegeven en waag ik het erop om meer te vertellen over mijn nieuwe baan in The Wicker.

'Trouwens Jo, dat was wel maf. Met een van de eigenaars hebben wij nog in de klas gezeten. Lucas McCarthy, weet je nog?'

Ik hoef die taboewoordjes maar te zeggen of ik huiver alsof ik een zonde bega en de toon waarop ik ze uitspreek al alles verraadt. Zijn naam voelt zwaar aan op mijn tong.

Jo's gezicht wordt één grote frons.

'Lucas McCarthy?'

'Je weet wel.' Ik wend mijn blik af om een denkbeeldig spatje jalfrezisaus op mijn schoot weg te boenen met mijn servet. 'Hij zat in onze eindexamenklas Engels.'

'Lucas, McCarthy...' zegt Jo weer. 'Er gaat nog geen belletje rinkelen.'

'Donker haar. Iers. Ik ben nog een keer naast hem gezet. Mrs. Pemberton liet ons allemaal van plaats ruilen voor een project over *Woeste hoogten* en toen kreeg ik hem.' Alle fiches die ik durf in te zetten liggen nu op tafel. Als Jo het met deze aanwijzingen niet redt, kan ik niets meer voor haar doen.

'O ja, dat weet ik nog wel!' roept Jo uit. 'Ik kreeg toen die nerd van een Sean naast me.'

'Ja!' Ik wacht hoopvol af.

'Maar ik herinner me geen Lucas,' zegt Jo dan hoofdschuddend. 'Wist hij nog wie je was?'

Ik ben blij met deze ingang. Het liefst blijf ik eindeloos over hem praten. God zal me liefhebben, ik begin gewoon weer van voren af aan. 'Nou, dat is dus het rare.'

Ik vertel over de hoogte- en dieptepunten van Lucas die me op de wake niet herkende van vroeger, en me vervolgens niet herkende van de wake toen ik terugkwam naar de kroeg.

'Inmiddels heb ik me dus gewoon al twéé keer voorgesteld, terwijl ik al die tijd al wist wie hij was, van vroeger. Kennelijk ben ik uitzonderlijk makkelijk te vergeten.'

Ik zit maar te rebbelen, tot ik opeens stilval in de overtuiging dat iedereen dankzij mijn meisjesachtig onvaste stemmetje en mijn gloeiende wangen allang weet hoe het zit.

'Zo'n beeldig engeltje als jij vergeet toch niemand zomaar,' verklaart Jo, een en al stelligheid en warmte, met die typische oubollige woordkeus van haar. Jo gaat nog eens de liefste moeder van de wereld worden, maar tot die tijd mag ze mijn beste vriendin blijven.

Rav giet de laatste slokken van zijn tweede biertje achterover en zegt: 'Dat kan toch eigenlijk niet?'

Ik sta meteen op scherp. 'Wat bedoel je?'

'Als hij op de avond van de wake nog betoogde dat jij die baan niet moest krijgen, zoals je net zei, dan kan hij dat toch een paar dagen later niet alweer vergeten zijn? Dan moet je toch een duidelijk beeld van iemand hebben, ook al herkende hij je niet meer van school?'

'Eh... Kan hij geen bezwaar hebben gemaakt en daarna zijn vergeten dat hij bezwaren had?'

'Dan zou je toch verwachten dat de herinnering weer boven-komt zodra hij je weer zag. Was hij niet bezopen op die wake?'

'Volgens mij niet. Op het oog. Hij gooide zijn broer wel voor de voeten dat hij te veel ophad, maar zelf functioneerde hij zo te zien nog prima.'

'Enige mate van je niet laten kennen en een frontje ophouden lijkt mij persoonlijk niet uitgesloten bij dit heerschap.'

Deed Lucas dan alsof hij me niet herkende? Tot twee keer toe? Dan is hij wel een briljant acteur. Volgens mij klopt er niets van, maar het is zo lekker om te horen dat ik erin meega.

'Maar waarom zou Lucas doen alsof hij me niet kent?' vraag ik.

'Om indruk op je te maken, wat dacht jij? Om controle te hou-den door onverschillig te lijken. En waarom wilde hij niet dat je die baan kreeg?'

'Hij zei dat ik een onbekende factor was en dat ze geen Hooters waren en iets over blondjes naar wie zijn broer graag keek.'

'Aha! Hij denkt dat zijn broer je wel eens zou kunnen pakken,' giert Clem.

'Nee hoor, die is getrouwd en loopt weg met zijn vrouw. En dat zuig ik niet uit mijn duim. Dev is daar absoluut het type niet voor. Op de wake zocht hij zodra het maar even kon zijn vrouw op.'

'Dus als die Lucas moppert dat jij te verleidelijk bent, moet hij het wel over zichzelf hebben,' zegt Rav.

Mijn hart gaat sneller slaan. Dit is allemaal nonsens en hangt van verzinsels aan elkaar, maar het klinkt me als muziek in de oren.

'Ik denk niet dat hij bedoelde dat ik verleidelijk was. Eerder...
oppervlakkig.'

'Er moet toch een reden zijn dat hij zich er zo over opwindt,'
zegt Clem. 'Voor een barkeeperbaantje tuig je tenslotte geen drie
sollicitatierondes en een powerpoint op. De redenen waar hij
mee aan kwam zetten sloegen nergens op. Is Lucas zelf een lekker ding?'

'Ach, eh... Hmm,' zeg ik, vaag knikkend met een weifelend opgetrokken neus die tegelijk ja en nee en misschien moet overbrengen.

'Wat ben je ook zoet en onbedorven als het gaat om het andere
geslacht, George. Jo, eet je die kip nog op? Mooi, schuif maar
door dan.' Rav kijkt Clem en Jo hoofdschuddend aan en voegt
eraan toe: 'Zo is ze dus bij Robin McNee terechtgekomen.'

Ik barst in lachen uit. 'Nu moeten jullie echt ophouden. Ik had
me op Robin verkeken, ja, maar zo beroerd ben ik ook weer niet
in het doorzien van mannen en hun streken. Toch?'

'Ik had het niet zozeer over je beoordelingsvermogen, maar
over je bescheidenheid. Het is niet oppervlakkig bedoeld, George,
maar voor de mensen om jullie heen was het overduidelijk dat jij
Robin ruimschoots overklaste,' zegt Rav.

'Echt?' vraag ik.

'Echt. Jij was de Assepoester naast zijn betoverde rattenkoet-
sier.'

16

In de kleine uurtjes van zondagnacht schrik ik wakker uit een nachtmerrie. Ik stond in een ellendig middeleeuws boerendorp, en uit een joelende meute stapte steeds één dorpeling naar voren om pijlen op me af te schieten.

Met een harde plok trof het ene na het andere projectiel de plank waar ik tegenaan gebonden stond; fluitend zoefden de pijlen langs mijn gezicht, en dan boorden hun scherpe punten zich gevaarlijk dicht bij mijn vel in het hout. Ik verwachtte elk moment doorboord te worden en schreeuwde het uit van angst.

Als ik bij mijn positieven kom, begrijp ik dat de pijlen fantasie waren, maar het geluid niet. Ik kom op mijn ellebogen overeind en wacht af. PLOK. Er slaat iets tegen mijn raam. Ik worstel me los uit mijn beddengoed en sta bijna in één sprong bij het raam. Als ik het opendoe en ver naar buiten leun, zie ik aan de overkant een man met een grote bos haar staan die met zijn hand boven zijn ogen omhoogtuurt alsof hij in de zon kijkt. Maar... Is dat...

'Robin?' roep ik.

Hij kijkt naar me op. Zijn gezicht is een bleke vlek in de donkere nacht.

Dan hoor ik een vrouwenstem.

'Waar ben je verdomme mee bezig, vuile herrieschopper?'

Nee, hè. Karen. Haar slaapkamer ligt pal onder die van mij, en kennelijk staat haar raam open.

'Twee Rapunzels in één klap!' zegt Robin grijnzend, maar dan slaakt hij een kreet en hupst in het rond omdat Karen hem vanuit haar raam bekogelt met een hagel aan kleine voorwerpen.

'Wat is dat in godsnaam? Au! Au... Hou op... Wat doe je?'

'Nee, nou vind je het niet meer zo leuk, hè? Rot op of ik bel de politie.'

'Ik wil alleen even met Georgina praten!'

'Georgina...' Ik zie Karen niet, maar haar stem galmt langs de gevel omhoog. '...ken je die halvezool? Hij had bijna mijn raam aan scherven gegooid.'

'Eh... Ja. Helaas wel.'

'Vijf minuten, meer vraag ik niet,' zegt Robin met een hand op zijn hart. 'Vijf, beloofd. En anders breng ik je een serenade. Waar zal ik je mee toezingen? The Smiths? *Georgina, it was really nothing...* AU! Dat doet verdomd zeer, weet je dat?' Robin kijkt woedend omhoog naar Karen, alsof hij recht van klagen heeft. Typisch Robin en zijn eeuwige overtuiging dat de wereld om hem draait.

'Ik kan nog een hele tijd zo doorgaan, klerelijer. Er staan hier blikken vol mislukte bonbons die me niks hebben gekost, dus ik kan me er geen buil aan vallen.'

'Ik krijg er anders letterlijk builen van, Wonderlijk Boze Onderbuurvrouw van Georgina.'

'Oké, ik kom wel naar beneden. Vijf minuten, daar moet je het mee doen,' roep ik. Zonder af te wachten of Karen nog iets wil bijdragen klap ik het raam weer dicht en roffel twee trappen af om Robin achterom binnen te laten.

Hij doet er voor mijn gevoel nodeloos lang over om in het gangetje op te duiken. Blijkbaar hebben hij en Karen nog het een en ander met elkaar te bespreken.

En ik krijg straks natuurlijk nog de volle laag van Karen over deze stunt.

Eindelijk komt Robin dan toch de hoek om, granaatscherven van chocola van zijn dure donkerblauwe jas, gevoerd met een Schots ruitje vegend.

Hij neemt de kou en een kroeglucht mee de keuken in, en een air alsof hij heel tevreden is over zijn optreden en overweegt of er geen sketch voor zijn show van te bakken valt. En dan te bedenken dat ik me vroeger liet imponeren door zijn mallotige amateurtheater.

'Wat heb je te zeggen?' vraag ik, met mijn armen over elkaar. Ik realiseer me opeens dat ik hier behaloos in mijn pyjama sta en haat het dat hij zich naar binnen heeft weten te kletsen.

'Ik wilde met je praten, maar jij neemt nooit op als ik bel. Dat vind ik trouwens behoorlijk kwetsend, als ik heel eerlijk ben.'

Niet te geloven, die vent.

'Dus toen leek het je een logische vervolgstap om in het holst van de nacht steentjes tegen mijn raam te komen gooien en ook mijn huisgenoot maar meteen uit haar slaap te halen?'

'Ja, oef.' Robin trekt een vies gezicht. 'Op dat zonnestraaltje zit zelfs Jezus niet te wachten, hè? Ze doet me denken aan Angela Merkel.'

'Sst,' sis ik, met een woedende blik.

'Ik wilde een gebaar maken, iets romantisch doen, iets onver-wachts. Iets waarvan je wilt dat een man het in zich heeft. Om je te laten zien dat ik zo'n man ben.'

Ik heb zoiets nooit tegen Robin gezegd, dus ik ga ervan uit dat hij seksistisch bezig is, óf dat hij denkt dat 'niet met anderen naar bed gaan' een schier onnavolgbaar romantisch ideaal is.

'Wat wil je van me?' vraag ik dan maar op de man af. Alles

beter dan die onuitstaanbare, half ironische, gekunstelde draai die hij hieraan probeert te geven. Het zou me niets verbazen als dit een ruwe eerste versie is van iets waar hij aan werkt.

'Ik wil dat je me nog een kans geeft.'

'Die krijg je niet. Waarom zou je dat willen? En waar is dat verhaal van "monogamie is zó niet mijn ding, weet je" gebleven?'

'Dat is het hem juist!' roept Robin gretig.

'STIL!' bijt ik hem toe, want het is een kwestie van tijd voordat Karen weer ontploft.

'Dat is precies waar dit om gaat. Het is ook niks voor mij, nooit geweest, en ik dacht dat je dat wist.' Ik trek een gezicht. 'Maar toen dacht ik opeens: waarom eigenlijk niet? Jij bent ongelooflijk. Je bent bloedmooi, je bent slim, je maakt me aan het lachen. Denk maar aan al onze scherpe een-tweetjes! En... Nou ja, ik ben bijna veertig. Ik bedoel maar.'

'Jee, zeg, enorm inspirerend. Je wordt te oud voor vunzige voedselgevechten, bedoel je.'

Robin kijkt me aan. Ik denk dat dit zijn hevig en oprecht verlangende blik moet voorstellen.

'Ik zeg: we gaan ervoor. We doen het op jouw manier. Ik ben geheel de jouwe.'

Jezus. Hij denkt dat ik hiermee de hoofdprijs binnenhaal: de kans om Robin McNee te temmen. Het kost me moeite om niet te laten merken hoe misselijk ik hiervan word.

'Robin, ik kwam binnen terwijl je seks had met een ander. Daar kan ik me niet overheen zetten. Het spijt me als dat jou al te bruut en onherroepelijk is, maar het is niet anders. Een wip met een ander jaagt saaie normalo's zoals ik nou eenmaal op de vlucht, in de zin van "voor altijd". En nu ga ik mijn bed weer in, dus mijn huis uit, graag.'

Robin schudt zijn hoofd.

'Denk je dat Lou belangrijker voor me is? Is dat het? Dat ze jou heeft overschaduwd? Zo zien mannen seks niet.'

'Mijn god, Robin, je luistert niet eens. Ik zei: ga weg –'

'Mannen en vrouwen gaan op een totaal andere manier met seks om.'

'Alsjeblieft!' Ik zou me niet uit de tent moeten laten lokken, maar ik laat me uit de tent lokken.

'Dat is gewoon een feit! Ze hebben een keer een onderzoek gedaan naar een of andere soort mieren die werden overgenomen door een schimmel. Ze hadden nog gewoon hersenen, maar op celniveau maakte de schimmel de dienst uit. De mierenhersenen zaten alleen nog achter het stuur, maar het was het schimmelbrein dat stuurde. Zo werkt het libido van een man ook ongeveer. We beseffen misschien wel dat het niet goed is wat we doen en voelen misschien veel meer voor heel iemand anders, maar als het aanbod er ligt, kiezen we negen van de tien keer voor seks,' zegt Robin. 'Het schimmelbrein stuurt.'

'Sta je daar nou serieus te beweren dat je vreemdging vanwege een vijandige overname door een hersenschimmel? Ben je je materiaal op me aan het uitproberen?'

'Nee!' Robin grijpt met veel gevoel voor dramatiek naar zijn hoofd en wil dan met zijn hand op het aanrecht steunen, maar komt het broodrooster tegen. 'Weet je, als je een penis hebt en werk waardoor je bereidwillige vrouwen tegenkomt, is het alsof je op een bierfestival loopt terwijl je bent vastgeketend aan de dorpsgek. Er is domweg geen ontkomen aan.'

'En vrouwen hebben niet precies diezelfde drang, wou je zeggen, waar ze al dan niet aan toe kunnen geven? Wat probeer je nou eigenlijk te zeggen?'

'Jawel, die hebben ze wel, maar ik denk dat het bij vrouwen minder overweldigend is. Dat ze beter in staat zijn om de verstandige keus te maken. Dat geldt ook voor Lou, die echt niet wist hoe jij erin stond. Ze zei dat ze nooit met me naar bed zou zijn gegaan als ze dat had geweten.'

'Christus, wat een gemakzucht. Natuurlijk. De vrouw had je ervan moeten weerhouden. Dat is nou precies wat Rav bedoelde met die koekjestrommel.'

'Wat?'

'Razendinteressant, hoor, deze antropologische mannen-komen-van-Mars-discussie, maar ik heb geen idee waarom je me dit vertelt. Het is niet relevant. Ik weet niet hoe vaak ik het nog tegen je moet zeggen, maar het is over en uit.'

'Wacht nou even. Het komt misschien niet helemaal over, maar ik ben toch echt verdomd behoorlijk gek op jou, Georgina Horspail.'

Robin verhaspelt zonder opzet mijn naam in zijn liefdesverklaring, en ik hou uit alle macht mijn gezicht in de plooi omdat ik niet wil dat dit in zijn act terechtkomt als hij eenmaal beseft wat hij deed. Dit pareltje gaat in de schatkist met Robin-souvenirs voor mijn vrienden.

'Dat boeit me niet. En nu moet ik nodig slapen, dus als je het niet erg vindt,' zeg ik terwijl ik Robin de achterdeur uit werk. 'Nou doei, hè, en nog bedankt voor alle mooie woorden.'

Robin loopt weg en draait zich dan toch nog even om, met een bedachtzame blik en een vinger op zijn lippen. Als Columbo die een verdachte overvalt met een laatste vraag, terwijl die net opgelucht dacht dat hij ervanaf was.

Robin heeft dit van begin tot eind zo opgezet, realiseer ik me, van de steentjes en het college over de mierenschimmel tot en met deze gespeeld spontane uitsmijter. Wat betekent dat hij er al van uitging dat ik hem zou afwijzen.

'Georgina, ik weet dat ik fout zat met Lou, maar ik heb toch het gevoel dat dit jou goed uitkomt. Dat je dit aangrijpt als reden om me te verlaten. Alsof je al aan de deur stond te morrelen op zoek naar een nooduitgang en toen merkte dat de deur niet op slot zat.'

'Een vliegtuig op kruissnelheid waarvan de luchtsluis opeens openging, dat lijkt me een betere vergelijking als je bedenkt wat ik onder ogen kreeg.'

'Wat ik wil zeggen. Vóór dit. Was je ooit wél echt verliefd op me? Wilde je echt een serieuze relatie?'

Aha, dus dat had Robin hiermee voor ogen. Als ik niet genoeg voor hem voelde om hem nu terug te nemen, volgt daar logisch uit dat híj niets fout heeft gedaan.

Ik ben hier veel te moe en warrig voor. Niet alleen omdat ik uit mijn slaap ben gehaald, maar door alles. Ik ben een halfjaar met iemand samen geweest die ik niet snap en niet mag en op wie ik – besef ik nu, schokkend genoeg – in de verste verte niet val, en dan is er nog mijn familie, én Lucas. Kan ik Robin maar beter gewoon gelijk geven, ook al komt dat in zijn straatje te pas? Ik wil alleen nog maar dat hij weggaat, en weg blijft. En het is ook mijn eer te na om te zeggen dat ik wél om hem gaf, alleen om hem terug te pakken. Dan geef ik hem ruim baan om me te blijven lastigvallen, en dat weet hij.

Spuugzat ben ik het, die manipulatie.

Ik haal mijn schouders op.

'Niet echt, nee. Blijkt nu.'

'Dus wat ik gedaan heb deed er eigenlijk niet toe, of wel soms?'

'Nu niet meer, nee.'

Ik doe de deur dicht en draai hem op slot.

17

De dingen waar je het meest over inzit zijn nooit het ware probleem. Daar zitten ook voordelen aan: soms blijk je je druk te hebben gemaakt om helemaal niets.

Mijn eerste dienst in The Wicker verloopt zonder bijzonderheden en vrijwel zonder Lucas. Wat me er trouwens niet van weerhoudt om de hele tijd van de spanning te knetteren als een slecht afgestemde radio. Ik wil zo graag bewijzen dat hij ernaast zat met zijn bevooroordeelde blik dat ik de ideale werknemer uithang: toegewijd, stil, hardwerkend, neemt pas pauze als iemand dat zegt. Devlin is merkbaar van zijn stuk dat Die Gezellige Meid Van De Wake nergens meer te bekennen is en probeert me uit mijn schulp te krijgen. Het duurt even, maar dan besef ik dat Lucas me niet kritisch volgt of zelfs maar opmerkt. Ik sta te spelen zonder publiek. Zonder het beoogde publiek, in elk geval.

In de loop van de diensten daarna tekent zich een patroon af: Lucas blijft op de achtergrond, en Devlin en ik ontfermen ons over de eerst nog binnendruppelende, maar al snel binnenstromende klanten. De kroeg zit in die lastige overgangsfase waarin de oude, ongewenste clientèle wordt weggebonjourd terwijl de nieuwe ervan moet worden doordrongen dat dit niet meer die oude tent is. Buiten hangt een bord met NIEUWE EIGENAARS.

Zo soepel blijft het natuurlijk niet gaan. Zoals te verwachten valt van een dag die de geboorte van Satan eert, krijg ik pas op het laatste moment in de gaten dat ik met Halloween alleen met Lucas McCarthy sta, aangezien de andere helft van het managementteam in het buitenland zit. En het is niet zomaar Halloween, maar Halloween op een vrijdag.

'Het komt beroerd uit, ik weet het, maar ik moet met spoed terug naar het moederland. Ziek kind,' verklaart Devlin. 'Ik kan mijn vrouw de dweildienst echt niet meer alleen laten opknappen.'

'Zit je gezin dan niet hier in Sheffield?'

'Hahaha, nee hoor. God, nee. Daar begint Mo niet aan. We hebben een jongen van vier en eentje van vier maanden. Had ik dat nog niet verteld? Nee, Luc en ik hebben daar ook nog een stuk of wat kroegen. Het is de bedoeling dat deze over een tijdje zonder ons verder kan, terwijl wij er van daaruit een oogje op houden. Al weet ik niet wat Lucas wil, na alles wat er gebeurd is. Hij heeft ook geen klein grut, zoals ik.'

Ik vraag niet door over 'alles wat er gebeurd is', al knap ik bijna van nieuwsgierigheid. Ik steek mijn neus niet in andermans zaken. Of beter gezegd wil ik niet dat iemand dénkt dat ik mijn neus in andermans zaken steek. Lucas kan niet beweren dat ik over hem roddel.

Van tevoren was ik bang dat Lucas me voortdurend op de vingers zou kijken tijdens onze eerste bardienst samen, aangezien hij me hier liever helemaal niet had zien staan, maar ook nu blijkt het tegendeel weer het geval.

Lucas kijkt zelden mijn kant op en houdt ruim afstand. Alsof we gescheiden danszones hebben en hij strak de hand houdt aan de grenzen; hij zet nog geen teen in mijn vak.

De vraag is natuurlijk of hij me de hele avond uit de weg kan blijven gaan.

'Doen we nog iets bijzonders voor Halloween?' vraag ik als we samen de bar vullen.

'Niet echt, alleen het bekende werk. Watten over de taps, spinnen in de plantenpotten, kostuums, *Thriller* over de speakers. En ik maak een paar schalen wormenpunch en zet Keith duivelshorentjes op. Dat soort dingen.'

Hij gebaart naar Keith in zijn mand. (Keith is een enorme hit als officiële kroeghond en groeit dicht van alle clandestiene pinda's. 'De dierenarts vilt me levend,' aldus Lucas.)

Ik kijk hem verbluft aan. Kostuums?

'Wat moet jij voorstellen?' Hij laat zijn ogen over mijn zwarte spijkerbroek en zwarte t-shirt gaan tot ik me gezien en toch te licht bevonden voel. 'Ik heb nog wel een Beetlejuice-kostuum liggen. Piekhaar is te regelen met een bus haarlak.' Lucas bestudeert mijn haar. 'Handje talkpoeder erbij.'

Ik haat die ongein. En met hem in de buurt voel ik me alleen maar erger voor paal staan.

'Ik wil wel graag dat je dan ook de hele avond in je rol blijft. Kun je praten als Beetlejuice?'

Er flakkert een lachje bij hem op, en dan krijg ik eindelijk in de gaten dat hij me gewoon zit te stangen. Normaal ben ik niet zo suf, maar met hem om me heen sta ik strak van de spanning. Mijn blik van ontzetting verdwijnt.

'Wat ben jij een vuilak!' Dat levert me mijn eerste echte Lucas-grijns op. Ik wist niet dat die nog op zijn gezicht paste. Hij lijkt er opeens een heel ander mens door.

'Ha.'

'Ik dacht echt even dat je het meende!'

'Nee hoor, we doen er niets aan. Zelfs geen pompoenen. Eerlijk gezegd zijn we nog niet lang genoeg open om te kunnen voorspellen of we vanavond vol zitten of niet, Halloween of geen Halloween.'

De eerste twee uurtjes lijkt het uit te draaien op 'niet', maar dan komt toch nog de gang erin. Lucas heeft me tot dan toe alleen laten werken en bemoeit zich niet met me, maar dat is geen optie meer als het rond achten echt druk wordt. Er wordt weinig gepraat, afgezien van een verdwaalde 'Sorry' en 'Ga jij maar' als we tegelijk dezelfde fles willen pakken.

Er is wel dat ondraaglijk pijnlijke moment dat ik bij het bukken met mijn achterwerk in aanraking kom met iets wat niet meegeeft en dus Lucas blijkt te zijn als ik overeind kom. Ik heb meer bekleding dan toen we verkering hadden, en ik voel me net zo'n dikke dame in een kindermusical. Met vernederende spoed verlaat hij het toneel van onze botsing.

Dan wordt het iets rustiger en moeten we noodgedwongen zoeken naar gespreksstof. Dat is het grote probleem van werken voor de gebroeders McCarthy: we zijn niet op nul begonnen (voor hem ben ik dan misschien een onbeschreven blad, maar aan mijn kant is het al vol gepend). Dat maakt momenten die anders ontspannen of neutraal zouden zijn een kleine bezoeking.

'Het lijkt me een hele toer voor Devlin om op en neer naar Ierland te gaan,' zeg ik. 'Ik had er niet bij stilgestaan dat zijn kinderen nog daar woonden. Lijkt me best lastig.'

'Met het vliegtuig zit je er zo, dus zo'n ramp is het niet,' zegt Lucas. 'En hij woont in hartje Dublin, dus als hij eenmaal is geland is hij al bijna thuis.'

'Dan nog. Als je kind ziek is, kun je er niet snel genoeg zijn.'

'En nu is hij er.'

'O, oké. Ik voelde gewoon met hem mee, dat is alles,' zeg ik. Mijn irritatie laat zich niet meer binnenhouden.

Ik zie dat Lucas dat ziet, even schakelt en zijn houding bijstelt. 'Het was niet als kat naar jou bedoeld. Zo gaat dat tussen broers. Dev is impulsief, die doet alles op zijn instinct, en meestal is het dan mijn werk om de boel achter zijn kont te komen opknappen. Ik vond dit geen goed moment om South Yorkshire te veroveren met ons mini-imperium, juist vanwege zijn gezin. Komt goed, joh, zei hij, we kenden de stad tenslotte nog van vroeger. Volgens hem was het tijd voor iets anders. Dublin is een fijne stad, maar ook klein, en als je er al zo lang zit als wij kan dat gaan knellen.'

Dat had een sinister tintje. Boze schuldeisers? Versmade vrouwen?

'Dev heeft me de laatste tijd iets te vaak met de gebakken peren laten zitten om dan "Regel jij dat even" te roepen. Onze verstandhouding staat een beetje onder druk.'

Ík heb die verstandhouding onder druk gezet, bedoelt hij. Ik ben zo'n gebakken peer. Mijn haar heeft zelfs de kleur van gebakken peer.

'Aha. Ik begrijp het. Dat wist ik niet.'

'Nee, maar ja. Kon je ook niet weten.'

Ik heb het gevoel dat Lucas dat verzoenend bedoelt, maar het komt niet geheel en al vrij van rancune bij mij aan.

Ik voel me ongemakkelijk en stort me daarom maar op het rechtzetten van de papieren rietjes in hun houders op de bar. Deze dienst kan me niet snel genoeg afgelopen zijn.

'Begrijp me goed, ik heb er geen moeite mee dat hij nu bij Oscar is. Ik ben alleen even niet de meest logische persoon voor meelevend gemijmer over die arme Dev.'

Ik knik.

'Hij heeft twee kinderen, toch?'

'Ja, Oscar en Niamh.'

Ons gesprek, waar we geen van beiden genoegen aan beleven, valt stil bij de aanblik van een groep van zeker tien jonge vrouwen die net komen binnenvallen. Ze hebben vleugeltjes op hun rug, voetbalrokjes aan en sportshirts met BECS POSSE achterop, en ze vorderen een ruime tafel bij het raam, waar ze hun parafernalia en accessoires neersmijten met een air alsof ze op hun eigen jacht zitten.

'Wat is het beleid omtrent vrijgezellenfeestjes?' vraag ik binnensmonds.

Een van het groepje gilt van verrukking als ze piemeltjes ziet deinen op de haarbanden die uit een tas worden gehaald en rondgedeeld alsof het de standbeeldjes van de Academy Awards zijn. Er zit glitter op de fallussen, die wortelen in een bosje kersenrood pluis. Mensen zijn rare wezens.

'Dat hebben we niet. Al vermoed ik dat daar nog vóór het eind van de avond verandering in komt.'

'Wat heeft een vrijgezellenfeestje te zoeken in een kroeg als deze?' zeg ik.

Lucas kijkt me grimmig aan. 'Je weet wat dat betekent, hè?'

'Nee?'

'Dat ze verder overal zijn weggestuurd.'

Een stelregel in restaurants is dat de klanten die strooien met geld ook het meeste gedoe geven. Dat zou je kunnen rechtvaardigen met de verhouding tussen de geleverde inspanning en de omvang van de beloning, maar van die beloning zie je weinig als je niet de eigenaar bent.

En dit, kan ik je vertellen, is zeker een onwrikbare regel: hoe groter het gezelschap, des te kleiner de fooi. Volgens Rav heeft dat te maken met de spreiding van verantwoordelijkheid.

De Meiden van Bec laten de kassa van The Wicker dus wel rinkelen met hun onstilbare proseccobehoefte, maar van mij uit gezien valt er niet veel te winnen met het tegemoetkomen aan hun grillen en het moeten schreeuwen om me verstaanbaar te maken boven hun gekakel. Uiteindelijk krijgen ze tafelbediening omdat we hen liever als vee samendrijven en insluiten – alles om te zorgen dat ze in de hun toegewezen zone blijven en zo min mogelijk overlast geven.

Ik ga te werk volgens een eenvoudig systeem: een van het groepje knipt met haar vingers en wijst naar de omgekeerde fles in de ijsemmer. Ik haal de fles op, neem ook een pas voor contactloos betalen mee en kom even later terug met nieuwe bubbels, de pas én de bon, zodat ze kunnen zien dat ik de boel niet belazer.

'Geef maar,' zegt Lucas bij de vijfde ronde. 'Je hebt je handen al vol aan de bar.'

Ik kijk naar hem terwijl hij de drank op tafel zet en zie verschillende vrouwen die binnen de kortste keren hun handen vol hebben aan Lucas McCarthy. Letterlijk. Vingers kruipen als slangen over zijn spijkerbroek, omhoog en omlaag over zijn benen en – ik sta er achter de bar perfect voor, daar kan ik ook niets aan doen – over zijn zeker niet onaardige, in spijkerstof gehulde achterwerk. Het lijkt wel of hij is omringd door veelarmige hindoegodinnen, of in een moshpit is gevallen.

Allemachtig. Hoe het er aan de voorkant aan toegaat, kan ik niet zien, maar daar hebben ze vast al even weinig last van remmingen.

Met enige moeite pelt Lucas de vrouwen van zich af, en onder schril gejoel, gefluit en kusgeluidjes wijkt hij achteruit. Ik krijg hier een erg onbehaaglijk gevoel van: bepoteld worden door grijpgrage handen wordt er echt niet leuker op als de sekserollen zijn omgedraaid. Hij werd gewoon aangerand.

'Zal ik ze de volgende keer maar weer voor mijn rekening nemen?' zeg ik tegen Lucas.

'Ik red me wel, maar bedankt,' antwoordt hij, maar het klinkt eerder kortaf en defensief dan dankbaar.

Ik krijg echt geen hoogte van Lucas. Totaal niet. De ene keer is hij afstandelijk, dan weer plagerig ironisch, dan weer star of kwajongensachtig of behulpzaam of hautain. Het zal wel knappe-mannen-privilege zijn, besluit ik, kijkend naar hem vanuit mijn ooghoeken terwijl hij kijkt naar de vrouwen die naar hem kijken.

Je krijgt geen standaardbehandeling als je eruitziet als Lucas McCarthy. Dan gelden andere regels. Vrouwen sloven zich uit om je te doorgronden in al je complexiteit en doen hun best om al je sombere stemmingen te duiden. Als je zijn kaaklijn en voorhoofd hebt, haar met de glans van ruwe olie en ogen zo diep dat je erin kunt zwemmen, heb je het niet over humeurig in de huis-tuin-en-keukenvariëteit. Dan spreek je van melancholiek zwaarmoedige trekken.

Geen: wat heeft die narrige jankerd nou weer te zeiken?

Maar: o, wat zou hem toch dwarszitten?

Toch geldt wat Mrs. Pemberton zei ook voor Lucas McCarthy: mooi gaat maar even mee.

Misschien zijn die jaren als onzichtbaar randfiguur op school in hem gestold tot een hartgrondige rancune en heeft hij op het Eiland van Smaragd een spoor van veroverde en weer verlaten en door hem geminachte schonen achtergelaten.

Met een glimlachje stel ik me hem voor op de omslag van zo'n liefdesromannetje – zijn overhemd ver open en zijn sterke armen klemvast om een eigenzinnige, rebelse jongedame. *De Ierse kroegbaas en zijn deerne.*

Het zou toch jammer zijn als hij echt een kille, harde man is geworden, denk ik steeds, maar misschien moet ik maar eens onder ogen zien dat hij waarschijnlijk altijd al zo was.

Als de avond de laatste bocht voor de finish uit komt, komt Lucas met de mededeling dat hij me een halfuur alleen laat om

Keith bij een vriend te brengen. Hij gaat veel dieper in op het hoe, het waarom en waarom juist nu dan ik verwacht of verlang van iemand die toch de baas is, waardoor ik me juist afvraag of hij dat hele verhaal heeft verzonnen om mij te kunnen ontlopen.

'Sorry dat ik het jou in je eentje laat opknappen. Dit is nou precies waarom ik niet blij was met Devlins onderbezetting als een soort geniale contra-intuïtieve tactische zet.'

Ik schud mijn hoofd. 'Maakt niet uit, ga nou maar gewoon.'

Ik durf niet te zeggen of hij nou vooral oprecht begaan is met mij, of in de eerste plaats kans zag om zijn broer af te kammen. (Aan de andere kant: als ik alleen al denk aan samenwerken met Esther...)

'Over dat meidenkoortje...' zegt Lucas met een knikje naar het vrijgezellenfeest, en ik lach. '...zolang ze de andere klanten niet storen kun je ze blijven schenken, al begrijp ik niet waarom ze nog niet zijn omgevallen. Hoeveel megaflessen prosecco zijn we nu verder? Negen? Oké.'

Het begin was wat moeizaam, maar ik denk dat ik wel aan hem als baas kan wennen. Hij doet dan misschien niet zijn best om maatjes met me te worden, maar die keurige professionele opstelling heb ik eigenlijk toch liever. Als collega's bij That's Amore! deden alsof we vrienden waren, wilden ze óf met me naar bed, óf een vrije dag ruilen.

Even na tienen – Lucas is net weg – zwaait de deur open alsof we in een saloon in het Wilde Westen zitten. Een stoot ijskoude lucht blaast naar binnen, gevolgd door een man in een halloweenkostuum, en niet het eerste het beste. Hij draagt een blonde pruik met staart, nepwapenrusting en een wijde rode mantel, teruggeslagen over zijn schouders. Hij steekt een grote hamer van piepschuim in de lucht en brult overdreven dramatisch: 'Ik zoek BECKY!'

O, god, nee toch.

Het vrijgezellenclubje begint uitzinnig te gillen, en de krijger loopt naar hun tafel.

'Becky?' bast hij.

'Ja, hier, dat ben ik!' Achter aan de halve kring komt een vrouw met een bruidssluier aan een haarband half overeind, maaiend met haar armen.

'Becky, hallo. Ik ben Thor. Wat vind je van mijn hamer?'

Becky laat haar bewondering voor zijn hamer zo hartstochtelijk blijken dat ze er bijna van gaat hyperventileren.

Thor zet een draadloos speakertje neer dat blijkbaar ergens onder zijn mantel verborgen zat, en dan knalt 'Unleash the Dragon' van Sisqo door de zaak.

God, nee. Geen stripper.

Hij laat zijn hamer heen en weer zwaaien.

'Jullie kennen Ragnarok, maar wat dachten jullie van Ragna... COCK?'

18

Het gekrijs is oorverdovend, en de rest van de kroeg is op slag in twee kampen verdeeld: degenen die hun drankjes laten staan om te kijken, en degenen die hun drankjes laten staan om op te staan en de deur uit te lopen, mogelijk om nooit meer terug te keren. The Wicker moet in deze fase zijn reputatie nog vestigen. Dit is rampzalig.

Ik moet ingrijpen, al is het maar uit eigenbelang – het zou niet best zijn als Lucas straks binnenkomt terwijl ik naar een gast met zijn leuter uit zijn broek sta te kijken. Straks word ik nog ontslagen. 'Trouwens, Devlin, die meid die ik meer iets voor Hooters vond? Ik liet haar twee tellen alleen en er stond al een kerel met zijn jongeheer te zwaaien.'

In mijn achterhoofd hoor ik Esther weer zeggen: *Kom straks niet aan met zo'n grappig verhaal over hoe het allemaal één grote puinhoop werd maar jij kon er niets aan doen. Geen incidenten. Ik wil geen incidenten en geen smoezen.*

Dit wordt exact zo'n verhaal, hè?

Thor heeft zijn mantel losgemaakt en zwiert die nu rond boven zijn hoofd, als een matador die oog in oog staat met een stier.

'Moment, pardon,' zeg ik en ik haast me vanachter de bar naar het schouwspel. Ik voel me gruwelijk te kijk staan als Thor zich naar me omdraait en me begroet door twee vingers langs zijn Ragnacock te leggen en eens lekker met zijn heupen te stoten. Het lijkt wel of ik van een National Trust-modeltuin per ongeluk in de Magic Mike XXL Show in Vegas ben beland.

'Sorry, maar dit kan hier echt niet.'

'GEGROET, MAAGD VAN MIDGARD!'

'Ik meen het, stop hiermee. Ik zet nu de muziek af, oké?'

Ik loop langs hem heen naar de tafel, en dan slingert Thor zijn mantel over mijn hoofd en om mijn buik en trekt me zo naar zich toe.

'Jullie kennen vast ASGARD,' loeit hij. Die megafoonstem die hij opzet is te belachelijk voor woorden.

'Laat me los! Luister, dit is niet de bedoeling, alsjeblieft...'

'Nou, dames... Die billen maken mij dus wel ass-HARD!'

Met een harde ruk aan zijn mantel trekt Thor me tegen zich aan tot ik klem zit tegen zijn wapenrusting, met mijn armen strak langs mijn zij, terwijl hij van achteren tegen me aan rijdt.

'Laat me los!'

Maar hij laat me niet los. De barmeid die hij met zijn mantel heeft gestrikt vormt een te mooie improvisatie op zijn act om haar weer te laten ontsnappen.

En dan slaat deze gênante, ergerlijke toestand waarin ik verkeer opeens om in een enge situatie. Ik herken dat gevoel dat nu bij me komt opzetten. Een oude vijand.

Het is een paniekaanval alsof het einde der tijden nabij is; paniek van de soort waardoor ik aan het eind van mijn eerste jaar op de universiteit wegvluchtte uit de tentamenzaal om nooit meer terug te keren.

Die machteloosheid, het gevoel dat je stikt...

Hoe harder ik kronkel en worstel, hoe meer lol de stripper erin heeft om me vast te houden. Ik schiet er niets mee op. De claustrofobie maakt me bijna hysterisch. Hij gaat niet naar me luisteren, hij houdt niet vanzelf op... Ik blijf duwen en wurmen en roepen, en dan verslapt heel even zijn greep.

Twee tellen lang krijg ik net genoeg ruimte op rechts om mijn arm los te rukken, kracht te zetten en uit te halen met mijn elleboog. Ik weet ook niet hoe je dat doet, ik heb in mijn leven nog nooit iemand een klap verkocht, dus ik probeer maar wat. Hij laat de mantel los, ik val voorover en land met een vernederende dreun met twee handen op de grond.

'Wat doe je nou, jezus,' roept hij. Opeens heeft hij een Sheffields accent. Er drupt bloed uit zijn neus.

Hij pakt me bij mijn schouders en trekt me op tot ik op mijn knieën zit. Even denk ik dat hij me overeind wil helpen, maar dan besef ik dat er veel meer agressie achter zit.

Door de adrenaline sta ik volop in de vecht-of-vluchtstand, ik tril van top tot teen en kan alleen maar oppervlakkig hijgen. Zijn vingers boren zich in mijn armen, en ik voel dat hij zo strak staat dat hij het liefst op me in zou beuken, maar nog net beseft dat het geen beste carrièrestap zou zijn om een vrouw tegen de grond te slaan.

'Laat haar los!' De stem komt uit de richting van de deur.

Eindelijk. Er is hulp in aantocht. Godzijdank. Of toch niet: het is Lucas. Met Keith dribbelend achter zich aan komt hij met grote stappen op ons af, zet Thor opzij, steekt zijn hand naar me uit en trekt me overeind. 'Gaat het?' vraagt hij.

Ik mompel bevestigend. Waarom moet uitgerekend hij me nou komen ontzetten?

'Ze kan me wat, zie je wat ze doet?' zegt Thor, die een hand vol bloed opsteekt. Zijn pruik is half van zijn hoofd gezakt. Het ziet er inderdaad vreselijk uit. Nooit geweten dat ik zo hard kon slaan.

'Wat kom je hier doen?' zegt Lucas.

'Ik ben een mannelijke entertainer. Ik wist niet dat jullie hier psychiatrische patiënten lieten werken.'

'Tja, in deze zaak wordt niet mannelijk geëntertaind zonder vooraf te overleggen met het management, wat je duidelijk niet hebt gedaan. Wegwezen dus.'

Het vrijgezellenclubje staat er met grote ogen en ongewoon stil bij, op wat rondzingend verbluft gemurmel na.

Thor raapt zijn hamer, zijn speakertje en zijn mantel op van de vloer. Met al dat bloed op zijn gezicht ziet hij eruit als een zombie die zich net tegoed heeft gedaan aan mensenvlees, waarmee hij er krom genoeg opeens perfect uitziet voor Halloween.

'Ik laat het hier niet bij zitten!' bijt hij me toe als hij langs me loopt, wijzend naar zijn neus. 'Bobby vergeet NOOIT iets.' Lucas pakt hem bij zijn arm, trekt hem mee en gooit hem de deur uit.

'Eikel met je Poldark-harses!' roept Thor nog vanaf de straat naar Lucas. Ik kan nog niet lachen, maar die sla ik op om er later nog om te grinniken.

De meiden van Bec besluiten ook te vertrekken.

'Je hebt Becky's feestje verpest, trut,' zegt een van hen tegen mij als ze de deur uit lopen, en ik krimp in elkaar. Ik kan niets beters bedenken dan een zwak: 'Hij liet me niet los.'

Ben ik nu ontslagen? Laat me alsjeblieft niet ontslagen zijn.

Lucas luidt over de bar heen de bel voor de laatste ronde en pakt dan mijn hand stevig vast. Ik heb geen ruimte meer in mijn hoofd om dat ongemakkelijk te vinden en onderga het maar gewoon. Dan neemt hij me mee naar de keuken achter de bar en poot hij me op een stoel. Keith is er! Keith is wel blij dat ik er ben en haalt zijn snuit even uit zijn waterbak om zich door mij te laten aaien. (Hij zou Keith toch naar een vriend brengen? Toch een smoes dus, ik heb hem wel door.)

Als Lucas even later terugkomt met een groot glas met een

183

bruin goedje erin, zit ik met mijn armen om Keiths nek op de vloer. Beschaamd laat ik de hond los, alsof ik ben gesnapt in een innige omhelzing, maar Lucas geeft me het glas en zegt alleen: 'Hier. Ik sluit wel af.'

Ik hou eigenlijk niet van cognac, maar ik verdoof er mijn lippen mee terwijl ik luister naar de gedempte gesprekken achter de deur en het metalige geluid van de geldla die terugschuift in de kassa.

Na een tijd komt Lucas terug, doet de deur rustig achter zich dicht en komt erbij zitten.

'Gaat het?'

'Ja hoor, dank je wel. Het spijt me, ik weet niet wat er gebeurde, ik zei dat hij hier niet mocht strippen. Hij pakte me beet en ik raakte in paniek... en sloeg hem vol op zijn neus. Sorry, serieus, ik sla normaal nooit iemand.'

'Ho, wacht,' zegt Lucas met grote verbaasde ogen. 'Jij hoeft je nergens voor te verontschuldigen. Wij moeten nu op onze blote knieën sorry zeggen en toegeven dat het stompzinnig was om je alleen te laten staan. Maandag hou ik gesprekken en halen we er mensen bij. Dev kan mijn rug op.'

'Wat... Bedankt.'

'Wij regelen het verder wel.'

Hij slaat zijn armen over elkaar. Verzoenend, maar niet direct hartelijk.

Na een korte stilte zeg ik: 'Thor is een Noorse god die vond dat hij het recht had om elk mokkel te pakken dat hij wilde. Ik had het dus kunnen weten.'

Lucas glimlacht, schudt zijn hoofd om te laten weten dat hij mijn poging het met een grapje af te doen waardeert, maar ook vindt dat ik het niet met een grapje moet afdoen, en zegt dan: 'Sorry dat ik niet eerder terugkwam.'

'Het maakt niet uit.'

'Ik bel een taxi voor je. Je wilt vast graag naar huis.'

Ik wil nog iets zeggen, iets waarmee ik dit moment tussen ons open kan wrikken, en schrik er dan toch voor terug. Misschien moet ik dit glas cognac leegdrinken, als een shotje achter die stoot adrenaline aan die sterk genoeg was om vrachtwagens om te kiepen, en durf ik het dan wel.

Als de taxi er is en ik naar de deur loop, staat Lucas het bloed van de vloer te dweilen.

'Lucas,' zeg ik. Buiten hoor ik de motor van de taxi brommen. Ik weet dat ik hier een enorm risico mee neem. Het is alsof alles nu heel even anders is, alsof we allebei onze maskers hebben afgezet, en als ik het nu niet doe, gebeurt het misschien nooit meer. Hoe meer tijd eroverheen gaat, des te moeilijker wordt het om de vraag te stellen. En ik moet het weten.

'Ik vraag me al een tijdje iets af. Zaten wij niet bij elkaar op school? Of in de klas, in de zesde?'

Ik hou mijn adem in en slik moeizaam. Lucas kijkt me even aandachtig aan, en dan steekt hij peinzend de mop in de emmer.

'God ja, dat zou best kunnen. Ik dacht al dat ik je ergens van kende, maar ik begon er liever niet over voor het geval ik ernaast zat.'

Ik weet niet waar ik het zoeken moet. Had ik maar niets gezegd. Alles wat binnen nu en dertig seconden over zijn lippen komt, gaat ongenadig pijn doen. Ik probeer me al mijn halve leven voor te stellen wat hij op dit moment zou zeggen, en straks gooit hij er gewoon maar wat uit alsof het niets voorstelde.

'Hebben we... Waren we...' begint Lucas aarzelend. Dan schraapt hij zijn keel. 'Ik weet niet hoe ik dit, eh... fatsoenlijk moet brengen. Mijn herinneringen aan de jaren tussen mijn achttiende en twee- of drieëntwintigste zijn op zijn zachtst gezegd wazig.'

Vraagt hij nou of we het met elkaar hebben gedaan? Mijn hart zakt dwars door mijn buik en dan door de vloer en landt dan ergens in het riool onder de stad. Nee, onmogelijk. Weet hij niet eens meer of we wel of niet met elkaar naar bed zijn geweest? Hoeveel namen staan er dan wel niet op zijn hitlijst? En hoe weinig indruk heb ik dan gemaakt? Dus Rav vindt mij bescheiden? Ik heb ook gewoon heel veel om bescheiden over te zijn.

Het duurt even voordat ik iets zeg. Ik krijg mijn gezichtsspieren niet eens zover dat ze zijn uitdrukking beleefd spiegelen. Mijn ellende zit in de weg.

'Ik weet niet of we ooit meer dan twee woorden hebben gewisseld,' pers ik er uiteindelijk uit.

'O!' zegt Lucas, zichtbaar opgelucht. Zijn schouders zakken zeker een centimeter omlaag. 'Ik wist niet meer... Je bent jong en zo, je weet het wel. Ha.'

Lucas' blik is opgelaten en hoopvol tegelijk. Ik draai me om.

'Tot morgen.'

Onderweg naar Crookes glijden stille tranen over mijn wangen die ik pas thuis weet te stelpen.

Dat ik kan huilen is alvast positief, zou Fay ongetwijfeld zeggen. Maar Fay is er niet net achter gekomen dat haar grote liefde haar is vergeten.

'Je kunt niet weten of hij de liefde van je leven was,' zei ze een keer met een goedhartige glimlach. 'Hoe oud ben je nu? Je hebt nog alle tijd.'

'Cathy en Heathcliff van *Woeste hoogten* wisten het wel, als kind al. Dat is misschien een beetje op het randje, maar toch.'

'Je weet ook waar dat op uitliep,' zei Fay. 'Aan het eind waren ze allebei dood.'

'Daar loopt alles altijd op uit,' zei ik, en toen zag Fay dat onze tijd er weer op zat.

19

Nou ja, ik weet het nu in elk geval zeker.

Ik zit met mijn armen om mijn knieën in een warm bad, met een slinger van Karens degelijke ondergoed als vaantjes aan de waslijn boven mijn hoofd. Ik heb het gevoel dat ik ben geasfalteerd met melancholie. Het is de ochtend na de vorige dag en ik voel me nog steeds alsof ik binnenstebuiten ben gehaald.

Niet ordinair bedoeld, maar iemand die niet eens zeker weet of hij al dan niet een essentieel onderdeel van zijn anatomie in een wezenlijk onderdeel van mijn anatomie heeft gepast in een daad van lichamelijke intimiteit – wat in mijn geval de allereerste keer zou zijn geweest, Lucas McCarthy – kan natuurlijk nooit de liefde van mijn leven zijn.

Tenzij hij alleen maar doet alsof hij het vergeten is en wél weet wie ik ben. Maar daar wordt het ook niet veel beter van. Kan iemand De Ware zijn als hij al rilt bij de gedachte dat we het wel eens zouden kunnen hebben over hoe hecht we vroeger waren? Dan ben je ook geen Rudolph Valentino hoor.

Ik begrijp niet waarom ik er zo slecht mee kan omgaan. Twaalf jaar moet toch lang genoeg zijn om te wennen aan de gedachte dat ik niet van belang ben voor Lucas McCarthy.

Nee. Ik weet best waarom. Hij is weliswaar nooit in mijn lijf geweest, maar woont wel al heel lang in mijn gedachten.

Dat dit me zwaar valt, is niet omdat hij nu zo'n lekker ding is. Zo oppervlakkig ben ik niet. Het gaat er niet om dat mijn hart kennelijk nog steeds kopjeduikelt als die lach van hem zijn gezicht laat oplichten. Nee. Ik raakte verslingerd aan hem toen hij nog een mager stuudje in een Cure-shirt was, een onzichtbare, pipse, schuchtere jongen. Ik was *al fan voordat hij beroemd werd.*

Ik kan me moeilijk neerleggen bij mijn onbeduidendheid omdat ik nooit zó sterk op iets heb vertrouwd als op die eerste roes van mijn gevoelens voor hem. Ik vaar blind op mijn instinct en had geen enkele reden om eraan te twijfelen.

Als Lucas dat niet zo voelde, als ik me zo heb kunnen vergissen in die wederkerigheid, kan ik niet meer op mijn eigen oordeel vertrouwen. Als dat niet telt als ontluikende liefde, wat dan wel, in godsnaam?

Ik leun achterover en tuur naar mijn roodgelakte teennagels die boven het badschuim uit piepen.

Dit is de laatste druppel in de existentiële troosteloosheid van mijn dertigste levensjaar. Als twintiger zag ik mezelf als een rups die zich nog tot een vlinder zou ontpoppen. Het meisje in de roze jas met de uitgelopen make-up en de uitgroei, de serveerster die met friet en lekkerbekkruimels in de nachtbus zat na een avond buffelen, de vrouw die in Rogues de vraag kreeg of haar tieten wel echt waren: dat was niet wie ik zou zijn als ik later groot was, maar alleen het verbluffende verhaal van hoe het zo gekomen was.

Er zou een dag komen dat superheldin Georgina Horspool haar vleugels zou uitslaan en haar volledige, glorieuze potentieel zou verwezenlijken.

Die hoop laat ik nu langzaam maar zeker varen. Het is als die noodlottige zin in een necrologie, de eerste regel van de alinea waarin het verval onontkoombaar inzet: 'Helaas mocht het niet meer zo zijn...'

Lucas die weer is opgedoken maakt dat pijnlijk duidelijk. Hij is wel veranderd. Ik ben nog geen stap verder.

Ik strek mijn tenen, til mijn been uit het water en haal een scheermes over mijn kuiten, draaiend met mijn onderbeen om te zien of ik niet ergens een wasbeerstreepje laat staan.

Als serieel monogame vrouw wier relaties vaker sputterend uitdoven dan ontploffen heb ik nooit meer dan theoretische belangstelling gehad voor Clems datingadviezen. Nu ik me uit het badwater hijs, moet ik opeens denken aan haar inspirerende protocol na een gevoelige klap.

'Jezelf aardig vinden is een radicale daad,' doceerde Clem tegen Jo en mij. 'Vooral als een man je als stront heeft behandeld.'

Ben je afgewezen voor een tweede date? Kwam je erachter dat hij nog zes opties achter de hand had? Staan al je sms'jes op 'gelezen', zie je twee blauwe vinkjes op WhatsApp en staat bij al je Facebookberichten 'gezien door'? Doe dan, aldus Clem, het tegenovergestelde van zwelgen in zelfmedelijden.

Haar recept: behandel jezelf een hele dag zoals je behandeld wilt worden. Drink een paar margarita's met jezelf, ga naar die film die je graag wilt zien, maak een lange wandeling. Koop een hebbeding waar je blij van wordt, laat eten bezorgen. Koop lakens van dicht geweven katoen en ga erbovenop liggen, als een zeester, naakt.

'*Hygge*, zeg maar, maar van de aanvallende soort. Vier dat je fantastisch bent en dat je het fijn hebt met jezelf. Weiger mee te doen aan de zelfhaat die deze verzieke samenleving ons praktisch als plicht oplegt.'

Ik heb geen vette bankrekening, maar ik kan wel rollers in mijn stomme blonde haar doen, een maskertje nemen, gelnagels laten zetten bij de salon twee straten verderop en naar de stad lopen voor een Magnum met karamel en zeezout en een mooie

Penguin Classic-uitgave van *Woeste hoogten*. Ik heb besloten het te gaan herlezen. Wie weet valt het deze keer anders.

Dus dat doe ik.

Ik koop een gele paprika voor Jammy omdat hij daar zo gek op is, bestel een warme chocolademelk in een barretje en ga bij het raam zitten zodat ik de nevelige winterschemering kan zien invallen tot de straatlantarens aangaan.

En ik ga terug naar Fay, besluit ik, als ik het laatste beetje schuim oplepel. Ik moet haar vertellen dat Lucas er weer is. Ik wil haar vertellen dat dat werkt als een soort emotionele opruiming, al voelt het ook alsof mijn borstkas langzaam wordt verpletterd. *Je wilt met haar praten omdat je het verder niemand wilt vertellen*, zeg ik tegen mezelf. *En waarom wil je dat eigenlijk niet?*

Ik vraag me af hoe het voor een therapeut is als een oud-cliënt terugkomt en nog steeds even hopeloos in de knoop zit. Alsof je jarenlang iemands onflatteuze coupe hebt moeten knippen voordat je haar eindelijk zover krijgt dat ze het in laagjes laat groeien en het niet meer met rotzooi in de vernieling helpt, en dat je die klant dan na een tijd weer tegenkomt in de stad met haar als wit stro, hoog opgekamd als in een achttiende-eeuwse Franse pruik? Ontgoochelend?

Dat moet ik Rav maar een keer vragen.

'Mag ik Fay Wycherley van u?' vraag ik in de stille keuken met mijn mobieltje tegen mijn oor als ik weer thuis ben, nadat ik me ervan heb verzekerd dat Karen er echt niet is. Ik bekijk mijn glanzende nagels met de kleur van bloed. Een *hygge*-offensief. Verzet met glamour.

'Die werkt niet meer bij ons, sorry.'

'O... Weet u waar ze naartoe is gegaan?'

'Naar een praktijk in Hull, geloof ik.'

'Aha. Oké. Bedankt. Kunt u me de naam van die praktijk geven, dan probeer ik het daar.'

Dat ga ik niet doen, want ik zie mezelf niet op en neer reizen naar Hull, maar het lijkt me wel zo hoffelijk bij wijze van afsluiting.

'Hebt u een moment?'

De receptioniste zet me in de wacht met *Flautist Moods: Vol 7.* Dan hoor ik het geluid van een telefoon die weer uit zijn houder wordt gegrabbeld.

'Hallo. Bent u cliënt geweest bij Fay?'

'Ja.'

'Het spijt me dat u dit zo te weten moet komen, maar Fay is in 2015 overleden.'

Ik laat een stilte vallen. 'Is ze dood?'

'Ja.'

'Waar, eh... Hoe is dat gebeurd?'

'Een auto-ongeluk, meen ik.'

'Wat verdrietig... Bedankt voor de informatie.' Ik zeg gedag en blijf nog een tijd zitten staren naar de vaat in het plastic afdruiprek. Arme Fay. Hoe oud zou ze zijn geweest? In de vijftig? Ik haal me haar voor de geest en probeer tot me door te laten dringen dat ze er niet meer is. Ze kon me zo goed geruststellen. Ik kon mijn geheimen veilig bij haar kwijt, en ze luisterde naar me. En nu is ze weg. Ik vraag me af of ze kinderen had, en of die haar missen zoals ik pap mis.

Opeens geeft mijn geheugen een lang vergeten Fay-opmerking vrij: 'Er komt nooit iemand die jou wel even kan fiksen. De enige die jou kan fiksen ben jij.'

Dus Coldplay heeft gelogen.

Rav, die therapeut die jij voor me had geregeld, Fay, die is dood.

Sorry, had ik je dat niet verteld? Ze was een fanatieke fietser tot ze op de A6 in Buxton een vrachtwagen tegenkwam. Ake-

lig. Ze kwam uit St Ives dus daar was de begrafenis ook & ik
kon geen vrij krijgen. Hoe heb je het gehoord?

Hmm, op die vraag had ik niet gerekend. Dan moet ik er maar
overheen praten met wat smakeloze zwarte humor. Rav is tenslotte geen goed opgeleide gecertificeerde psycholoog die daar zo
doorheen prikt. Ik schrijf terug:

Ik had besloten een soort apk'tje bij haar te laten doen en
toen hoorde ik het van de praktijk. Rav, niet om er lollig over
te doen of het weer over mij te laten gaan maar mijn rouwbe-
geleider is dood. Dat zou toch niet moeten mogen?

O, dit is tragisch voor jou, ik snap het. Vraag je nieuwe therapeut maar of ze je test op een narcistische persoonlijkheidsstoornis (wil je dat ik weer iemand aanbeveel?) x

Nee hoor. Wilde eigenlijk gewoon even bijpraten met Fay x

Fay betrapte me na een sessie een keer met een peuk op de par-
keerplaats en zei dat ik moest stoppen.
'Het leven is al zo kort, maak het nou niet nog korter,' riep ze
op weg naar haar donkergroene Mini Cooper. 'Nu klink ik vast
als je moeder, maar ik had ook je moeder kunnen zijn.'
Ik grijnsde, zwaaide en trapte de sigaret uit met mijn hak.
Ik ga nu stoppen, als eerbetoon aan Fay. Ik ben eigenlijk toch
vooral een gezelligheidsroker, en ik ben al vaker gestopt zonder
er vreselijk naar te hunkeren.
En dan is er nog iets wat ik eens moet doen, naar aanleiding van
een andere opmerking van Fay die nog lang na onze sessies bij me
is blijven hangen. 'Doordat de mensen van wie we zorg en aan-

dacht wilden ons die niet genoeg boden, gaan we door het leven met een welbewust gebrek aan zorg voor onszelf. Alsof we degenen die in gebreke bleven terugpakken door onszelf te verwaarlozen.'

Oftewel: jezelf behandelen zoals je jezelf volgens Clem absoluut niét moet behandelen.

'Doe je het dan om wraak te nemen?' vroeg ik Fay destijds.

'Uit wraak, ja, of misschien uit een diep weggestopte wens om gered te worden. En ook wel alsof je je alvast neerlegt bij het falen dat voor je gevoel toch onvermijdelijk op je pad ligt.'

Na de curryavond bij Rajput had ik een creatieve inval die ik meteen weer aan de kant schoof omdat ik bij mezelf dacht: Alsof er ooit iets wél lukt bij mij.

Ik moet ophouden met leven met een welbewust gebrek aan zorg voor mezelf.

Ik ga me aanmelden voor die schrijfwedstrijd in de kroeg en mijn schaamte in de schijnwerpers zetten. En nog zoiets: ik laat mij niet kleinkrijgen door That's Amore!

Eerst mail ik de organisatie van de schrijfwedstrijd, voordat ik niet meer durf, en dan is Mr. Keith aan de beurt, naar wiens e-mailadres ik een gok doe op basis van de reactie van Ant.

Hallo! U kent me niet, strikt genomen, maar ik ben die serveerster die werd ontslagen toen u onlangs te gast was bij That's Amore! omdat ze deed wat haar was opgedragen. Ik weet dat het restaurant in uw krant heeft gestaan met een verweer tegen de verwijten dat het eten er echt heel slecht is. U bent zelf recensent bij The Star en u zei toen dat u heel slecht eten geserveerd kreeg, dus ik vroeg me af waarom dat artikel het zonder een bijdrage van uw kant moest doen? Georgina Horspool

Beste Georgina, ten eerste zou ik mijn eetervaring bij That's
Amore! zelf als wisselend willen omschrijven. Ten tweede
stond het artikel waarnaar je verwijst in het nieuwskatern; ik
schrijf voor de lifestyleredactie. That's Amore! zal zeker nog
eens aan bod komen, maar dan op een moment dat er geen
arbeidsconflicten spelen. Groet, Alexander Keith

Ik heb een nog beter idee voor u, Mr. Keith: een avond meedraaien in hun keuken om een idee te krijgen van mijn oude
baan, en daar een achtergrondartikel over schrijven. Ik weet
zeker dat het een levendig en verhelderend verhaal zou opleveren.

Dit riekt naar een wraakoefening, jongedame. Besteed je
energie liever aan het vinden van een nieuwe werkkring.

Nou, typ ik, ik doe toevallig binnenkort mee aan een schrijfwedstrijd – maar dan schiet me te binnen dat de hoofdprijs een
column in *The Star* is. Mr. Keith zou wel eens in de jury kunnen
zitten. En hij weet nu hoe ik heet.
Neeeeeeee.
Ik denk aan Esthers opmerking over puinhopen van het soort
waar ik zelf midden in zit, tierend en roepend dat ik er ook niets
aan kon doen. Weet je, lieve ik, de constante hierin ben jíj.
Ik kan wel janken om mijn eigen stupiditeit, maar het is con-
structiever om met zo'n geniaal verhaal te komen dat hij me die
column ondanks zijn bedenkingen wel móét geven. God, eigenlijk is het gewoon stand-upcomedy, hè? Maar ik voel totaal geen
druk verder hoor...

20

Ik had kunnen weten dat er iets aan de hand was toen Jo op zondagmiddag vroeg of ik zin had om die avond moussaka te komen eten. De diverse afwijkende aspecten: de korte termijn; een niet-beest-uithang-dag; een caloriebom als moussaka terwijl Jo momenteel strikt gezond eet. Maar na mijn catastrofale vrijdagavond met Ragnacock en het nieuws over Fay kan een rustig avondje met vrienden me alleen maar goeddoen.

Ik weet dat er echt iets aan de hand is als ze vraagt of ik alleen wil komen, om halfvijf, en daar 'Zeg maar niks tegen Rav en Clem' aan toevoegt. 'Is goed hoor,' zeg ik. 'Die komen dus niet, begrijp ik?'

'Jawel, maar ik wil graag eerst even met jou praten,' antwoordt ze.

O, god, is ze zwanger? Ben ik de aangewezen vriendin die moet doen alsof dat glas limonade gewoon een gin-tonic is? Phil lijkt me niet gebouwd op het vaderschap, maar als ze dit wil doorzetten zijn er nog wel meer feiten die we maar beter kunnen negeren.

Jo doet open in een hemdjurkje dat knipoogt naar de jaren vijftig, bedrukt met vlammende ruimteraketjes en met een gele ceintuur. Haar haar is een glanzende ombré helm. Mijn pogingen om die aandoenlijk schattige stijl van haar te kopiëren lopen er altijd op uit dat ik eruitzie als Veruca Salt, maar dan met een oude kop.

Ik weiger mijn blik te laten afdalen naar een mogelijk bollend buikje. Beagle, Jo's reus van een cyperse kat, draait waakzaam rondjes om haar enkels, en ik buk me om hem te aaien. Voordat Jo hem kreeg werkte Beagle als rattenvanger op een boerderij, en onder die gestreepte vacht is hij eigenlijk gewoon een zware jongen.

Ik heb een fles rioja van de avondwinkel in mijn hand en vraag me af of daar nog wel vraag naar is. Of nee, niets gezegd. Als Jo een kleine Player Phil krijgt, kan ik zelf wel een hartversterkertje gebruiken.

Jo kocht haar twee-onder-een-kap van rode baksteen in Walkley toen haar kapsalon eenmaal goed liep, en altijd als ik hier binnenkom, voelt het alsof ik een moederlijke knuffel krijg. Met een bitterzoet bijsmaakje, dat wel, omdat ik me afvraag of ik me ooit nog zoiets zal kunnen veroorloven.

Ik wil ook een rijtje basilicumplantjes uit de supermarkt in diverse stadia van verlepping op mijn vensterbank, een ingelijste kitscherige poster met IK HOEF NIET NAAR DE HEMEL, DAAR ZITTEN MIJN VRIENDEN TOCH NIET en het knusse brommen en knarsen van door ouders doorgeschoven keukenapparatuur.

'Als je denkt dat er vanzelf een keer een lange, donkere, knappe man met een paar miljoen bij je op de stoep staat die hopeloos verliefd op je wordt en met zijn toverstafje zwaait, moet je je laten nakijken,' aldus mijn moeder en voornaamste financieel adviseur.

'Mmm, die toverstaf klinkt goed,' zei ik. Toverspreuken bestaan niet, zei mijn therapeut. Toverstafjes bestaan niet, zei mijn moeder. Die online helderzienden die je tegen betaling vertellen dat ze geluk en rijkdom in je verschiet zien, worden met de dag aantrekkelijker.

Het hele huis geurt warm naar vlees dat zacht staat te stoven. Jo trekt een kastdeurtje open, pakt twee wijnglazen en zet die op het vinyl tafelkleed.

Oké. Hoera?

'Phil en ik zijn uit elkaar,' zegt Jo, en ik zeg wel 'Och, nee toch', maar ik weet dat mijn gezicht iets heel anders zegt. Jo ook, want ze voegt eraan toe: 'Serieus, George. Het is nu echt over. Ik was er opeens zó klaar mee.'

Ik schuif een stoel uit en we gaan zitten.

'Dat geloof ik graag. Wil je me vertellen wat er is gebeurd?'

'Volgend voorjaar gaat zijn zus trouwen. Hij vroeg me mee naar de bruiloft.'

Ik reageer niet meteen, in afwachting van Phils waardeloze voorwaarden. 'En toen?'

'Dat was het. Eerst had ik er alleen maar heel veel zin in. Ik had zelfs al een jurk van Joanie gevonden die ik wilde aantrekken. Maar toen begon ik te denken...'

Ze gaat met een noodvaart door haar rioja heen, dus ik pak de fles en vul haar glas bij, als blijk van solidariteit en een stilzwijgend 'Ga door'.

'Ik weet dat jullie ons knipperlichtgedoe niet konden aanzien, met die eeuwige wilde haren en andere vrouwen van Phil. Hij is achtentwintig, kan de vrouwen niet van zich af slaan en heeft meer tijd dan gemiddeld nodig om in het huisje-boompje-beestje-idee te groeien. Ik wilde wel wachten. De timing moet kloppen, zeggen ze. Ik zei maar steeds tegen mezelf dat ik Phil gewoon een paar jaar te vroeg had leren kennen, en rottige timing vond ik geen goede reden om hem kwijt te willen.'

Haar beschrijving van Phils aantrekkingskracht is geen blinde aanbidding. Phil heeft jongensachtig grote en sprekende ogen, donker, al dunner wordend haar en een kwajongensgrijns. Hij ziet eruit als de charmante tv-presentator van een consumenten- of klusprogramma, en als zo'n programma echt zou bestaan, zou er meteen een Facebookgroep komen voor huisvrouwen die hem wel zien zitten. Hij is best knap, maar dat is niet zijn kracht. Wat hij vooral mee heeft, is het vermogen om waar hij ook komt de sfeer te verhogen, zijn onstuitbare enthousiasme en een groot hart (zolang je niet de vrouw bent die duidelijkheid van hem wil). Zijn aanwezigheid heeft de uitwerking van pepermuntjes in een fles cola: een acute schuimparty.

Geef Phil een halfuur met zijn vijanden en ze worden beste vrienden, al is de betovering snel uitgewerkt zodra je niet meer bij hem in de buurt bent. Clem zou het met klem ontkennen, maar ik heb zelfs haar wel eens – tegen beter weten in – tegen Phil zien lachen.

'Waarom zou Phil met mij naar een bruiloft willen waar zijn familie en vrienden ook zijn, maar is een echte relatie te veel ge- vraagd?'

'Misschien is hij liever niet alleen op de grote dag van zijn zus?' opper ik.

'Nee, daar gaat het niet om. Je kent Phil, die praat met ieder- een, hij zou geen moment alleen zijn. Hij geeft echt om me, dat is het, en ziet me ook echt als zijn wederhelft... Hij wil echt dat ik die dag samen met hem beleef, zijn zus het bal zie openen en zijn oma knuffel.'

Het begint me te dagen waarom Jo dit zonder Rav en Clem wilde doen. Het risico van een slecht getimed gifpijltje uit zijn of haar koker – gericht op Phil, maar niet zonder gevaar voor Jo – zou te groot zijn om zo openhartig te kunnen zijn.

'En toen besefte ik dat hij er niet mee zit dat iedereen dan denkt dat het serieus is tussen ons. Een beetje vent met bindings- angst zou heel hard de andere kant op rennen bij het vooruitzicht om van alle kanten "Jullie zijn zeker de volgende" te horen, toch? Phil zit daar niet mee. Een feestdag is geen probleem, de kans is toch klein dat hij iets beters tegenkomt daar in Whitley Hall Hotel terwijl hij het druk heeft met ceremoniemeester zijn. Het punt is dat wij het perfecte stel zijn, op één klein puntje na, en dat ene puntje zit in Phils hoofd.'

Jo ademt beverig uit.

'Hij kan een huis-tuin-en-keukenbestaan met mij niet aan, omdat hij er niet aan wil dat ik de enige optie zou zijn. Als ik echt zijn vriendin word, George, fulltime en voor altijd, voelt hij dat als een nederlaag. Hij heeft zoveel in huis, trekt meiden aan alsof hij een Beatle is, en dan moet hij eindigen met Jo de kapster uit zijn geboortestad, die twee jaar ouder is dan hij, bij Weight Watchers zit, een hypotheek heeft en een kat aan de schildklierpillen? Hij houdt van me, maar als hij mij ziet, ziet hij ook zijn dromen in rook opgaan. Dat wil hij alleen niet weten van zichzelf, en daarom heeft hij geen antwoord op mijn vraag waarom we nooit voorbij we-zien-wel komen.'

Ik zit al klaar met een ontkenning en een opmerking over Phils kortzichtigheid, maar ik hou me in en geef Jo alleen even een kneepje in haar arm. Na paps dood ontdekte ik dat als iemand 'Dit is zo kut en het doet zo'n pijn' zegt, het verstikkend kan zijn om daar meteen tegenin te gaan, hoe goed je het ook bedoelt.

'Toen ik dat eenmaal doorhad, was het niet moeilijk meer om er een punt achter te zetten, Gee. Het draaide mijn gevoelens de nek om, alsof ik het gas uitdraaide onder een borrelende pan. Ik hoefde mezelf niet meer voor te liegen en te romantiseren dat hij vanzelf een keer het licht zou gaan zien als ik hem maar de ruimte gaf. Ik hoef geen man die het licht nog moet zien. Die zich ermee moet verzoenen dat hij altijd mij nog heeft als hij straks op zijn vijfendertigste moe is van het uitkijken naar iets beters.'

Ik schuif mijn glas naar dat van haar, klink, en neem een slok.

'En nu hij in de gaten heeft dat ik geen belangstelling meer heb, zeurt hij me natuurlijk om het uur aan mijn kop,' zegt Jo.

'Natuurlijk.'

'Zo raar, na al die tijd dat ik niet zonder zijn aandacht kon, zie ik nu zijn berichtjes binnenkomen alsof ze voor iemand anders zijn. Het is zo doorzichtig. Ik trek me terug, hij trekt aan mij. Ik moet en zal weer evenveel van hem houden als eerst, en hij vraagt zich geen moment af waarom, of wat dat met mij doet.'

'Ik herken dat helemaal van Robin. Alleen als ik een uitdaging ben, ben ik interessant.' Ik val even stil. 'Phil is lang niet zo'n lul als Robin, natuurlijk. Dat je niet denkt dat ik ze op één hoop gooi.'

Jo kijkt me aan.

'Weet je, Phil is niet eens een player. Het is nog erger. Het gaat niet om de seks. Hij wil gewoon altijd iedereen zover krijgen dat ze van hem houden. Maar omdat hij bij God niet weet wat hij vervolgens met die liefde moet, zoekt hij maar weer een nieuw rijk om te veroveren.'

Ze laat zich wel vaker kritisch uit over Phil, maar zo genadeloos en treffend heb ik haar nog niet meegemaakt. Ik denk dat het nu toch echt afgelopen is.

Ze zucht eens diep.

'Het probleem is dat ik nog weet hoe goed het voelde als het goed ging. Dat moet ik uit mijn systeem zien te krijgen. Misschien komt er wel nooit meer iemand bij wie ik dat zo voel. Maar dat risico moet ik dan maar nemen, als ik echt zeker weet dat het klaar is en we niet bij elkaar horen. Het lukt me wel om niet meer verliefd op Phil te zijn, denk ik, maar niet verliefd zijn op hoe het voelde is een stuk lastiger.'

Dat ben ik met haar eens, en ik zou haar graag kunnen zeggen hoe goed ik haar begrijp. Mijn woorden zeggen nooit genoeg. Gecondoleerd.

Jo had zich geen zorgen hoeven maken dat de andere helft van ons viertal blind zou zijn voor hoe kwetsbaar ze zich voelt. Als ze eenmaal komen binnenvallen zijn ze als zalf op de wonde.

Ze verketteren Player Phil geen van beiden. Als ik hoor met hoeveel respect Phil nu vaarwel wordt gezegd, realiseer ik me pas echt hoe erg ze Robin minachtten. Het lijkt bijna een Vikingbegrafenis, vergeleken met hoe ze dansten op Robins graf.

'Dat altijd maar smachten naar meer, of FOMO, zoals de jeugd van tegenwoordig het noemt, is de vloek van deze tijd,' zegt Rav knikkend als Jo nog eens haar diagnose uiteenzet van Phil en zijn onvermogen om zich te geven aan een relatie met haar. 'Tevredenheid is wonderschoon, zeg ik altijd tegen mijn cliënten, maar als je spullen en diensten te slijten hebt, werkt onvrede toch beter.'

'Ga maar na,' zegt Clem. 'Toen je nog trouwde met iemand uit het dorp verderop en een wringer had en rachitis en noem maar op, zat je jezelf niet de godganse dag wanhopig met alles en iedereen te vergelijken. Als je al vergeleek, was het met je vier tandeloze buren. Nu vliegt de stress me aan omdat ik op Instagram zie dat iedereen het leven beter in de vingers heeft dan ik. Echt hoor, geen mens die zelf kransen vlocht voor op de deur of paaseieren beschilderde voordat ze er een Valencia-filter overheen konden gooien en het mij even lekker konden inwrijven.'

'Het is weer tijd voor Clems TED Talk!' zegt Rav. 'Nu nog zo'n headset als Madonna en dat glaasje water voor een goed getimed slokje af en toe.'

'Ik zou kijken,' zeg ik, en Jo valt me bij.

'We hebben er vaak de draak mee gestoken, ik weet het, maar ik begreep wel wat je in hem zag,' zegt Clem tegen Jo. 'Weet je nog toen hij vertelde over die katerkotsaanval bij zijn tante thuis en dat hij toen de geurkaars met rozijnenbroodjesgeur aanstak? Als verhalenverteller zat hij wel op level goddelijk.'

'Grappig is dodelijk,' zeg ik vol begrip. Ik weet dat we er in onze zusterlijke compassie voor moeten waken om niet zo ver te gaan dat Jo denkt dat ze hem weer in genade moet aannemen. 'Ik sta machteloos tegenover grappig.'

'Hoe ben je dan voor Robin McNee gevallen?' zegt Rav, met een vinger tegen zijn neus en wijzend met zijn andere hand, en iedereen schatert.

'Ik zeg het nooit hardop,' zegt Clem, die haar in kanariegele panty gestoken benen uit de knoop haalt en anders in elkaar haakt, 'maar dat ik het bij los-vaste wippartners hou, is niet omdat ik zogezegd "niet tot liefde in staat ben".' Ze tekent met een grimas de aanhalingstekens in de lucht. 'Ik ben daar maar al te goed toe in staat, maar ik weet ook dat ik er kapot aan zou gaan. Het is net zoiets als met mijn moeder en huishouden...'

We kijken haar verbaasd aan. Clems moeder is zo netjes dat we soms speculeren over een gedragsstoornis.

'Hou je vast, maar mijn moeder zegt zelf dat ze eigenlijk aartslui is als het om schoonmaken gaat.'

Nu kijken we haar ronduit sceptisch aan.

'Echt! Zet haar in een hotel en binnen het uur is haar kamer één grote vuilnisbelt. Geen idee hoe ze het doet. Thuis is ze altijd aan het poetsen en heeft alles een vaste plek, want als ze zich niet druk zou maken maar gewoon deed waar ze zin in had, zou de wereld tot chaos vervallen. Dan was de Kinderbescherming ons komen halen. Ze voert elke dag weer een strijd op leven of dood met haar ware aard. Zo zit het dus ook met mij en mannen. In het diepst van mijn hart ben ik een willoze sukkel die alles doet voor de juiste man, dus ik zorg wel dat ik die klootzak nooit tegen het lijf loop. En als dat toch gebeurt, ga ik gelijk in het offensief en is hij al gedumpt voordat hij ook maar een halve stap vooruit heeft kunnen denken.'

Rav wrijft bedachtzaam over zijn kin en verschikt iets aan zijn sjaaltje. Ik ken verder niemand die binnenshuis sjaaltjes draagt, als decoratief element.

'Maar dan zou je dus iemand kunnen mislopen met wie je gelukkig zou kunnen zijn?' vraagt Jo.

'Wie weet, maar eigenlijk denk ik toch al niet dat die Ware Voor Mij bestaat. Tegen de tijd dat er toch een potentiële kandidaat opduikt, kan ik me daar altijd nog druk over maken.'

'Hmm, heel betrouwbaar lijkt die aanpak me niet, maar goed, ik kom ook niet verder op Bumble,' zegt Rav. 'Online daten is alsof je de maan onder schot neemt met een slinger.' Hij zucht. 'Ik wil gewoon een bereisde, kunstzinnige vrouw die overtuigend een rode *trilby* kan dragen, met zo'n scherp verstand dat je je eraan snijdt, en vloeiend in een stuk of wat talen. Dat moet toch niet onmogelijk zijn, als je bedenkt hoelang mijn –'

'O, god nee!' loeit Clem.

'Zoektocht! Hoelang mijn zoektocht nu al duurt.'

'Jouw ideale vrouw bestaat en heet Prince, Rav,' zegt Clem. 'Jammer dat hij dood is, en een man bovendien.'

'Daar heb je een punt. Er zijn obstakels. Maar geen romance kan zonder.'

Daar krijgt hij zelfs Jo mee aan het lachen.

'En jij, Gee?' Rav kijkt me scherp aan. 'Hoe zit het met de opvolging van Mr. McNee? Wat heeft deze ervaring je geleerd?'

'Brandt er iets?' vraag ik.

'O nee, de moussaka!' jammert Jo, en ze holt naar de keuken.

Even later vallen we aan op een plak Grieks eten met – ik wil niet ondankbaar klinken – een heel apart smaakje.

'Ik heb een caloriearme versie gemaakt,' zegt Jo. 'Met yoghurt. En kalkoengehakt.'

Clem tast nu nog gretiger toe, maar Rav en ik kijken elkaar verbouwereerd aan.

'Heel lekker,' zegt Rav, en ik lieg met hem mee.

'Maar goed, een voorlopige inventarisatie,' zegt Clem. 'Jo is aan het afkicken van een obsessie met een man met bindingsangst. Ik heb zelf bindingsangst, maar niemand die die angst bij me wakker maakt. Rav nekt zichzelf door te kieskeurig te zijn. En jij, George? Welke funeste karakterfout staat jouw geluk met een ander in de weg?'

Ik kan me nu niet meer beroepen op aanbrandend eten. 'Eh... Ik zou het niet weten.'

'Of om het van de positieve kant te benaderen,' zegt Rav, 'waar ben je naar op zoek?'

'Hmm. Iemand die evenveel om mij geeft als ik om hem, geloof ik. Dat lijkt misschien niet veelgevraagd, maar daar draait zo ongeveer alles om, en ik had dat tot nu toe nooit.'

'Helemaal mee eens,' zegt Jo, terwijl Beagle met zijn kop mijn bord wegduwt en op mijn schoot klimt. Ik doe wel alsof hij een ongewenste indringer is, maar laat hem intussen begaan.

'Ik heb me trouwens aangemeld voor een schrijfwedstrijd in de kroeg! Komen jullie kijken?' vraag ik. 'Ik ben doodsbang dat ik straks reteslecht ben waar jullie allemaal bij zijn, maar het lijkt me nog veel enger als het voltallige publiek bestaat uit één gezette hond die Keith heet, dus jullie moeten als vulling dienen.'

'Tof!' zegt Jo. 'Waar heb je over geschreven?'

Zit er opeens een nest slangen in mijn maag? Ik vond het heerlijk, dat halfuur dat ik aan de keukentafel in mijn notitieblok zat te pennen. Maar het voordragen? Voor onbekenden?

'Ik heb iets gedaan met een rotdag op mijn werk. Die avond heeft een vreselijk vaag format, dus ik weet niet eens waar ze precies op uit zijn. Ik ben als laatste, en ik denk dat ik maar beneden achter de bar blijf tot ze me komen halen zodat ik niet hoef te horen wat de concurrentie doet.'

'Dapper hoor,' zegt Clem.

'Of totaal gestoord,' zeg ik.

'Ik weet nog dat je me vroeger wel eens stukken voorlas uit je dagboek,' zegt Jo. 'Dat was altijd zo grappig. Zo leuk dat je dit doet! We wisten natuurlijk allang dat je een ster bent, maar nu mag de rest van de wereld dat ook ontdekken.'

'Lief, dank je wel! Laten we hopen dat ze niet iets heel anders ontdekken.'

'Is het uitdunnen van de shortlist niet de grootste uitdaging als het over een rotdag op je werk moet gaan? Daar zou ik mee beginnen,' zegt Rav. 'Net als juryleden bij prijzen. "Het viel ons zwaar een keus te moeten maken uit deze stuk voor stuk verbluffende talenten, maar er kan maar één winnaar zijn..."'

'Hahaha, dat is wel zo,' zeg ik. 'Ik ben de onbetwiste kutbaantjeskampioen.'

'Weet je nog dat je verkleed als reusachtige kip reclame moest maken voor die nep-KFC, Gee?' zegt Jo. 'Christus, dat was erg.'

'Dat heb ik verdrongen.'

'Heb ik dat verhaal wel eens gehoord?' vraagt Rav.

Ik kreun. 'Het was echt een ramp. De kinderen die op de opening afkwamen, besprongen me alsof ik alle Beatles bij elkaar was, en toen werd ik in alle haast afgevoerd naar een voorraadhok tot ze weer tot bedaren kwamen. Daar lieten ze me eindeloos zitten, en net toen ik na een tijd uit pure verveling een peuk opstak, ging de deur open en zagen die kinderen een halve kip met de kop van een vrouw en een brandende peuk in haar mond, als een soort schrikwekkend mythologisch wezen uit de Griekse oudheid. Dat bedrijf was woest dat ik het imago van "Captain Cluckee" had besmet. Zij moedigden zelf die kinderen aan om vriendjes te worden met Captain Cluckee terwijl ze hem daarna moesten opeten, wat toch behoorlijk ziek is, maar dat ik ze daarop wees, hielp ook al niet.'

Ik zit te hinniken van het lachen nu ik alles weer voor me zie, en de anderen lachen keihard mee.

'Nou, daar heb je je verhaal,' zegt Rav.

'Ben je gek! Ik heb nog veel ergere,' zeg ik luchtig en vol vertrouwen. En dan denk ik erachteraan: Wat een ontzettend trieste prestatie om over op te scheppen, Georgina.

Misschien is dat wel mijn makke: ik heb grote moeite met het onderscheid tussen mensen aan het lachen maken en zelf lachwekkend zíjn.

21

Clems opmerking over moedwillig tegen je aard in gaan bleef maar door mijn hoofd spoken. Mijn aard is nooit een bijzonder betrouwbare routeplanner geweest, en met die gedachte ging ik nog een stapje verder met Schaamte in de Schijnwerpers en nodigde ik Mark en Esther ook uit. Mensen met een oppas piepel je niet, dus als zij kwamen kijken, kon ik er echt niet meer onderuit.

'Als jullie dan nog even blijven hangen voor een drankje kunnen jullie meteen zien waar ik nu werk!' zei ik. 'En Mark spreekt Devlin zo ook weer eens.'

Ik kon mezelf maar beter goed klemzetten om te voorkomen dat ik alsnog terugkrabbelde.

'Hé, Georgina. Ga je echt aan die wedstrijd meedoen? Held,' zegt Dev als ik binnenkom en mijn tas over mijn hoofd heen haal. Er hangt een andere sfeer in de kroeg vanavond, heb ik het idee. Ligt dat aan het evenement in de bovenzaal? Het kippenvel staat meteen op mijn armen. Ik had mezelf wijsgemaakt dat er vast maar een handvol mensen op af zou komen.

'Eh... Ik denk het,' mompel ik.

'Goed van je dat je dit doet om de kroeg te steunen, daar ben ik echt blij mee. Het thema voor vanavond is "Mijn rottigste werkdag", zag ik. Als dat maar niet hier was, hahaha.'

'Hmm, misschien moet je me nog maar niet bedanken zolang je niet weet waar ik het over ga hebben. Al kan het natuurlijk ook gaan over die keer dat ik het in mijn broek deed in een achtbaan...'

Devlin lacht nog als hij wegloopt, en ik ben dankbaar dat alles zo vanzelf gaat met hem, in tegenstelling tot met zijn broer.

'Heb je het echt in je broek gedaan in een achtbaan?' gilt Kitty, aangezien Kitty de eerste figuurlijk bedoelde uitspraak die ze ook figuurlijk opvat nog moet tegenkomen.

Kitty is de nieuwe. Ze is drieëntwintig en rank als een windhond, en ze heeft opgetekende wenkbrauwen, lang bruin haar en een OMG!-manier van praten met veel uitschieters die vast een gevolg is van eindeloos series kijken over naïeve Amerikaanse meisjes met grote erfenissen.

'O, je ziet er niet eens zo heel eng uit, ik was bang dat je eng zou zijn,' zei ze toen ze mij voor het eerst zag. Een verwarrende en potentieel beledigende opmerking.

'Had iemand dan gezegd dat ik eng was?'

'Nee hoor, maar je bent, ik weet niet, iets van dertig of zo?'

'Dan ben ik nog niet meteen Dame Maggie Smith uit *Downton Abbey*.' Ik speelde met de gedachte om nu toch maar voor 'beledigd' te kiezen.

'Hahaha! Lucas zei dat je heel veel ervaring had.'

Leuk. Nu klink ik als zo'n barmeid met een grote bek bij wie je nog wel meer dan een tapje kan krijgen.

'En je hebt echt een dure naam, hahaha.'

'O... Vind je?'

'Ik dacht dat je misschien zo'n strenge tante was.'

Ik glimlachte in totale verwarring. Een uur later begreep ik dat Kitty weinig tot geen veiligheidsmaatregelen hanteert als het gaat om wat er uit haar mond komt. Ze is zeker geen onaange naam gezelschap, ze is zelfs erg vermakelijk, maar het duurt even voordat ik me heb ingesteld op de volstrekte willekeur van haar denkprocessen. Na een gesprekje over politiek en 'die vorige president, Barry O' Barner' moest ik even gaan zitten.

Rav, Clem en Jo arriveren toevallig tegelijk met Esther en Mark. Jo heeft een glimlach op haar gezicht, après-Phil, en dat is niet zomaar omdat ze de moed erin houdt. De laatste keer dat we het erover hadden, zei ze dat ze zich echt beter voelt nu de knoop is doorgehakt. Onzekerheid is rampzalig. 'Dat ik wist dat het moest, maar het niet aandurfde,' appte ze. 'Dát was het rotste van alles. Nu hou ik mezelf tenminste niet meer voor de gek.'

'Succes!' roepen ze in koor zodra ze iets te drinken hebben en boven alvast de beste plaatsen gaan inpikken. God, laat ze alsjeblieft zoveel stoelen bezet houden dat er niemand meer bij kan. Ik merk dat mijn zus en zwager totaal niet snappen waarom ik hieraan begin, al zeggen ze dat niet hardop en doen ze hun best om me aan te moedigen nu ik nieuwe wegen insla. Alles is beter dan de hele avond alle soorten chips die we verkopen opdreunen.

Nog een paar minuten en het begint. Ik heb geen idee hoelang de mensen voor me aan het woord zullen zijn. Ik moet afleiding zoeken. Gelukkig blijkt Kitty een volmaakte uitlaatklep.

Of het goed is als ze even belt over haar autoverzekering? Ja hoor, zeg ik, en terwijl ik limoenen in partjes snijd, bespreekt Kitty aan het andere eind van de bar de verzekeringspremie voor haar Fiat Cinquecento.

'Hè, sorry?' zegt Kitty. 'O, K voor kilo. Ik snap het.'

Ik luister telefoongesprekken normaal gesproken niet af, maar ik vang toevallig Kitty's blik op, en ze kijkt zo confuus dat ik gewoon móét weten waar dit over gaat.

'I... Wacht. Insect! Tiet.'

Ik kijk haar verwonderd aan.

'Nog een keer Tiet. Yoga. Van voren af aan? Kilo, Insect, Tiet, Tiet, Yoga.'

Ik bijt op mijn hand om niet keihard te lachen.

Kitty mompelt nog iets, zegt gedag, en hangt op.

'Waar gíng dat in godsnaam over?' roep ik uit.

'Mijn god. Ik moest van hem mijn naam spellen met het politie-alfabet, maar jeetje, weet ik veel! O. Mijn. God.'

Ik val bijna om van het lachen.

'Tiet Tiet Yoga?' gier ik.

'Ik wist niet zo snel iets anders met een T! Heb ik weer, hoor!'

'Je gelooft het niet, maar Tiet Tiet Yoga is mijn pornonaam,' zeg ik, en het is mijn mond nog niet uit of ik zie dat Lucas binnen gehoorsafstand is en naar ons toe komt.

'Straks trekken ze mijn verzekering nog in!' jammert Kitty.

'Waarom zouden ze?' zeg ik.

'Om mijn viezewoordigheid? Weet ik veel?'

'Volgens mij is "viezewoordigheid" geen geldige reden om een verzekering te weigeren.'

Kitty pakt haar telefoon erbij en begint te googelen. 'Jee, Georgina, het had Kilo India Tango Tango Yankee moeten zijn.'

'Dat klinkt wel aannemelijker dan "tiet", ja. En ook beter dan "insect", eerlijk gezegd.'

'Nu kan ik die helpdesk nooit meer bellen!'

'Joh, Kitty, die man zit zich de hele dag rot te vervelen, moet je maar denken. Hij was vast blij met je.'

En dan liggen we alweer dubbel. Samen lachen schept zo'n band. Ik kan Devlin met een gerust hart zeggen dat ik het hele-maal eens ben met Kitty's komst.

'Georgina.' Lucas komt ertussendoor. 'Ze vragen boven naar je. Je moet op.'

Ik kijk geschrokken op de klok. Hoe kan het nu al zo laat zijn? Ik word opeens zo misselijk.

'O, oké. Nou.' Ik draai me om, pak mijn tas vanonder de bar en haal mijn kreukelige aantekeningen eruit.

'Succes,' zegt Lucas als ik weer overeind kom.

'Bewijs ik hier nou mee dat ik totaal van het padje ben?' vraag ik. De plankenkoorts slaat toe, en ik sta bijna te klappertanden van de zenuwen.

'Ik weet niet hoe je bent als je op het padje bent,' zegt Lucas met een lachje.

Dat kun je wel zeggen, ja.

Kitty was om de hoek van de bar verdwenen, maar nu komt ze terug met een glas prosecco, dat ze me aangeeft alsof ik vertrek op een queeste en ze me een toveramulet overhandigt. 'Hier, en succes!'

Ik vind Kitty echt leuk.

Op mijn lange tocht naar de bovenzaal, met mijn prosecco geheven, denk ik aan wat mijn vader zei over een uitslover zijn die geen aandacht wil. Bij de deur naar de zaal zie ik de schildersezel met daarop de aankondiging staan. SCHAAMTE IN DE SCHIJN-WERPERS: MIJN ROTTIGSTE WERKDAG! Daaronder staat de lijst met deelnemers. Ik sta erop als 'Georgina Hawspool'.

De laatste keer dat ik hier was, stonden er alleen verhuisdozen. Nu is het er tjokvol met mensen. De meesten zitten, maar er staan er ook een paar bij het barretje tegen de achtermuur, dat wordt bemand door Devlin. Godzijdank staat Lucas daar niet.

Er hangen snoeren met lichtpeertjes tegen de groengeverfde muren, en er hangt nog steeds die kruidige zoldergeur. Je kunt ruiken dat alles hier een paar weken geleden nog onder de stof-lakens lag.

Op het lage podium voor in de zaal staat een microfoonstandaard. Dit gebeurt dus echt. Waar ben ik aan begonnen?

De presentator, een man van in de twintig, schrijft voor *The Star* en heeft zich eerder op de avond aan me voorgesteld als Gareth. Hij heeft blijkbaar al te lang de stilte moeten opvullen, want hij kijkt heel opgelucht als hij me ziet en zegt: 'Georgina? Georgina! Een applausje voor Georgina, alsjeblieft, die ons het laatste verhaal van vanavond komt vertellen.'

Ik loop het podium op, vouw mijn twee velletjes open en kijk de zaal in. Mensen schuiven heen en weer op hun stoel of kletsen zacht met hun buurman.

Kijk, daar zit de jury, als drie wijze uilen op een rijtje: een vrouw en twee mannen. En inderdaad, een van de mannen is Mr. Keith. Oké, dat was dan dat. Nu heb ik nog minder te verliezen.

Ik schraap mijn keel en voel de last van de verwachting op mijn schouders.

'Oké, nou, hallo. Jeetje.' De microfoon begint met een hoog snerpend geluid rond te zingen, en Gareth roept: 'Iets naar achteren, ja, prima zo.'

Ik zak nu al door de grond.

'Sorry... Kennen jullie de Oberproef? Het idee van die proef is dat je kunt inschatten hoe iemand in elkaar zit door te kijken naar hoe hij of zij omgaat met het bedienend personeel. Op een avond uit moet je dus niet alleen afgaan op hoe je date jou behandelt. Ik ben serveerster geweest, ik heb achter de bar gestaan, ik heb bediend op feesten en partijen, en – kort, maar ongelukkig – ook nog als gastvrouw in een nachtclub gewerkt, wat niet zo dubieus bedoeld is als het misschien klinkt, al scheelde het soms niet veel, dus ik weet uit ervaring dat het echt werkt.'

Ik kijk even op naar de zaal. Ik voel bijna letterlijk hoe hard de mensen die me kennen willen dat dit me lukt. De rest bekijkt me met een afstandelijk soort nieuwsgierigheid.

'Een paar jaar geleden werkte ik in zo'n snoepige tearoom met kroonluchters, behang met goudenregen en roze Smeg-koelkasten, waar ze Kir Royal, salade met flinters kip en grote brokken taart serveerden die die hele salade achteraf overbodig maakten. Hun high teas waren razend populair.

Vlak voor kerst kregen we een groep van zo'n tien vrouwen van een bedrijf in de buurt. Ze waren allemaal even aardig, op één na. Die ene had een scherpe bob en strenge strepen eyeliner, en ze keek uit haar ogen als een door de duivel bezeten weermeisje.

Ze wenkt me en zegt: "Ik eet vegan en verdraag geen tarwe en suiker. Wat kan je voor me betekenen?" Ze zit daar met een menu voor zich dat natuurlijk vol staat met slagroomtaart, jam, sandwiches en nog meer slagroom, ze heeft ons niet van tevoren ingelicht, en nu vraagt ze mij om suggesties. We worden het vrij snel eens dat we niet weten wat ze van de kaart zou kunnen nemen. "Ik ga overleggen met de chef," zeg ik.

Met bonkend hart en lood in mijn schoenen ga ik naar de keuken. De tearoom is in opperste staat van kerststress, met naast alle grote groepen met reservering ook nog 3847 man losse aanloop, en als je op zo'n moment bij de keuken komt aanzetten met een stompzinnig verzoek van een klant kun je op je vingers natellen dat ze met alle genoegen hun stress gaan uitleven op jou. Ik herhaal haar verzoek, ze lachen, en dan zeggen ze: "Ze kan de komkommer uit een baguette met tonijn-komkommersalade en mayo peuteren," waarop ik bedeesd vraag: "Is er echt niets anders? Want hier wordt ze niet blij van, denk ik."

En dan brult de chef-kok: "OOK AL HAD IK DE TIJD OM IETS VOOR HAAR TE MAKEN, DAN NOG HEB IK EVENGOED GEEN IDEE

WAT ZE IN GODSNAAM WIL DAT WE VOOR HAAR MAKEN, WAT
BETEKENT DAT DIT FAALT OP ZOWEL CONCREET ALS CONCEPTU-
EEL NIVEAU, ALS JE BEGRIJPT WAT IK BEDOEL!"'

Ik laat een stilte vallen en vraag me af of ik het droom, of dat ik
door de hartslag die in mijn oren bonkt heen echt mensen hoorde
lachen. Mijn zelfvertrouwen groeit een fractie, en ik ga dapper
door.

'Ik geef hem gelijk hoor, en ook mooi gezegd, maar mij helpt
het niet verder. Ik loop de zaak weer in, sla mijn meest verzoe-
nende toon aan en leg uit dat het ons echt heel, heel erg spijt, maar
dat we zonder waarschuwing vooraf nou eenmaal niet veel voor
haar kunnen doen. Dat vindt het bezeten weermeisje absoluut on-
acceptabel. Ze spuit gif. "Je werkt nota bene in de horeca en dan
zou je geen enkel gerecht kunnen bedenken? Moet ik soms honger
lijden op de kerstborrel van mijn werk?" Alsof ik Jamie Oliver ben,
en zij Oliver Twist. Dan wijst ze me op de schuingedrukte woorden onder aan de menukaart. *Staat er niets voor u bij? Zeg het ons
en we zullen ons best doen om aan uw wensen tegemoet te komen!*

Ik was in staat om met vleesvorken in te steken op de simpele
ziel die het een goed plan had gevonden om die tekst op het
menu te plempen omdat het zo leuk gastvrij klonk, zonder te
beseffen dat je alle jankerds en zeurdozen zo ruim baan geeft en
het allesbehalve vrijblijvend is in deze tijden van dwangmatig op
gezondheid gerichte neurotische eters die niets verdragen.

Dus ik zeg tegen haar: "Het is nu erg druk en voor uw specifieke wensen zijn de opties beperkt," met een grimlachje omdat
ik heel goed weet dat deze dame niet van wijken wil weten.

"O, dus het ligt aan míj," zegt ze. Inmiddels luistert de hele
zaak mee.

Ik geef haar even de tijd om te kalmeren, al weet ik dat ze niet
meer gaat kalmeren.

"En wat word ik nu dan geacht te eten?" vraagt ze.

"Tenzij we van tevoren worden ingeseind, kunnen we helaas niet veel voor u betekenen."

"Niet veel? Jullie kunnen mij als vegan helemaal niets bieden! In welke tijd leven jullie? Ik wil nu de bedrijfsleider spreken, graag."

Dat ging niet, want de bedrijfsleider zat die dag ziek thuis. Dat vertelde ik haar.'

Ik kijk de zaal in, en mijn blik valt toevallig op Rav, die breed zit te grijnzen. Hij steekt een duim naar me op.

'De andere gasten aan die tafel roeren zich nu ook, want zij kunnen niet bestellen zolang dit niet is opgelost, en ik kan nou eenmaal geen bord speltrisotto met kokosmelk en weesmeisjestranen uit de lucht toveren.

In blinde paniek vraag ik: "Komkommersalade, zou dat iets zijn?"

Met veel gezucht en gesteun en afkeurende geluiden gaat ze ten slotte akkoord met komkommersalade.

Ik loop weer naar de keuken. Waar ze LAAIEND zijn dat ik haar iets buiten het menu om heb laten bestellen terwijl dat verzoek al nadrukkelijk was afgewezen. Op hun gescheld en getier volgt een botte weigering. Maar ik heb die vrouw nu gezegd dat ze die salade kon krijgen, en er komt een keer een moment dat je een van twee kwaden moet kiezen.

Uiteindelijk maak ik die salade dus maar zelf, terwijl de koks me expres in de weg zitten, zo kwaad zijn ze dat ik daar überhaupt sta. Als ik de salade serveer, kijkt de vrouw me aan alsof ik in mijn hand heb gescheten en zij die hand zojuist heeft aangepakt.'

Er wordt gelachen. Echt gelachen.

'Ze neemt geen hap van de salade. Niemand aan die tafel laat een fooi achter, en bij het weggaan krijg ik vuile blikken. Twee weken later werd ik ontslagen omdat "de drukste tijd nu achter de rug is en we met minder personeel toe kunnen", en zeker níét omdat die vrouw naderhand een klaagmail stuurde over de "houding van uw serveerster", en haar bedrijf geregeld geld spendeerde in die tearoom en er op rekening bestelde. Nee hoor. Ik moest een paar kerstcadeaus verkopen om die maand de huur te kunnen betalen.

Hoe dan ook: een paar dagen later ben ik in de stad en zie ik toevallig die vrouw lopen, gulzig happend van een chocolatechipcornetto.' Ik maak een lichte buiging. 'Dat was het, bedankt.'

Er klinkt luid applaus. Ik stap van het podium en giet mijn prosecco in één keer naar binnen. Ik voel me een ongelooflijk stoer wijf. Vanuit mijn ooghoeken gluur ik naar de jury, en zelfs Mr. Keith zit te klappen, al is het met weinig geestdrift.

'Zit ik met zo'n verhaal ongeveer in de goede hoek?' vraag ik met knikkende knieën aan een stralende Gareth.

'Wel als je wilt winnen, denk ik.'

22

Van tevoren dacht ik dat mijn debuut als stand-upcomedian tussen het werk achter de bar door de druk alleen nog zou verhogen, maar toen ik weer achter de tap stond en vol bravoure 'Wie mag ik helpen?' zei, bleek dat een goede remedie tegen het zwarte gat en de bibbers achteraf.

'Kom eens hier, jij!' zegt Devlin als hij achter de klanten aan beneden komt. Hangend over de bar geeft hij me een onhandige knuffel. 'Zo hard is er in een van mijn kroegen niet meer gelachen sinds mijn naaktfoto's in de openbaarheid kwamen. Luc, die meid was briljant.'

Lucas komt naar ons toe met een doos bitter lemon en knikt alleen even.

Hmm. Toepasselijk drankje.

'Heb je gewonnen?' vraagt hij.

'Dat weten we pas na de laatste avond,' zegt Devlin. 'Je doet de volgende twee keer toch ook weer mee?'

'Dat was wel de bedoeling.' Ik schokschouder en zeg met een lachje: 'Als ik deze ronde niet al keihard onderuit ben gegaan.'

'Bij lange na niet.'

Lucas kijkt even mijn kant op en wendt zijn blik meteen weer af.

Ik krijg een déjà vu. Lucas' waakzame blik doet me denken aan de keer dat we samen een essay presenteerden ('Gaat *Woeste hoogten* over verlossing of wanhoop?') en ik ongevraagd een citaat van hem gebruikte, improviserend om de lachers op mijn hand te krijgen.

Ken ik je eigenlijk wel echt? zei die blik die ik toen van hem kreeg. Maar waarom zou hij dat nu ook zo voelen? Natuurlijk kent hij me niet. Misschien houden mensen gewoon hun leven lang dezelfde blik, dezelfde tics, en denk ik te ver door.

'Was het waargebeurd of heb je alles verzonnen?' Devs vraag haalt me terug in het hier en nu.

'Er was niets aan gelogen, helaas. Ik had het liever niet meegemaakt.'

Het was een anekdote die al jaren meeging en nu voor deze gelegenheid was opgepoetst. Anekdotes zijn ook meteen het enige wat mijn leven in overvloed heeft opgeleverd. Wie wil er nou ongelukkig zijn om even grappige als trieste memoires na te kunnen laten, zoals Kenneth Williams?

'Het ging over een vegan, Luc...' begint Dev, maar Lucas houdt zich Oost-Indisch doof en richt zijn aandacht op een klant die net is binnengekomen. In al mijn euforie is toch ook nog plaats voor een oprisping van *waarom kan hij niet gewoon blij voor me zijn?*

'Daar is ze!' Rav komt met Clem, Jo, Esther en Mark in zijn kielzog naar de bar. 'Uitstekende keus, George, en met perfecte timing verteld.'

Ze snateren allemaal door elkaar hoe leuk ze het vonden en ik geniet met volle teugen. Ik weet wel dat ik hun lof naar beneden moet afronden omdat ze 1) mij kennen en 2) blij zijn dat ik niet compleet ben afgegaan, maar er zit ook een deel oprechte bewondering in. Ik sta te stralen – een bijzondere gewaarwording voor me, die voelt als zonlicht na drie weken regen. Eindelijk ben ik eens niet het middelpunt van rokende puinhopen, maar van een klein overwinningsfeestje. Ik heb iets waardevols gedaan, en het kwam helemaal uit mezelf. Ik voel me... een individu, hoe idioot dat ook klinkt. Overal waar ik tot nu toe heb gewerkt was iets als 'jij daar', 'schat' of 'die blonde' mijn hele identiteit.

Mijn vrienden zoeken een tafeltje, en zelfs Esther en Mark gaan voor een 'nog eentje dan', omdat de oppas toch al betaald is om tot tien uur te blijven. Alles prima, niets aan de hand, totdat ik de tap openzet voor het vierde pilsje van een rondje voor een man in een shirt van FAC 51, en de deur opengaat en een verwaaide Robin de kroeg binnenslentert.

De donkerblauwe jas met tunnelkraag die hij draagt herken ik niet, maar dat air van arrogante nonchalance des te beter. Hij is in het gezelschap van een kleine kalende man in een camel jas die ik associeer met oud geld, op een 'Londense' manier. Robin kijkt zoals gewoonlijk rond alsof hij zichzelf zowel buiten als ver boven het gezelschap plaatst, en alsof het de taak is van de ruimte en wat zich daarin bevindt om indruk op hém te maken. Aangeboren eigendunk.

Hij ziet mij een paar tellen nadat ik hem heb gezien, dus tijd om weg te duiken of te doen alsof is er niet meer.

'Hé! Hoi,' zegt Robin verbaasd. 'Zo is ze verdwenen, en zo zie je haar opeens weer overal.'

Ik maan mezelf tot kalmte en geef Mr. FAC 51 zijn wisselgeld. 'Hai.'

'Ik hoorde van iemand dat het hier leuk was geworden,' zegt Robin, alsof hij denkt dat ik hem voor stalker ga uitmaken.

'Die iemand had gelijk,' zeg ik alsof ik een barrobot ben, zodat duidelijk is dat ik geen persoonlijk gesprek wil. 'Wat mag het zijn, heren?' vervolg ik, quasi-monter.

'Gaan we het zo doen, Georgina?' zegt Robin. 'Alsof we vreemden voor elkaar zijn? Vervreemde vreemden, zelfs? Ik krijg tenslotte nooit meer de kans voor een eerste ontmoeting.'

De man naast Robin laat zijn blik van hem naar mij gaan, en ik stel knarsetandend vast dat Robin dus echt altijd even ongepast en asociaal is.

Ik pak een leeg bierglas over in mijn andere hand en zeg: 'Ruime keus in speciaalbieren.'

Robin zucht, leunt achterover met zijn armen wijd, handen op de bar, en bekijkt de labels op de taps. Ik verstrak. Het akelige gevoel bekruipt me dat Robin hier Keith een poepje gaat laten ruiken met zijn geheel eigen variant op het afbakenen van zijn territorium. Hij is een indringer.

'Ik denk dat ik maar voor een vaasje First Blonde ga, alsjeblieft. Wel zo toepasselijk. Al?'

Aha, dat is dus Robins agent. Ik heb vaak genoeg naast Robin gezeten terwijl hij, met zijn telefoon als een After Eight voor zijn mond, gestreste telefoongesprekken hield over de al dan niet hogere honoraria van zijn collega-panelleden.

'Doe mij die ook maar, dank je,' zegt Al opgelaten.

Ik vul hun glazen, laat het schuim zakken, neem het geld aan, geef wisselgeld terug, schenk nog even bij, en al die tijd volgt Robin al mijn bewegingen.

Ze houden het vast bij een of twee biertjes, hou ik mezelf voor, en dan zijn ze weer weg. Gewoon blijven ademhalen. Ik zet de glazen voor hun neus met een stralende glimlach die ik zolang Robin hier is op mijn gezicht ga proberen te houden.

Rav, Clem, Jo en mijn zus en zwager zitten aan een tafeltje achterin en hebben Robin nog niet gezien. Ik haal mijn telefoon uit mijn tas en app Jo: Robin komt hier net binnen. Vraag of iedereen doet of zijn neus bloedt en ik nauwelijks over hem heb gepraat sinds we uit elkaar zijn xx

En dan te bedenken dat ik dacht dat ik vanavond om heel andere redenen gestrest zou zijn.

Het belooft niet veel goeds dat Robin zijn bier binnen de kortste keren opheeft en weer aan de bar verschijnt met twee beschuimde glazen in de hand. Hij is zo iemand die al teut is als hij aan drank ruikt.

'Georgina,' sist Kitty. 'Georgina! Dat is Robin McNee! Die afgelopen jaar in die show op Dave zat.' Ze heeft hem net zijn biertjes gegeven, en na nog een veelbetekenende blik op mij draait Robin zich om. Terwijl Kitty tapte, liet hij me geen moment los met die donkere blik, terwijl ik deed alsof ik al mijn aandacht nodig had voor het doorspoelen van de schenktuiten van de flessen sterkedrank.

Misselijkmakend zoals hij probeert te doen alsof we zo diep verbonden waren en nu bruut gescheiden zijn.

'Weet ik,' zeg ik. 'Hoe ken jij hem?'

'Idiot Soup! Ta ta ta tum tum tum, IDIOT SOUP,' zingt ze, het intro van de dieptrieste panelshow op Dave waar Robin een van de vaste gasten is. 'Mijn ex was er wild van. Traytje bier, döner kebab van Chubby's en *Idiot Soup*, dat was volgens hem het ideale bankavondje.'

'Vandaar dat hij je ex is,' zeg ik met een lachje, en Kitty zegt: 'Hoe wist jij dan wie hij was, als je dat programma niet kent?'

'Ook dankzij zo'n betreurde ex,' zeg ik en ik feliciteer mezelf met dat handig misleidende en toch geheel en al correcte antwoord.

Dat tevreden gevoel houdt niet lang stand.

Robins tafeltje ligt vol met lege chipszakjes die in lege bierglazen zijn geprop dat ik liever niet afruim, en hoe uitbundiger hij wordt, hoe meer hij zijn stem laat schallen. Robin was altijd al de ridder van de halve glaasjes wat alcoholtolerantie betreft, en dit gaat hard de verkeerde kant op.

Als ik goed heb geteld is hij nu drie vaasjes op streek, met twee shotjes aardappelwodka voor erbij – verdomme, The Wicker, waarom haal je ook van die interessante soorten sterkedrank in huis in van die opvallende artistieke flessen en bied je zoveel ludieke mogelijkheden voor excessief drankgebruik? Ja hoor, daar komt hij alweer voor vaasje nummer vier. Al krijgt niet eens de kans om een rondje te geven, want elke opening om mij lastig te vallen is er een.

'Zes pond tweeënveertig, alsjeblieft.' Ik zet zijn laatste rondje – hoop ik uit alle macht – op de biermat.

'Hoe doe je dat, je gevoelens uitschakelen en de luiken dichtgooien?' vraagt Robin.

Ik negeer de vraag en draai me om naar de kassa.

Het antwoord is natuurlijk dat er niet veel gevoel uitgeschakeld hoefde te worden, en ik denk nu alleen nog: Rot op. Maar in die val moet ik niet trappen. Als ik dat zeg, gaat Robin alleen nog meer de zielenpoot spelen.

Het is echt een act, of hij dat zelf beseft of niet. Hij geniet van zijn nieuwe rol als versmade minnaar.

Toen we nog bij elkaar waren, zei hij een keer: 'Niet om een Justin Biebertje te doen of zo, maar mensen vallen vaker voor mij dan andersom, wat voor mij als schrijver bruikbaar materiaal oplevert.' Ik had toen 'Leuk voor je' moeten zeggen en me bij de eerste gelegenheid uit de voeten moeten maken, maar op dat moment dacht ik nog dat ik veel van Robin kon leren. Als schrijver. Als non-conformistisch denker. Wat ben je ook een muts, Horspool.

Ik durf te wedden dat het een heel aparte ervaring voor Robin is om eens niet zelf het moment te kunnen kiezen, nu ik hém aan de kant heb gezet.

Ik liep namelijk van begin af aan onbewust vooruit op het moment dat ik zou worden afgedankt. Ik was niet zo dom en blind dat ik niet uit de verhalen over zijn exen had opgepikt wat me boven het hoofd hing.

'Je zou op het Edinburgh Fest niks aan me hebben, dat kan ik niet van je vragen, de comedyconferentie slurpt al mijn energie op. We kunnen dan allebei beter de ander de vrijheid gunnen zolang het duurt, en maar ontdekken of we elkaar weer vinden.' (Vertaling: hij had wel oren naar het uittrekken van de tuinbroek van een kleine, tengere Amerikaanse vrouw met een grote mond die op dezelfde avond in The Pleasance speelde als hij, en drie weken droogstaan is lang als je iets in New Town hebt gehuurd. Maar mocht hij zich vervelen en om een wip verlegen zitten als hij weer in Sheffield was, dan kon hij mij natuurlijk gewoon bellen. *Daar gaat ze chill mee om, ze is ook echt chill.*)

Hij ziet dit ongemak dat hem heeft overvallen aan voor een gebroken hart.

'Ik kan mijn ogen niet van je afhouden, Georgina,' zegt Robin zacht als ik hem zijn wisselgeld geef. Dat ergert me zo dat ik uit mijn rol val en snauw: 'Inderdaad, doe eens niet.'

Het valt me nu pas op dat Lucas achter ons staat, en ik zie dat hij meeluistert. Ik vervloek Robin in stilte.

'Alles in orde?' vraagt Lucas aan mij, en ik zeg zo snel: 'Ja hoor, prima,' dat het ook bijna als een snauw klinkt.

Als Robin een vrouw was, zouden mensen hem een wraakzuchtige heks en dit gestoord obsessief gedrag vinden. Maar bij een man, een kunstenaar zelfs, is het nobel lijden, en dat maakt me zo vreselijk pissig. Materiaal genoeg voor een droefgeestig derde album, want o, zijn bloedend hart.

Als er een andere klant opduikt, zeg ik nadrukkelijk 'Zeg het eens' en doe een stap opzij.

Robin gaat weer zitten, en ik zie dat de man met het FAC 51-shirt op hem is afgestapt, met een maat achter zich aan. Nee toch. Een selfie? Handtekening op een bierviltje? Joviale grappen, handen schudden, wederzijds schouderkloppen?

'Die hebben Robin McNee ook herkend!' sist Kitty opgewonden. 'Lucas, jij weet wel wie dat is toch?'

'Ik heb eerlijk gezegd geen idee,' zegt Lucas, en uit de manier waarop hij naar me kijkt, blijkt duidelijk dat hij heeft opgevangen wat Robin tegen me zei.

Een kwartier later staat Robin weer op en bestelt wankelend de vijfde ronde, gezwollen van dit onverwachte bewijs voor zijn status als beroemdheid, en van zijn speciaalbiertjes. Terwijl ik zijn glas vol tap, hangt hij als tragische figuur aan de bar met zijn hoofd in zijn handen.

'George. George. Eén drankje. Drink één drankje met me, meer vraag ik niet. Meer heb ik niet nodig. Als je na één drankje zegt van nee, laat ik je voor altijd met rust. Erewoord.'

Kitty's glossy gestifte mond valt wijd open als ze dit hoort. Ik zet het glas weg.

'Maak jij het even af?' vraag ik zacht aan Kitty, en dan excuseer ik me om even naar het toilet te gaan.

Zodra ik terugkom, zit ze op mijn nek.

'Vroeg Robin McNee je nou mee uit? En jij zegt néé?'

'Klopt.'

'Niet eens om een keer te proberen?'

'Nee.'

'Is hij je type niet?'

Vanuit mijn ooghoeken zie ik Robin in beweging komen, en als ik me aan een directe blik waag, blijkt hij een stoel tot midden in de ruimte te hebben getrokken waar hij nu moeizaam op klimt.

Ik maak hem af. God zal me liefhebben, maar ik bega straks echt een moord.

'Dames en heren, mag ik even uw aandacht,' zegt Robin, die om zijn evenwicht te bewaren wappert met zijn armen alsof hij met pech langs de weg staat en hoopt dat er een auto stopt.

Ik voel iets opwellen, maar het blijft steken bij de constatering dat dit zo'n moment is dat er Iets Moet Gebeuren. Maar wat? Ik kijk naar Kitty, die als betoverd toekijkt.

Het wordt meteen stil. 'Dank u wel. Ik heb uw hulp nodig...'

Lucas komt de keuken uit met zijn telefoon in zijn hand en blijft staan als hij ziet dat er opeens een man in zijn kroeg aan stand-up doet, boven op een stoel.

Ik word misselijk. Het liefst zou ik krijsend op Robin afhollen en hem met geweld van die stoel sleuren. Maar dat kan niet. Ik kan me niet in deze act mengen. Als ik nu aan Robin ga staan sjorren wordt het Thor de Stripper Deel Twee, maar dan zonder hamer of string.

Eén keer op je werk slaags raken met een man kan je nog als een ongelukje beschouwen, maar twee keer riekt toch naar on-zorgvuldigheid.

'Deze fantastische vrouw hier, Georgina heet ze...' Zijn arm zwabbert als hij naar me wijst. Iedereen kijkt. 'Is ze niet mooi?'

'Ja!' kirt Kitty, en als ik haar aankijk en met mijn hoofd schud, zegt ze geluidloos 'Sorry'.

'Robin, hou op,' zeg ik tegen hem, met alle ingehouden woest-heid die ik in mijn stem kan leggen zonder die echt te verheffen. 'Ik meen het. Kom van die stoel af.'

Ik voel me zo machteloos als je je na je kindertijd zelden nog voelt, zoals die keer dat ik in de stad mijn haaienballon losliet, rond mijn zevende. De heliumballon vloog weg, en ik deed echt mijn best om te geloven dat hij vast nog als door een wonder

ergens aan zou blijven haken en dat iemand hem dan bij me terug zou brengen, terwijl ik wist dat die ballon die daar op de
thermiek wegdanste voor mijn ogen voorgoed in het niets zou
verdwijnen. Die rotballon is Robin, al zou ik nu eerlijk gezegd
juichen als hij werd geëlektrocuteerd door een hoogspannings-
kabel ergens ver weg.

Hij richt zich tot de aanwezigen: 'Ik wil de welwillende clientèle van The Wicker verzoeken mij te steunen.'

Ik geloof niet dat ik Robin ooit zo erg heb horen praten als een
personage in *Blackadder*, maar wie weet liet ik dat het ene oor in
en het andere oor weer uit gaan, zoals zoveel.

'Ik en deze...' Hij gebaart naar mij. '...fantastische vrouw hebben zes zielsgelukkige maanden met elkaar beleefd. Totdat ik het
een tijdje geleden verknalde door naar bed te gaan met mijn as-
sistente. Georgina betrapte ons. Op heterdaad. In flagrante de-
licto.'

Ik durf niet op of om te kijken. Ziek van schaamte ben ik. Wat
een totale zák van een vent. Die man kickt hier gewoon op. Lucas
kijkt me fronsend aan. Ik vat zijn blik op als een vraag: *wat zal ik
doen?*

Mijn god, wat een afgang.

Ik kijk naar mijn vrienden, naar mijn zus. Ze staren met open
mond naar Robin. Twee optredens voor de prijs van één, vanavond.

Er klinkt geroezemoes in de kroeg, en hier en daar wordt gesmoord gelachen. Jezus, neemt Al dit nou op? Hij houdt zijn telefoon in de lucht en kijkt met een domme grijns toe.

'Het betekende niets voor me, die platte daad. Het ging ook
nog gepaard met sjaaltjes om elkaar vast te binden en roomijs,
als een discountversie van 9½ *Weeks*. Overigens moet ik bekennen dat ik zelf meer een man van de negenenhalve minuut ben.'

Gejoel, gelach. Zakkenwasser.

'Ik was zo stom om op het spel te zetten wat Georgina en ik samen hadden, en daar schaam ik me voor. Het was fout van me, en ik ben niet te laf om dat te erkennen en om vergeving te vragen. Georgina...' Robin draait zich naar me om. De stoel wiebelt. Al volgt de actie op de voet met een panshot. 'Ik hou van je...'

'Ahhhhh,' klinkt het uit alle hoeken. Wat zullen we nou krijgen? Trappen ze echt in deze horrorshow, verpakt als romantische Richard Curtis-scène?

'Ik vroeg haar me een tweede kans te geven, maar tevergeefs. Mag ik nu uw hulp inroepen om haar te overtuigen? Wie van u vindt dat een man die bereid is zich op deze manier bloot te geven een tweede kans verdient? Mag ik handen zien, alstublieft.'

Het blijft even stil, en dan lijken alle armen in de zaak de lucht in te gaan, behalve de mijne en die van mijn vrienden en familie. En die van Lucas.

'Ontzettend bedankt!' buldert Robin. 'U bent fantastisch. Kijk, Georgina. Zie je het?'

Kitty heeft haar arm verdomme ook opgestoken en staat als een gek te grijnzen.

'Wat zeg je ervan? Eén drankje. Eén kans, hoe klein ook.'

Ik schud van nee, en er golft een langgerekt 'Boeoeoe' door de kroeg.

'Wil je er op zijn minst over nadenken?' vraagt Robin, met zijn handen tegen elkaar alsof hij bidt.

Ben ik hier eerder vanaf als ik toegeef?

'Ik denk erover na,' zeg ik met een pokerface. Dit gevoel ken ik, al jaren: met vastberaden onverschilligheid mijn lot ondergaan, doen alsof wat ik naar mijn hoofd geslingerd krijg geen vat op me heeft, en god, wat heb ik er een schurfthekel aan.

'Yes!' Robin steekt zijn vuist in de lucht. Hij is alleen maar blij dat hij dit magere succes heeft geboekt dankzij het publiek. Denkt hij me te kunnen dwingen door me te vernederen? Nou, succes ermee. Iedereen weet nu dat ik mijn ex in een ander heb betrapt. Waarom voel ik me dan te kijk gezet, terwijl hij hier de schuldige is? Hij wil dat ik me verlaag tot zijn niveau. Ik was iemand anders hier in The Wicker, en nu ben ik alleen nog die vrouw die werd bedrogen door Robin McNee. Ik ben onrein. Robins woorden plakken aan me.

'Ik ben jullie innig dankbaar,' zegt Robin tegen zijn toehoorders. Hij maakt een lichte buiging, onder kreunend protest van de stoel, en springt dan op de grond. Hier en daar klinkt applaus. Ergens fluit een manspersoon op zijn vingers en roept dan: 'Lekker, Georgina!'

Als het gewone geroezemoes weer opstijgt, komt Robin met een triomfantelijke blos naar me toe.

'Je ziet het. Het volk heeft gesproken, net als met brexit.'

'Ga weg,' zeg ik, met het starre lachje van een buiksprekerspop voor het geval mensen kijken. 'Waar haal je het lef vandaan –'

We worden onderbroken. Lucas is uit de keuken gekomen en komt naast Robin staan. Hij tikt hem kort op de arm.

'Wil je zo vriendelijk zijn om te vertrekken?'

'Wie ben jij?' vraagt Robin. 'Wie zegt dat ik weg moet?'

'Ik. De eigenaar.'

'Waarom zou ik weg moeten?'

'Je stoort de andere gasten.'

'Die hadden het zo te zien best naar hun zin.'

'Dit is geen democratie, maar mijn verlichte dictatuur. En nu weg.'

'Kleine tip,' zegt Robin tegen Lucas, 'probeer het grote geheel te zien. Het gaat hier om een romance die de eeuwen kan doorstaan, en je kan nu nog kiezen wat jouw plaats daarin is. Zorg dat je niet de "harteloze uitbater" wordt.'

'Volgens mij zie je onze kroeg aan voor een datingapp. Kom,' zegt hij terwijl hij Robin meeneemt naar zijn jas, die over een stoel geslingerd is. Als Al overeind komt, pakt Lucas diens telefoon van tafel voordat hij dat zelf kan doen en zegt: 'Wil je die opname nog even wissen, alsjeblieft?'

'Dat maak ik zelf wel uit. Ik film wat ik wil.'

'Niet in deze zaak, en niet zonder toestemming vooraf, tenzij je een fikse boete wilt. Zeg het maar, wordt het een hoge boete of wissen?'

Snuivend, sputterend en vloekend steekt Al zijn hand uit naar de telefoon. Hij veegt over het scherm en klikt iets aan, nauwlettend in de gaten gehouden door Lucas, die als alles naar tevredenheid is afgerond het tweetal met zachte dwang naar de uitgang leidt.

'Pardon, neem me niet kwalijk.'

Ze worden onderschept door Gareth van *The Star*. 'Jij bent toch Robin McNee? Kan ik je hier misschien voor interesseren? Je zou kunnen helpen jureren!'

Gareth wappert met een flyer van Schaamte in de Schijnwerpers voor Robins neus, en die pakt hem aan.

Neeeeeeee.

'Of misschien wil je zelf iets bijdragen volgende week? De eerste avond heb je nu gemist, maar dat lijkt me geen probleem... Informele sfeer, drankje erbij, een avondje open podium, zeg maar. Je zou het ongetwijfeld heel goed doen.'

Mijn god, Gareth kruipt bijna voor hem.

'Is dat hier? Is het betaald? Weet je wie hij is?' snauwt Al de agent.

'Neem me niet kwalijk,' zegt Lucas, 'maar ik heb deze heren

net verzocht te vertrekken,' en dan stuurt hij Robin en Al zonder verdere plichtplegingen de donkere avond in.

'Die man wordt anders wel getipt voor de Perrier dit jaar, hoor,' zegt Gareth tegen Lucas als de deur weer dichtvalt. 'Dat wordt nog een grote.'

'Dat wordt hij dan maar ergens anders,' zegt Lucas, en Gareth schudt zijn hoofd.

Ik word heen en weer geslingerd tussen dankbaarheid dat Lucas zo begaan met me is om tussenbeide te komen, en het gevoel dat ik de goede naam van The Wicker heb besmeurd, en Lucas alleen gedreven werd door minachting en medelijden.

Mijn vrienden, zus en zwager, die vanaf hun tafel geen zicht hadden op wat er bij de deur gebeurde, maar wel heel goed alles rond Robins toespraak hebben meegekregen, besluiten tactvol het pand te verlaten om mij te sparen.

'Wij zouden hem scheldend en wel van die stoel hebben gegooid,' zegt Clem, 'maar volgens Jo wilde je niet dat we stennis kwamen schoppen, klopt dat?'

Ik knik, met hangend hoofd.

Esther en Mark zijn er nog niet uit hoe ze moeten kijken. Ik kan wel janken. En gillen. En Robin tot bloederige moes slaan.

Het ging vanavond om míj, om eindelijk iets doen wat lef vroeg en constructief was, en dankzij Robin die me op mijn werk dacht te kunnen vernederen is daar nu weinig meer van over.

Als iedereen is vertrokken en ik aan het opruimen ben, zie ik dat de aankondiging voor de volgende Schaamte in de Schijnwerpers op het prikbord is gehangen, met het nieuwe onderwerp.

'Mijn rottigste date'.

Lucas is bij het vuilnis buitenzetten in een hoosbui terechtgekomen, en als hij weer binnenkomt, haalt hij zijn handen door zijn druipende zwarte haren, plukt zijn doornatte T-shirt van zijn borst en laat de stof weer zwaar terugzakken. Door Robin is mijn waakvlam voorlopig gedoofd, maar ik kan nog wel genieten van dit objectief gezien prachtige uitzicht. Lucas vangt mijn blik en wijst met een knikje naar de flyer. 'Maak je geen zorgen, hij komt er niet meer in.'

'Fijn,' zeg ik. 'En bedankt dat je hem de deur uit werkte. Ik voel me nog steeds opgelaten. En woest. Maar vooral opgelaten.'

'Geen dank. Elke malloot die mijn personeel lastigvalt gaat in de ban.'

Nog een keer 'Bedankt' zeggen zou wezenloos klinken, dus ik hou het maar voor me.

'Hij is toch een malloot?' vraagt Lucas dan aarzelend, met zijn sleutelbos in de hand en Keith aan zijn voeten. 'Als dit iets à la Taylor en Burton is en hij volgende week weer je vriendje is, moet je dat nu zeggen, want dan hebben we een flexibeler toelatingsbeleid nodig.'

'Nee hoor! God, nee,' zeg ik. 'Absoluut niet.'

'Oké, dan.' Hij laat de sleutels rammelen.

Ik zie aan Lucas dat hij het voor zich probeert te zien, mij en die man die hij binnen tien seconden correct had ingeschat. Die mentale samenvoeging heeft ongetwijfeld nadelige gevolgen voor zijn mening over mij. Ik voel me verschrompelen. Het heeft ook nadelige gevolgen voor míjn mening over mij.

23

Na al die jaren werken in de horeca ben ik zo gewend geraakt aan de statische elektriciteit van seksuele aantrekking en agressie, een constante lage brom zoals van de madetanks bij de buurman, dat ik me er over het algemeen goed voor kan afsluiten.

Maar vóór The Wicker had ik nooit meegemaakt dat die energie zich richtte op een man. Lucas McCarthy liep al snel in het oog bij onze vrouwelijke klanten. Bij sommige mannen ook, wellicht, maar die liepen er dan minder mee te koop.

Er worden bierviltjes met telefoonnummers over de bar geschoven. Tegen sluitingstijd worden in kennelijke staat openlijk oneerbare voorstellen gedaan. Groepjes meiden komen smiespelend en giebelend binnen, gehuld in een walm van goedkope bloemige parfums, en kiezen net dat ene tafeltje dat het beste uitzicht biedt. Kitty en ik krijgen vaak vragen als 'Wie is hij?' en 'Heeft hij een vriendin?', of teleurgestelde blikken bij een ontkennend antwoord op de vraag of 'die man met dat donkere haar' vanavond ook werkt.

Als Lucas het al merkt, laat hij dat niet blijken. Al die aandacht ketst af op zijn gereserveerde, serieuze uitstraling. Als hij op de man af mee uit wordt gevraagd, haalt hij zijn schouders op, glimlacht en wimpelt het af als een overduidelijk niet serieus gemeend verzoek. *Ik heb nooit vrij. Zelfde recept?*

Vandaag heeft hij de open haard achter in de grote bar weer aan de praat gekregen, na eerst de oude bonkige omlijsting te hebben gesloopt om de sierlijke authentieke details weer bloot te leggen. Dat mannelijk vertoon van opgestroopte mouwen en zware lichamelijke arbeid te midden van roetwolken heb ik natuurlijk verder niet speciaal gevolgd. Wat denk je.

Dat kan ik niet zeggen van een stel dertigplussers die volgens mij stiekem foto's van hem zaten te maken. Er gaan nu dus beelden van Lucas rond in appgroepjes, met van die kwijlende emoji eronder, en hij is daar zalig onwetend van. Ik had de neiging om hem in bescherming te nemen, wat ik maar opvat als een logische, empathische reactie van een vrouw die vaker dan haar lief is door oude slijmballen in haar kont is geknepen.

Het is woensdag, een uur voor sluitingstijd, en Lucas komt met licht vochtig haar naar beneden nadat hij boven heeft gedoucht. Hij haakt een bierflesje onder de opener, maakt het open en neemt een slok.

Met een knikje naar de flyer van Schaamte in de Schijnwerpers vraagt hij: 'Nog iets gehoord van die grappenmaker sinds zaterdag?' Om er na een korte stilte aan toe te voegen: 'Als ik mijn boekje te buiten ga, moet je het maar zeggen.'

Ik begin meteen te schutteren en mompel: 'Nee hoor, gelukkig niet.' Blijkbaar heeft Lucas aan me gedacht, concludeer ik hieruit, en ik weet niet of ik daar wel blij mee ben. Van Clem, Jo en Rav kreeg ik de dag erna een stortvloed aan berichtjes en telefoontjes die neerkwamen op LAAT HEM DE SCHIJT KRIJGEN, en een verzuchting van Jo ('Ik dacht dat ík het zwaar had met Phil'), terwijl Esther, zoals van Esther te verwachten viel, belde met de mededeling dat ik 'ze wel weet uit te kiezen'. Gevolgd door een vriendelijker: 'Ik hoor het wel als je wilt praten. Zo laat ik mijn zusje niet behandelen.' Dat is fijn om te horen, al is het dan objectief gezien onwaar.

Van Robins kant bleef het oorverdovend stil. Ik hoop – al geloof ik het nog niet echt – dat die toestand permanent zal blijken.

'Ik hoop dat je het niet erg vindt dat ik het zeg, maar hij stond me al meteen niet aan,' zegt Lucas.

'Dat heb ik gemerkt, ja. Nou, beter te vroeg dan te laat.'

Lucas wacht af of ik nog iets wil zeggen. Als vriendschappelijk gebaar, besef ik, en misschien zelfs omdat hij probeert me beter te leren kennen.

'Nog maar een keer bedankt dat je hem er zo snel uit werkte,' zeg ik. 'Het is een kwaadaardig type. Hij kan de wreedste dingen uithalen achter een heel luchthartig frontje. Alles voor de lach, zelfs als het allesbehalve grappig uitpakt voor de ander. Tja. Komieken, hè.'

Ik zie Lucas gewoon ontspannen, en hij zegt: 'Dat, ja. Dat beeld had ik precies. Ik zei al tegen Dev dat het machtsvertoon was, onder het mom van een liefdesverklaring. Hij praatte op je werk over je privéleven. Dat is een aanval.'

Ik knik driftig, terwijl mijn maag zich omdraait bij de gedachte dat die schat van een Dev het verhaal over die klotezooi ook heeft meegekregen. Dev is maandag teruggekomen uit Dublin en staat op dit moment te sleutelen aan de keukenapparatuur. Lucas en ik bemannen samen de bar.

'Zeker,' beaam ik. 'Hij wil me ook helemaal niet terug. Hij wil winnen.'

Je privéleven. Daar gaat mijn maag weer. Robin heeft ze vergast op het verhaal over Lou, over dat ik ze betrapte. Het beeld dat Lucas zo van mijn leven krijgt, lijkt op een berg brandende autobanden op een braakliggend landje.

Maar hoe waardeloos ik het ook vind dat hij erbij was toen Robin zijn toespraakje afstak, ik ben nu ook oprecht blij met een verantwoordelijke volwassene die de tijd neemt om zijn mening te vormen in plaats van meteen door te steken naar de populaire conclusie dat het allemaal aan mij ligt.

'Niet om je bang te maken, maar hij lijkt me er niet de man naar om het erbij te laten zitten,' zegt Lucas. 'Als hij ook maar iets persoonlijks heeft wat hij tegen je kan gebruiken... De aanval is de beste verdediging, wil ik maar zeggen. Dreig desnoods met een dwangbevel. Of met een honkbalknuppel.'

Heeft hij het nou over naaktfoto's? Ik voel mijn wangen licht gloeien. Lucas kijkt weg, zogenaamd om Keith aandacht te geven, en kijkend naar Lucas die expres niet mijn kant op kijkt, realiseer ik me dat hij wraakporno bedoelt. Godzijdank was Robin daar net te oud, en ik daar net te preuts voor.

Bovendien had ik al snel in de gaten dat Robin slordig was. Als iemand in staat was om per ongeluk een foto van mijn in kant gehulde billen naar de PENNINE WAY MET DE MANNEN-groep te appen, was hij het wel.

'Nee hoor, niets van bijzonder gevoelige of ontklede aard, ge-lukkig. Ik heb het niet op "belfies", zoals dat tegenwoordig heet, geloof ik.'

'Ik ken het woord al niet eens,' zegt Lucas met een grimas, 'dus ik vraag maar niks.'

'Wat je trouwens zei over die boete voor filmen, is dat echt zo?' vraag ik na een korte aarzeling. 'Toen je zijn agent zijn opname liet wissen?'

'Nee. Dit is wel eigen terrein, maar openbaar toegankelijk, dus hij stond in zijn recht. Ik dacht alleen dat je liever niet wilde dat het werd vastgelegd.'

'Haha! Het klonk anders heel overtuigd.'

'Dat is dé manier om iedereen alles wijs te maken wat je wilt.'

Ik bedank Lucas, en in dat oprechte bedankje zit ook een vleug ontzag. En de knagende vraag of mij soms net zo overtuigd van alles is wijsgemaakt.

'Klaar nou! Zo valt hier toch niet te werken!' roept Devlin boven de klanken van Ed Sheeran uit. De laatste klant is ook vertrokken, Dev heeft de keuken verlaten en het schoonmaken is begonnen. Hij loopt even weg om zich over de stereo te ontfermen, en dan schalt 'Sweet Child O' Mine' van Guns N' Roses oorverdovend hard uit de speakers.

Dev en ik kunnen goed met elkaar opschieten en samenwerken. We snappen allebei dat je niet moet gaan lopen piepen of mokken. Heb je een rotklus? Sla je erdoorheen. Van klagen zie je er alleen maar meer tegen op.

'Koel mijn kostbare kakkerfruit!' roept Dev naar me als ik de garneringen sta op te bergen, en hij gooit een Siciliaanse bloedsinaasappel op.

Ik vang hem en leg hem op de bar. 'Dat was een makkie. Volgende keer bovenhands.'

Ik voel dat Lucas naar me kijkt. Net stond hij nog op zijn telefoon te turen, nu kijkt hij naar mij. Ik krijg kippenvel.

Dev laat nog een sinaasappel vliegen, en ik duik ernaartoe en vang hem.

'Jij bent goed. Je stond zeker altijd midvoor bij volleybal?'

Ik lach. Nog een worp. En nog een vangbal.

'Ik laat jullie maar met rust,' zegt Lucas, en met een zucht maakt hij zich los van de muur en vertrekt naar boven.

Terwijl ik de tafels afneem, spoelt Devlin de lekbladen af en knalt hij de lege flessen in de flessenbak.

Als hij de kas opmaakt en ik de wijnglazen vanuit de vaatwasser terugzet op de planken, vat ik moed en zeg iets over de verschillen in temperament tussen de gebroeders McCarthy.

'Klopt hoor. Mij hoor je meer, maar Luc heeft wel ontzettend veel humor. Hij is heel droog. Droog en gewiekst, dat is Luc.'

'Weet ik, zo bedoelde ik het ook niet. Meer het hartelijke, het sociale, denk ik. Ik werk graag met hem samen hoor,' zeg ik snel, voordat de betrekkingen verzuren als dit in bottere bewoordingen bij Lucas terechtkomt.

'En Lucas is nu ook niet op zijn best,' zegt Devlin. Hij pakt een groot glas kraanwater vanonder de taps en zet het aan zijn mond.

'O?' zeg ik voorzichtig.

'Hij is niet meer de oude, nee.' Hij schudt zijn hoofd. 'Na alles wat er gebeurd is.'

Ik krijg de indruk dat Devlin – zonder een spoortje kwaadwilligheid verder – vrij loslippig is. Dat zou ook heel goed een bron van wrijving kunnen zijn tussen hem en zijn jongere broer, die tenslotte ongeveer zo loslippig is als de sfinx.

Nu moet ik het wel vragen. Zo vraagt hij erom dat ik doorvraag, toch?

'Wat dan?'

'Met zijn vrouw,' zegt Devlin, en dat laatste woord komt aan alsof hij me bij een trainingspotje onverwacht vol in de ribben raakt. Lucas. Getrouwd? Hij is een joch in een verschoten t-shirt op Dr. Martens die zijn huiswerk met mij moet maken! Hoe kan hij een vrouw hebben?

Vreemd genoeg, zeker als je bedenkt hoe knap Lucas is, heb ik tot op dit moment nooit stilgestaan bij de mogelijkheid dat hij een heuse, officiële wederhelft had. Hij kwam terug in mijn leven zonder iemand naast zich, dus ik dacht... Wilde ik dat te graag? Wie weet.

Natuurlijk had ik me voor op de lange duur wel schrap gezet voor een oogverblindende Keltische schone met haar als stroop, die heupwiegend naar de bar zou komen en met haar Ierse tongval zou vragen: 'Is Luc er ook?' En dan zou ze naar boven gaan als iemand met het recht om binnen te komen zonder kloppen. Wij zouden Lucas dan twee etmalen niet te zien krijgen, en ik zou veel tijd kwijt zijn met mijn pogingen om daar niet over na te denken. Maar zijn vrouw zou ze niet zijn. Dat waren mijn regels.

'O, is hij getrouwd?' vraag ik zo nonchalant mogelijk. Hij draagt toch geen trouwring? *Een echtgenote.*

'Ja, of nou ja, dat wás hij. Ze is gestorven. Hij is weduwnaar.'

Ik doe mijn mond open en weer dicht.

'Hersentumor,' gaat Devlin verder. 'Zomaar opeens, een jaar geleden. Acht weken na de diagnose was ze weg,' vertelt hij hoofdschuddend. 'Hij praat niet veel, dus ik weet niet wat er in die kop omgaat. Daarom wilde ik dit hier ook kopen, als afleiding voor hem, iets nieuws waar hij zich op kon storten, snap je? Hij scheldt altijd op Sheffield, dus het viel me alles mee dat hij akkoord ging.'

'Wat vreselijk, ik had geen idee.'

'Begin er maar niet over, oké?' zegt Devlin. 'Hij is geen type dat zijn ziel blootlegt en dingen deelt, en ik had het vast beter voor me kunnen houden.'

'Nee, natuurlijk, geen probleem.'

Ik doe heel onopvallend mijn best om Devlin – of iedereen, eigenlijk – niets te laten merken van mijn meer dan gemiddelde belangstelling voor Lucas, maar ik móét het nu gewoon vragen.

'Devlin? Hoe heette ze? De vrouw van Lucas?'

'Hmm? O, Niamh. We hebben onze dochter naar haar vernoemd. Compleet met die maffe Ierse spelling, dus je moet maar net weten dat je het uitspreekt als de Engelse naam Neve.'

'Wat mooi.'

Devlin knikt even, met een droevig lachje.

Er spookt zoveel door mijn hoofd dat ik even later blind voor mijn omgeving in de taxi stap.

Ik voel me nu nóg stommer over mijn reactie op het feit dat Lucas me vergeten is.

In het begin was het een en al gekrenkte trots en hartzeer, omdat hij voor mij zoveel had betekend en ik voor hem blijkbaar niet. Had ik maar beter moeten weten: eigen schuld. Maar nu zie ik dat er meer achter zat. Kinderachtige, bespottelijke eigendunk, bijvoorbeeld.

Ik vond dat hij iemand met wie hij in de laatste zomer van school wat gerotzooid had nog steeds heel belangrijk moest vinden. En ondertussen worstelde hij met de dood van zijn eigen grote liefde.

Natuurlijk is ze mooi. Ik had niet anders verwacht. Ze wás mooi, bedoel ik.

Ik staar in Niamhs warme bruine ogen, volg haar op vrolijke vakanties, bij bruiloften en op kerstfeestjes op kantoor waar ze met gespeelde verbazing haar cadeautje uitpakt. Ik heb haar nooit gekend, mijmer ik, en ook bij mij wil het er niet in dat ze er niet meer is. Het is nooit makkelijk om te moeten accepteren dat iemand dood is, maar dat bruisende en persoonlijke digitale hiernamaals van tegenwoordig maakt het nog moeilijker. Pap zou het vreselijk vinden.

Niamh online opzoeken was het eerste wat ik deed nadat ik thuiskwam uit The Wicker en het jongste liefdesbriefje van Karen had gelezen.

NAAN MET KNOFLOOK (1) VAN SHARWOOD: VERDWENEN LICHTE SOJASAUS VAN AMOY: EEN KWART VERDWENEN EN DOP KAPOT

Suggesties te over, Karen. Je zou jezelf bijvoorbeeld per ongeluk kunnen verminken bij het klaarmaken van je Pop Tarts met bosbessen.

Ik loop naar boven, ga op mijn bed zitten met mijn laptop op schoot, open Facebook en zoek op Niamh McCarthy (die naam alleen al, zo prachtig melodieus).

Ik kom meteen op een openbare herdenkingspagina terecht, met berichten en eerbewijzen die ik zo kan lezen. Lucas lijkt inderdaad geen online leven te hebben, want hij wordt nergens getagd. Op de overvloed aan foto's is hij trouwens ook niet te bekennen. Dat is wel een beetje raar.

Het is toch echt de goede Niamh. De datums kloppen, en af en toe komt Lucas' naam voorbij in posts van mensen die schrijven dat ze hem gedenken in hun gebeden en zo.

De overleden vrouw van Lucas heeft hoge jukbeenderen en een fluwelen, lachgrage mond met een uitgesproken hartvormige bovenlip. Op haar profielfoto blaast de wind haar bruinzwarte lokken tegen haar rozige wangen en is haar gulle lach op een onbewaakt moment vastgelegd terwijl ze iets gezond sportiefs staat te doen op een heuvel ergens. Er hangt een hele fotogalerij aan waar ik gebiologeerd en voyeuristisch doorheen scrol.

Als ik bij een foto kom met veel donkere vlakken zie ik mezelf weerspiegeld in het scherm. Ik lijk wel zo'n geestverschijning. *It's me, Cathy...*

Een ziekbed van acht weken. Hij moet er nog verdoofd van zijn. Zo'n schok, onvoorstelbaar.

Toen met pap hoorde ik het in één afschuwelijk telefoontje van Esther, die op de stoep van het Royal Hallamshire Hospital stond terwijl ik in de universiteitsbibliotheek zat en steeds maar 'Wat?' zei, omdat het zo obsceen en krankzinnig was wat ze zei dat het onmogelijk waar kon zijn. Esther vertelde later dat ze had willen zeggen dat pap 'in kritieke toestand' was, zodat ik niet alleen was als ik het hoorde, maar ze kon het toch niet over haar hart verkrijgen om me valse hoop te geven. Van de treinreis van Newcastle naar huis herinner ik me niets meer. En bij mij ging het nog om een ouder; hoe verdrietig ook, je wéét dat je je ouders een keer gaat verliezen. Ooit. Maar op je dertigste weduwnaar worden? Daar reken je niet op.

Niamh was 'overdag chiropodist en poëet bij nacht', lees ik. Geboren in Galway. Woonachtig in Dublin. Drieëndertig. Jezus. DrieënDERTIG. Op een foto aait ze Keith. Met opmerkingen eronder dat hij haar grote liefde was.

Ze staat er nergens ziek op; ik denk dat het daar niet lang genoeg voor heeft geduurd.

Ze staat er wel op met een kroes bier en een duim omhoog in Berlijn. En in een zomerjurk met bloemen, met opgestoken haar en haar hoofd schuin. Onderschrift: 'Bruiloft van Tara en Terry'. Knuffelend met een baby, met haar gestifte lippen in een kus op de bolle wangetjes. Onderschrift: 'Rupert is nu al gek op zijn tante Niamh!' Aan de eettafel bij iemand thuis, op zo'n 'smakelijk eten!'-foto, waar ze met haar superieure beenderstructuur uit een rij breed lachende mensen breekt, poserend rond een schaal lamsköfte.

Waar is Lucas? Wil hij niet op de foto? Ik denk dat de camera wel van hem zou houden.

O, daar: weggestopt in een mapje met vijf foto's getiteld '@Dun Laoghaire' – daar zul je hem hebben. Ik krijg even geen adem bij het zien van Lucas buiten zijn werk, in zijn natuurlijke omgeving, wat nergens op slaat omdat hij niets van me is. En vice versa.

Hij zit op een bank, met zijn arm op de rugleuning, en kijkt in de camera. De perzikkleurige, plucheachtige en ietwat ouderwetse bekleding doet me denken dat dit een ouderlijk, misschien zelfs grootouderlijk huis is. Niamh zit stralend naast hem in streepjesshirt en spijkerbroek, met haar benen over elkaar. Lucas kijkt alsof hij het lijdzaam maar beleefd ondergaat, maar daarachter zit ook iets van verbittering. Ik voel een vreemde echo van de telepathische band die we op ons achttiende hadden, toen ik echt dacht dat ik kon zien wat er in hem omging. Alleen kon je dat helemaal niet, hè, zeg ik tegen mezelf.

Christus, wat is die man toch belachelijk knap. Bijna verontwaardigd bedenk ik dat ík toch echt de eerste was die zijn bijna lichtgevende huid ontdekte, en dat inktzwarte haar, en de intensiteit van zijn blik als hij je aankijkt. Alsof een cultbandje waar ik lang geleden gek van was nu op nummer één staat en ik, hun grootste fan, verloren raak in een zee van bewonderaars.

Het is niet ondenkbaar dat hij als verse, tragische weduwnaar uit Ierland weg moest om niet onder de voet te worden gelopen.

Al mijn recente meningen over het gedrag van Lucas stel ik nu bij in het licht van dit afschuwelijke verlies. Als ik denk aan die onbeschaamde geintjes van me over zijn gebrek aan lol in het leven... Ik krimp er nu bijna letterlijk van in elkaar.

Lezend over de bruisende, alom geliefde Niamh, de zon in zijn leven die te vroeg onderging, steekt een pervers gevoel de kop op. Het is raar en kleinzielig en onredelijk en smerig, maar na een tijdje dwing ik mezelf het onder ogen te zien.

Ik ben jaloers op haar.

24

Esther, je hebt mam en G toch niet verteld over Robins gratis showtje?

Nee! Hoezo?

Ik ben ontboden voor 'koffie met gebak' en mam wil geen reden geven. Het heeft alles weg van een Goed Gesprek. Gx

Ik was het niet. Al heb ik wel gezegd dat je verhaal erg goed in elkaar zat, dus misschien willen ze je gelukwensen. ☺

AHAHHAHHAHA. Ja, VAST. X

Ik stop mijn telefoon weg en voel een kriebel van spanning. Mam mag graag commentaar leveren, maar daar doet ze normaal gesproken nooit zo cryptisch of geheimzinnig over.

Aan de overkant van de straat komt Geoffrey aan gelopen, in zijn kaki waxjas. Iets in zijn verbeten, vastberaden uitdrukking zegt me dat ik hier niet veel goeds van hoef te verwachten. Hij loopt niet ontspannen te kuieren en stapt ook niet monter voort.

'Hallo! Is mam er niet?' zeg ik argwanend als hij voor me staat.

Ik hoop nog even dat hij gaat zeggen dat ze de auto wegzet, maar ik weet ook wel dat Geoffrey zich nooit door een vrouw zou laten chaufferen.

'Die komt niet,' zegt hij schutterig.

'O? Is ze ziek?'

'Ze voelde zich niet zo lekker, nee,' zegt Geoffrey.

O, god, hebben ze ruzie gekregen? Waarom bellen ze dan niet af? De kramp schiet in mijn schouders bij het vooruitzicht van een uur sociaal doen met alleen Geoffrey. Ik had zo gehoopt te kunnen sterven zonder dat te hoeven meemaken. Met tegenzin loop ik achter hem aan de tearoom in, terwijl ik naga of ik niet ongemerkt een grimas op mijn gezicht heb die verraadt wat ik denk.

Hij laat zijn kleingeld rammelen in zijn zak en doet alsof hij uitgebreid de gebakvitrine bestudeert.

'Zeg het maar. Die kiwitaartjes zien er wel aanlokkelijk uit. Of een roomhoorntje misschien?'

'Eh...' Ik heb helemaal geen trek – wie wel, rond theetijd? – maar om mijn bereidwilligheid te tonen zeg ik dat ik wel een appelbroodje lust, en koffie.

'Ik hou het maar bij een kop thee, denk ik,' zegt Geoffrey vervolgens. Leuk. Die man is zelfs nog te beroerd om serieus mee te doen aan zijn eigen poppenkast.

Hij probeert de aandacht van het personeel te trekken door met zijn knokkels op het vitrineglas te tikken, totdat een serveerster die zo te zien op haar tandvlees loopt, opkijkt en uitlegt dat we kunnen gaan zitten en dat ze zo onze bestelling komt opnemen. Geoffreys omgang met onbekenden is niet direct onbeschoft, maar wel altijd een paar graadjes bruusker dan nodig, en daar sta ik me dan weer als een puber rot voor te schamen. Hij zou zeker weten finaal zakken voor de Oberproef.

Op weg naar een vrije tafel manoeuvreren we ons langs een man van in de zestig die de krant leest en een puddingbroodje eet, en ik moet opeens denken aan mijn uitstapjes met pap. Ik onderdruk de gedachte meteen weer, want in plaats van met pap ben ik hier met Geoffrey – de wereld is uit het lood, en het komt nooit meer goed. Alsof je de hechtingen uit een wond trekt die maar blijft wijken.

Als we eenmaal zitten en de serveerster onze bestelling heeft gebracht breek ik een stukje van mijn appelbroodje, neem een klein hapje, veeg de chocola van mijn handen met een papieren servetje en vraag me af hoe ik in vredesnaam een halfuur lang een gesprek gaande moet houden met Geoffrey.

'Is mam bij de dokter geweest?'

Geoffrey blaast in zijn thee en schudt zijn hoofd.

'Ik ga later vandaag nog wel even langs, misschien,' zeg ik.

'Nee hoor, dat hoeft niet, ze is naar bed gegaan. Morgen is ze vast weer helemaal boven Jan.'

Uit zijn nerveuze antwoord maak ik op dat mam helemaal niet ziek is. Ik ben erin geluisd. Hebben ze dit samen bekokstoofd, of heeft Geoffrey zitten jokken?

'Waar heeft ze last van?' vraag ik.

'Pijn in haar buik. Ze zou het me vast niet in dank afnemen als ik in detail treed, dat lijkt me te privé. Je moeder mag ook wel eens een dagje geen "mam" zijn, hmm?'

Dat is weer puur Geoffrey. Destilleer het en doe het achter je oren en je kunt er insecten mee afschrikken. Mijn volkomen vanzelfsprekende zorgen om mijn moeder verdraait hij zo dat ik erop sta als een veeleisend kreng.

Maar goed, hij zegt in elk geval niet dat ze 'tegen de deur aan is gelopen'. Ik vraag me even af of hij tot zoiets in staat zou zijn en besluit dat geestelijke mishandeling veel meer in zijn straatje is.

'Nu kunnen wij eens goed bijpraten,' vervolgt hij slijmerig, en dan weet ik dat ik in de val ben gelopen. *Juist goed*, zeiden ze tegen elkaar, *bla bla bla jullie band verstevigen, bla.* Ik ben meteen bokkig en op mijn hoede.

'Hoe staat het ermee?' vraagt hij.

'Prima, dank je. Uitstekend zelfs,' zeg ik met nadruk. 'En met jou?'

'Ach, tja, weet je. Z'n gangetje. Werk je nog in die ene kroeg?' Dat weet hij best.

'Ja.'

'En hoe gaat dat?'

'Heel goed. Ik heb het er erg naar mijn zin,' zeg ik. 'Het is nog een authentieke kroeg, maar met alle moderne gemakken, en zo heb ik ze het liefst. Ze hebben er echt iets moois van gemaakt. En de eigenaars pakken het volgens mij verstandig aan. Een heel verschil met That's Amore! Je kunt er ook prima eten. Soep, sandwiches, het bekende werk, maar dan ook echte kwaliteit, juist omdat ze het eenvoudig houden. Geen fusiongedoe met Thaise buffetten en Venetiaanse tapas of dat soort te hooggegrepen fratsen.'

Ik stel nog net niet voor dat ze het eens moeten komen proberen. Ik zie Geoffreys zuinig kijkende kop boven het gehaktbrood zo ook wel voor me.

'Maar kan werken achter de bar ooit écht een fijne baan zijn?' vraagt Geoffrey, en ik zet mijn stekels op. Dat is het gevaar van een-op-een: er is niemand om de vrede tussen ons te bewaren.

'Wel als het er gezellig is en je goed kunt opschieten met de klanten en je bazen.'

Geoffrey roert in zijn thee, kijkt de zaak rond en laat een tergende stilte vallen die twijfel of desinteresse moet overbrengen.

God, na vijf minuten in Geoffreys gezelschap weet ik altijd

weer hoe terecht het is dat ik hem niet mag. Dat is geen mening; ik baseer me op feiten. Ik maakte me in het begin nog zorgen of ik voor deze uitgesproken antipathie had gekozen uit loyaliteit met pap, en omdat ik zo een slim en stijlvol contrast vormde met Esthers beleid van schikken en plooien. Je wentelen in het jongste-zusje-privilege, noemt Esther dat (lees: zij doet verstandig zodat ik dat niet hoef te zijn.)

Maar het ligt niet aan mij. Geoffreys combinatie van dedain, desinteresse en onverholen minachting grenst aan het afstotelij-ke. Ik zei wel dat hij niet onbeschoft was, maar wat ik bedoel is dat hij een man is, en geld heeft, en een leeftijd die hem het recht geeft om zo onbeleefd te doen als hij wil, alsof ze hem dat als bijlage bij zijn seniorenpas hebben opgestuurd.

'De doorgroeimogelijkheden zijn er alleen niet bepaald dikge-zaaid, of wel?'

'Nou... Wie weet word ik er nog bedrijfsleider. De eigenaars komen uit Ierland –'

Maar Geoffrey luistert niet.

'Ik heb zitten denken. Wat zou je ervan zeggen als ik een baan voor je regel in mijn oude bedrijf? Secretarieel werk. Je zult mis-schien van tevoren een sneltypcursus moeten doen, maar ik weet vrij zeker dat ik het voor je kan regelen als ik mijn invloed aan-wend. Kenneth, een andere gewezen partner, heeft daar twee dochters zitten, en een van hen is ronduit verschrikkelijk. Overal piercings en de meest afzichtelijke tatoeages. Ik zie werkelijk niet waarom ze jou zouden weigeren, als je jezelf een beetje weet te presenteren. Wat denk je?'

Ik doe mijn mond al open, maar Geoffrey geeft me geen kans.

'Je moeder was razendenthousiast. Ik moest van haar zeggen dat ze je een keer mee uit winkelen wil nemen als je ja zegt. Voor een nieuw kloffie,' zegt hij, zwaaiend met een vinger naar mijn pluizige roze jas die over de rugleuning van mijn stoel hangt. 'Iets geschikts voor een vrouw die de dertig is gepasseerd.'

Nou. De aap is uit de mouw. Geoffrey is op me afgestuurd om mij ter hand te nemen. Zag mijn moeder nou echt niet dat alles aan dit opzetje even bodemloos afgrijselijk is?

'Het lijkt bijna die scène uit *Pretty Woman*,' zeg ik met een lief lachje. Ik heb hem door en dat maakt me zekerder. 'Een rijke zakenman die mij verlost uit mijn bestaan als callgirl. Wie zou daar niet dankbaar voor zijn?'

Geoffrey kijkt onaangenaam verrast en kan nog net een glim-lachje opbrengen. Ik durf te wedden dat hij denkt dat het er echt nog eens op uitdraait dat ik moet gaan tippelen.

'Het is misschien ook een goed idee om een beetje uit te kijken tegen wie je je, eh... anarchistische grapjes maakt op het werk. Niet iedereen heeft daar gevoel voor.'

Ik verman me en ga met enige moeite voorbij aan de gebruike-lijke lawine van sneren waarin Geoffrey zijn aanbod verpakt.

'Dat is heel vriendelijk aangeboden van je, en ik zal het zeker overwegen.'

'Kijk aan, ik word beleefd afgewimpeld. Georgina, kom op. Ik ben weliswaar aardig wat jaartjes ouder dan jij, maar ik ben geen halfzachte oude zemelaar tegen wie je uit de hoogte kunt doen.'

Oké. Zo dan. Ik haal diep adem. Ik wil geen ruziemaken, maar Geoffrey laat me weinig keus. Ik schuif mijn appelbroodje van me af. Er is nu geen doen alsof meer aan, bij dit gesprek.

'Wat wil je dan dat ik zeg? "Oké, bedankt, kan ik maandag beginnen en The Wicker, ach, ik app wel even dat ik niet meer kom?" Ik heb verplichtingen, ik héb al een baan.'

'Ach, hou toch op. Alsof je onmisbaar bent voor zo'n zuipkeet! Nee, natuurlijk, dat wordt nog een hele zoektocht door gans Yorkshire om iemand anders te vinden met opponeerbare duimen die ook nog in staat is om een glas op een plat vlak te zetten en muntjes te tellen. Een talentenjacht, net als dat televisieprogramma. *Soda Pop Idol!* Hahaha.'

Het pruttelde al, maar nu kookt mijn bloed echt. Waar haalt die man het gore lef vandaan?

'Ik heb ook een voorstel, Geoffrey. Behandel me eens als een intelligente volwassene en toon een beetje respect. Dan doe ik dat bij jou ook en dan zien we wel waar we uitkomen.'

'Dat kan wel eens moeilijk worden, beste meid, aangezien jij jezelf niet eens met respect behandelt. Dertig jaar oud, zonder kwalificaties, geen nagel om je gat te krabben, zet de boel op stelten in de stad alsof je nog achttien bent, komt thuis bij je ouders met ongeschikte vrijers. Je moeder maakt zich echt zorgen om je, weet je. Je bent alleen maar met jezelf bezig.'

'O ja?' bijt ik terug. 'Wat sneu. Ik maak me ook best zorgen over haar.'

'Die stijfkoppige, dwarse houding, ook zoiets. Waarom luister je niet als mensen je proberen te helpen? Je bent nog niet te oud om het roer om te gooien, maar dan moet je wel zo zachtjes aan in de benen komen.'

Ik sta op en pak mijn spullen bij elkaar, inclusief de aanstootgevend goedkope roze jas.

'Geoffrey, bedankt voor de moeite, maar dat ik niet naar je luister is omdat je ongelooflijk laatdunkend en naar bezig bent en denkt dat je het recht hebt om tegen mij te zeggen dat mijn leven een puinhoop is.'

'Is dat dan niet zo?'

'Ach, krijg toch de schijt, man.'

Geoffrey verschiet van kleur en wordt diep donkerrood.

Aan de ogen die onze kant op draaien leid ik af dat aan alle tafels om ons heen wordt meegeluisterd.

'Waag het niet om nu weg te lopen. Daar krijg je spijt van, dat kan ik je wel vertellen,' sist Geoffrey, met dreigend gefronste wenkbrauwen. In Geoffreys wereld geven vrouwen hem nooit weerwoord.

'Denk je verdomme dat je mijn vader bent of zo?' zeg ik. Nog even en ik heb mezelf niet meer in de hand.

'Nee, zeg. God bewaar me.' Geoffrey deinst overdreven terug. 'Ik ben meer mans dan die nietsnut van een vreemdganger ooit is geweest.'

Ik loop zonder een woord de deur uit, wat Geoffrey daar ook van denkt. Hij zou het niet van me aannemen, maar alles is beter dan wat ik nog tegen hem zou zeggen als ik bleef.

Mam wist het dus van de verhouding. Fijn dat ik daar zo achter moet komen. Voor hetzelfde geld wist ik nog helemaal van niks, maar dat zal Geoffrey natuurlijk worst zijn. Mijn hartgrondige afkeer voor die man is bij deze opgeschaald naar haat.

25

Als ik op dubbele snelheid naar huis race, zweterig van de inspanning en de verontwaardiging, speel ik het treffen nog eens voor mezelf af en loop ik alvast vooruit op de tsunami aan ophef die dit in de familie gaat veroorzaken.

Ter hoogte van Cobden View Road komt opeens een gesprek bovendrijven dat ik totaal vergeten was.

Het was niet een van de hoogtijdagen van onze romance; geen dag die een plaats zou verdienen in het overzicht van absolute hoogtepunten. Achteraf kwam daar voor Lucas natuurlijk geen seconde voor in aanmerking, maar ja. Zelfs voor mij was het een pauzenummer, zomaar een moment tussen grote momenten in waarin niets bijzonders gebeurde, wat ook verklaart waarom ik het me nu pas weer herinner.

We waren in de hortus en het was snikheet, zo'n drukkende warmte dat de bijen er dronken van klinken. Lucas en ik werden geacht na te denken over Edgar Linton: is hij een sympathiek personage? Wordt hij gebruikt door Cathy om Heathcliff te pijnigen?

'Wat een ontzettende mannenvraag,' zei ik, terwijl onze aantekeningenblaadjes in de ringband ritselden in een welkom briesje. 'Alsof je alles wat Cathy doet alleen kunt zien door de bril van wat Heathcliff voor haar voelt. Ik kan daar dus niks mee. Voor mijn gevoel wordt alleen Cathy verantwoordelijk gehouden voor slechte keuzes. Zij is verplicht hun liefde in leven te houden voor hen allebei.'

'Zij is anders wel degene die ervandoor gaat, voor een ander valt en met hem trouwt terwijl ze weet dat ze meer van Heathcliff houdt. Dan steek je toch een behoorlijke spaak in het wiel als verantwoordelijke zielsverwant.' Dat de jongen achter die stille, teruggetrokken façade op school zo welbespraakt en uitgesproken was, had me veel duidelijk gemaakt. Ik was er altijd van uitgegaan dat de hardste schreeuwers ook het meest te melden hadden.

'Maar Heathcliff wordt een soort monster, en het lijkt net alsof dat haar schuld is.'

'Volgens mij denkt hij dat hij nooit zoiets zou doen. Hij zou zich nooit het hoofd op hol hebben laten brengen door een ander, zoals zij, en die zwakte kan hij haar niet vergeven. Het drijft hem letterlijk tot waanzin. Hij wordt gek doordat hij weet dat zíj wist dat ze er verkeerd aan deed en toch doorzette. Hij kan haar gedachtegang niet volgen.'

'Dat zei mijn vader ook toen hij mijn moeder rijlessen gaf.'

Hij lachte wel, maar het was een terecht lauwe lach voor een lui inkoppertje.

Na een discussie van zeker een kwartier over de subtekst van de opgegeven tekst gingen we over op een verkenning van de grenzen van wederzijds friemelen en de reikwijdte van vingertoppen onder bovenkleding met betrekking tot de belangrijkste anatomische doelgebieden.

Zodra het te opwindend werd, maakte een van de twee zich los en probeerde die weer een gespreksfase af te dwingen. Deze keer was dat Lucas. Ik zie zijn verbleekte rode Converse-gympen nog voor me, met die groezelige veters, en ik voel mijn hoofd op zijn schouder liggen en zijn arm om me heen.

Waarom smaakte hij zo goed en rook hij zo verleidelijk? Die klik, de 'chemie' waar mensen het altijd over hadden, bleek dus meer dan het ad rem vliegen afvangen en bekvechten in de screwballcomedy's uit de jaren veertig. Het was oerdrift.

Hij bromde iets met zijn lippen in mijn kruin, en ik zei: 'Wat? Ik verstond je niet.'

Lucas maakte zich los. 'Dat je zo teer bent, zei ik.'

'Teer?'

Dat leek me geen woord voor een achttienjarig manspersoon, en toen ik hem aankeek, zag ik dat Lucas zich daar ook bewust van was.

'Alsof je tengere botjes hebt,' zei hij toen en hij krulde zijn vinger en duim om mijn pols.

Daar keek ik verrukt van op.

'Mijn moeder noemt me altijd "bolle",' zei ik, waarop Lucas in lachen uitbarstte.

'Echt? Voor de grap of zo?'

'Nee hoor, ze zegt wel meer van die dingen.'

'"Bolle", dat zeg je van beren. Beertje Paddington is een bolle.'

'En mijn neusbrug is te breed om als "klassieke schoonheid" te kunnen gelden, schijnt het.'

Een paar weken eerder zou ik dit nooit zo tegen Lucas hebben gezegd, voor het geval ik in zijn hoofd Meisje Grote Gok zou worden. Maar verliefd worden is meedenderen in een op hol geslagen trein, en dat gaf me steeds meer vertrouwen dat hij me mooi vond zoals ik was. Ik wilde ook dat hij alles van me wist, en zo won 'interessant zijn' het hier van de schaamte over die sneren. Er kwam dus nog steeds wel ijdelheid bij kijken.

Lucas tuurde fronsend naar mijn neus. 'Wie zegt nou zoiets? Ook al had je een neus met formaat schoen, wat niet zo is, dan nog is het raar en onaardig om zoiets tegen je kind te zeggen.'

Ik deed mijn moeder na en zei: 'Je bent knap, Georgina, maar geen schoonheid, dus je moet niet denken dat je daar een leven lang op kunt leunen. Wees aardig tegen mensen en hou er rekening mee dat je zult moeten werken voor wat je hebt. Mannen gaan al snel om als er iets beters voorbijkomt.'

'Wat? Dat is... Gadverdamme,' zei Lucas. Hij meende het echt, namens mij, en ik had meteen spijt dat ik het had verteld. De dag dat ze dat zei, was mijn moeder in een heel erg slecht humeur geweest. Ik had er niet bij stilgestaan dat Lucas haar hoogstwaarschijnlijk niet meer aardig zou kunnen vinden nu ik haar had afgeschilderd als Joan Crawford in *Mommie Dearest*.

'Waarom zegt je moeder dat soort dingen?'

Ik zag dat het hem echt raakte. Dit moest wel een Grote Liefde zijn, besloot ik. Ik moest denken aan *Othello*, het Shakespearestuk dat we vorig jaar op school hadden behandeld, en dan met Lucas als Desdemona. 'Zij hield van mij om mijn doorstaan gevaar / en ik van haar omdat het haar zo aangreep.' Ik stond er niet bij stil dat *Othello* een tragedie is.

Ik trok mijn knieën tegen mijn borst en zei met geleende volwassen weltschmerz: 'Het is een generatieding, die hele manier van denken. Ze was vroeger echt een "beauty", heeft nooit gewerkt en is al op haar eenentwintigste getrouwd met mijn vader. Zij denkt dat mijn uiterlijk bepalend is voor de kansen die ik in het leven krijg, omdat dat voor háár zo was. Trouwen met een man die goed in de slappe was zit en kinderen uitpoepen, meer is er niet.'

Ik zuchtte eens diep. Zelfs met Jo had ik het hier nooit echt over gehad.

'Ze is niet gelukkig met pap, maar ze gaat niet bij hem weg omdat ze geen gescheiden vrouw van vijftig plus op een flatje driehoog-achter wil worden. Dat roept ze soms zelfs letterlijk als ze ruziemaken. Ze kan het verder ook niet helpen. Ze haalt zo naar me uit omdat ze denkt dat ze me moet waarschuwen, zodat ik niet net zo eindig als zij.'

Een tijd lang keken we alleen zwijgend voor ons uit.

'Ze kan er best wat aan doen,' zei hij toen.

'Ze heeft verkeerde keuzes gemaakt en daarom is ze ongelukkig. Ongelukkige mensen reageren zich op anderen af.' Het verbaasde me dat ik dit allemaal wist. Lucas kon ervoor zorgen dat ik met verbazing naar mezelf keek.

'Als ik een keus zou maken waar ik ongelukkig van werd, zou ik die keus ongedaan maken,' zei Lucas, 'en het niet op iemand anders afreageren.'

Daar was ik het mee eens, en we keken elkaar aan en koesterden ons in de stelligheid en eenvoud van onze overtuiging.

Na de vierde gemiste oproep van Esther krijg ik een appje met **Waarom negeer je me, ik heb toch niks gedaan?**, en dan krijg ik medelijden. De volgende ochtend bel ik haar op weg naar mijn werk.

'Hoi.'

'Hè hè, eindelijk!'

'Ik ben op weg naar The Wicker om te werken, dus over een minuutje ben ik weer weg.'

'Komt dat even goed uit.'

'Esther, als je me gaat afzeiken kun je beter meteen ophouden, serieus. Ik wil die klootzak nooit meer zien.'

'En dan hebben we het over Geoff?'

'Dan hebben we het over Geoff.'

'Wat is die herrie?'

'Iemands terriër en een bus.'

Ik neem een rustiger route, en Esther zegt: 'Ik vergeet steeds dat je geen auto hebt.'

'Je lijkt Geoff wel!'

'Weet je, ik snap dat het tegen het zere been was. Ik snap dat je knorrig bent, dat zou ik ook zijn. Maar hoe rot het er ook uit kwam, het was goedbedoeld –'

'Als je met goede bedoelingen gaat gooien om hem uit het verdomhoekje te halen, heb ik er ook nog wel een paar. Ik kwam voor een taartje en kreeg er een vol in mijn gezicht. Hij zei dat ik een dom wicht was en een puinhoop van mijn leven had gemaakt.'

'Je hoeft niet tegen mij tekeer te gaan. Ik probeer de partijen bij elkaar te brengen.'

'Wie zich neutraal opstelt bij onrechtvaardigheid staat aan de kant van de onderdrukker!'

'O, god, heb je weer te veel op Twitter rondgehangen?'

Esther lacht, en ik grijns tegen wil en dank in mijn telefoon. Ik had verwacht dat ik al mijn ergernis eruit zou gooien tegen haar, maar het scheelt dat ik er al een nachtje over heb kunnen slapen.

Ik voel me murw, maar nu het stof neerdaalt, hoef ik Esther niet meer zo nodig te misbruiken als boksbal en verlengstuk van die twee. Ik wil haar als bondgenoot. We denken er dan wel niet precies hetzelfde over, maar misschien is dat juist goed.

Een gesprek met mijn moeder is nog een stap te ver voor me. Ik hoef haar verklaringen nu nog even niet te horen. Ik ben nog niet zover dat ik die kan accepteren.

'Weet je wat nog het hardste aankwam?' zeg ik. 'Hij had het gore lef om te zeggen dat ik mam zoveel kopzorgen geef. Waar haalt hij in godsnaam het recht vandaan? Ik zei maar niet dat wij ons ernstig zorgen maken over onze moeder omdat ze is getrouwd met een vieze oude manipulator.'

'Ja, ik zei al tegen mam dat het ontzettend stom was om Geoffrey als boodschapper te gebruiken. Volgens mij was dat eerst ook niet het plan, maar trok hij het naar zich toe.'

'Goh, je verwacht het niet, hè?'

'Dat hij die baan kon aanbieden gaf hem de overhand, denk ik.'

'Je moet er toch niet aan denken dat ik daar ga werken? Met hem om de baas over me te spelen, me op mijn nummer te zetten... Hij wil me gewoon in zijn macht krijgen, net als mam.'

'Ja. Dat is vragen om moeilijkheden, dat zei ik ook al tegen mam.'

Ik zeg maar niet dat een flinke dosis van mij voor Esther ook al vragen om moeilijkheden is.

'Mag ik je iets in overweging geven waar je misschien niet zo bij stilstaat?' vraagt Esther. 'Mam heeft ons nodig.'

'Dat weet ik.'

'Nee, écht nodig, Gog. Volgens mij is hun relatie op zijn minst potentieel gewelddadig, en als ze ooit nog de kracht wil vinden om de confrontatie met hem aan te gaan, helpt het niet als ze ondertussen ook nog oorlog moet voeren met haar dochters, over hem.'

'Denk je dan dat...'

'Dat hij haar slaat? Nee, dan was ik nu een interventie aan het plannen. Er zijn meer manieren om iemand te mishandelen.'

'Wat moet ik volgens jou dan anders doen?'

'Geoffrey zoet houden, en verder pappen en nathouden. Er staat meer op het spel. Hij verandert niet meer en hij is nou eenmaal onze stiefvader, daar doe je niets aan. We kunnen wel mam steunen en haar helpen inzien dat ze zich niet door hem hoeft te laten koeioneren omdat zijn naam toevallig op de creditcards staat.'

Ik sta intussen voor de deur van mijn werk en schuif de groezelige manchet van mijn poezelige roze jas omhoog om op mijn trendy vintage oftewel goedkope plastic horloge te kijken.

'Ik weet het niet hoor. Jij hebt een hoofd voor dit soort dingen, Es, maar het lijkt me sterk dat het veel gaat uitmaken als ik doe alsof ik niet van hem kots.'

'Dat denk je maar. Hij is heel gevoelig voor vleierij. En jij kunt heel overdonderend zijn als je je best doet, ook als je er niets van meent.'

'Geoff heeft daar een andere mening over!' roep ik met een schamper lachje. 'Die gelooft niet eens dat ik me charmant kan voordoen.'

'Luister, ik ben van het hoofd en jij bent van het hart, en ik hou over het algemeen heel veel van jou en van je hart, maar nu vraag ik je om vanuit je hoofd te reageren en dat van Geoffrey te slikken.'

'Sorry, Es, maar Geoffrey en slikken in één zin...'

'GEORGINA! Gadver!'

'Waarom trakteert die man zichzelf niet op een fijne hartaanval? Als we hem nou met kerst extra veel cognacboter voorzetten en hem aanmoedigen om een midlifecrisis-Harley te kopen?'

'Midlife? Dat zou betekenen dat Geoffrey 134 wordt.'

'God bewaar me. Geconserveerd in zijn eigen venijn.'

'Wil je in elk geval opnemen als mam belt? Ik word gek van haar.'

Bij dat vooruitzicht voel ik mijn keel pijnlijk dichtknijpen.

'Dat trek ik nog even niet. Geoffrey zei ook echt valse dingen over pap,' gooi ik eruit. Ik kan Esther de details niet geven, maar ik wil dat ze begrijpt hoe diep mijn boosheid zit.

'Wat zei hij dan?'

'Dat hij een nietsnut was en...' Ik kan zo snel geen alternatief voor 'vreemdganger' bedenken dat wel dezelfde impact, maar niet dezelfde betekenis heeft. '...dat hij een slechte vader en echt-genoot was en sowieso niets voorstelt naast Geoffrey.'

'Hmm. Dat was nergens voor nodig, maar hij heeft vast mams –'

'Praat het nou niet goed. Hij zat pap recht in mijn gezicht af te breken en daar is geen enkel excuus voor.'

'Je kunt toch echt niet zeggen dat pap echtgenoot en vader van het jaar was, Gog, en ik mis hem ook hoor.'

'Weet ik, maar wíj mogen dat soort dingen zeggen. Die crypto-fascist met zijn plakhaar moet zijn mond over hem houden.'

Daar lacht Esther hartelijk om, en ik voel me al stukken beter. We sluiten af, ik zet mijn telefoon uit, sjor de deur open en loop meteen tegen de donkere, immer beschuldigende blik van Lucas McCarthy op.

'Goedemiddag,' zegt hij. Hij zet een koffiemok aan zijn mond en neemt een slok. 'Alles goed?'

'Jawel.'

Was dat een veelbetekenende blik of verbeeld ik het me? Be-doelde hij iets met die vraag? Kon hij me horen praten buiten? Weet hij dat Devlin me over Niamh heeft verteld?

Dit is de eerste keer dat ik Lucas weer zie sinds die onthulling. Ik had me voorgenomen om anders tegen hem te doen, maar nu bedenk ik dat Lucas wel zou hebben verteld dat hij weduwnaar was als hij wilde dat ik hem als weduwnaar behandelde, en dat ik dat moet respecteren door te doen zoals ik altijd doe.

Dev duikt naast hem op, letterlijk, alsof we in een sitcom zitten – blijkbaar was hij onder de bar met iets bezig – wijst naar mij en zegt: 'O, o, daar zit een drolletje dwars.'

Ik weet even niet wat ik moet zeggen, tot ik me realiseer dat hij naar Keith wijst, die zich om het hoekje heeft verschanst.

'Nee hoor, dat is gewoon zijn manier van zitten. Of had je het over Georgina?' zegt Lucas, en Devlin barst in lachen uit.

'Ik kan wel even een blokje met hem om?' zeg ik, om de aandacht af te leiden van mij en poepen, en ik pak Keith bij zijn halsband.

'Nee!' roept Lucas meteen. 'Dat hoeft niet,' zegt hij erachteraan, 'ik ga zelf wel even.'

Hij komt achter de bar vandaan, klikt de riem vast en zegt: 'Ga je mee, oude jongen? Ome Devlin zit je zwart te maken. Zullen we maar een luchtje gaan scheppen?'

Even later valt de deur achter hen dicht, met achterlating van een werveling van citrusachtige aftershave en natte hond (een pittige geurencombinatie die me beter bevalt dan je zou denken).

'Hij geeft die vlooienbaal niet graag uit handen,' zegt Dev dan. 'Dat moet je niet persoonlijk opvatten,' en dat maakt het nog erger omdat het blijkbaar ongewild levensgroot op mijn voorhoofd staat hoe persoonlijk ik het opvat.

Met de herinnering aan die middag in het park nog in mijn achterhoofd hoop ik heel hard dat ik nooit dronken word en iets tegen Lucas brul als: *Er was anders een tijd dat je maar wat graag had dat ik met mijn handen aan* HEEL WAT MEER *zat dan alleen je hond!*

26

'Wat ik dus probeer te zeggen is dat ze me in het hokje voor maandag tot en met woensdag heeft gestopt. Voor donderdag tot en met zaterdag ben ik te min. Ik krijg geen priority boardingpass.'

Terwijl Jo mijn haar doet, legt Clem ons uit waarom haar min of meer vriendin Sadie een min of meer vriendin is, afhankelijk van wanneer zij voorstelt om elkaar te zien. Het is me wat met die chicanes en intriges in het wereldje van de vintagemode.

'Het kan toch dat ze alleen die dagen tijd heeft?' zeg ik.

'Pff, echt niet. Ze gaat elk weekend uit. Ik zie de foto's waarin ze is getagd gewoon voorbijkomen. Kijk, iederéén heeft tweederangs- en derderangsvrienden, daar gaat het niet om, maar laat me dat niet zo duidelijk voelen, begrijp je? Dan heb je gewoon geen stijl.'

Clem betoogt wel vaker vol overtuiging dat iederéén zus of zo doet of iederéén stiekem dit of dat denkt. Dat vond ik altijd erg intimiderend, totdat ik doorkreeg dat ze graag overdrijft. Net als met haar kleding. Ze zit nu met hoog opgekamd haar, dik met kohl omrande ogen, gekruiste benen en goudkleurige tapschoenen aan haar voeten in een Afghaanse jas te vapen tot we bijna verdwijnen in een wolk stoom met vanillegeur.

'Je ziet er trouwens magnifiek uit, Clem. Welke stijl is dit?'

'Dank je. Mijn stijl voor vanavond is Anita Pallenberg die eind jaren zestig, begin jaren zeventig met Keith Richards vanuit New York aankomt op Heathrow met een meegesmokkeld blokje hasj in haar tas.'

Er hoort altijd een verhaal bij. 'Michelle Pfeiffer in *Scarface* als ze weer terug is in Tulsa om af te kicken', 'Miss Moneypenny op de begrafenis van Bond, terwijl ze weet dat hij niet dood is', enzovoort.

Ik ben blij dat ik Clem heb leren kennen toen ik in de twintig was, want nu zou ze me veel te veel schrik aanjagen. Je gaat met de jaren toch steeds meer risico's mijden.

We hebben wel een goede invloed op Clem, denk ik, en dat geldt andersom ook. Ze is als citroensap en zout voor de kleffe eensgezindheid waar Jo en ik maar al te makkelijk in vervallen, en wij houden haar weg van al even magere en langbenige 'influencers' die elkaar de godganse dag de loef afsteken en onderuithalen. Haar uiterlijk en instelling maken Clem wel lid van die club, maar vanbinnen hoort ze er absoluut niet bij.

Het lijkt me sowieso verschrikkelijk vermoeiend om mee te moeten draaien in die primadonnacompetitie. Een groot voordeel van professioneel onderpresteren is dat je ze nooit tegen hoeft te komen.

We zitten in Jo's kapsalon omdat ze er weer eens op stond om mijn en Clems kapsels te wassen en stylen voor een avondje uit. Ravs eenendertigste verjaardag kwam officieel in aanmerking voor die behandeling. Clem heeft deze ronde gepast omdat ze voor de net-uit-bed-look gaat. 'Coupe trans-Atlantische vlucht, met een sneeuwstorm van droogshampoo toe.'

Jo houdt wel van een uitdaging, dus ik heb een haarspeld meegebracht in de vorm van een druppelboeket met bloemen, klimop, glitters en paarlemoer die ik een keer in Clems boetiek heb gekocht, en ik heb Jo gevraagd om een bijpassend kapsel.

'Ik ben zo gek op dat haar van jou,' zegt Jo terwijl ze met die typische stilistenbeweging haar vingers door mijn haar haalt en twee lokken van voren straktrekt om de lengte te beoordelen. 'Van dat goudglanzende kindsterretjesblond dat echt zeldzaam is tegenwoordig.'

'Ja, als ik dat zie, wil ik ook weer aan de waterstofperoxide,' zegt Clem, die toekijkt terwijl Jo met snelle polsbewegingen tovert met haar platte borstel en föhn.

Jo's salon ligt tussen Crookes en Broomhill in en heet – hou je vast – The Cut and Snark. Ik weet nog dat de lening net rond was en het huurcontract was getekend en ik zeker wist dat ze met die slappe woordspeling meteen haar doodvonnis had getekend. Ik bedoel, fish-and-chipszaken met namen als Northern Sole en de Codfather en zo, allemaal leuk en aardig, maar...

'Dat is echt geen goed idee. Noem je zaak dan meteen De Botte Schaar, of Knippen en Sneren! Zo klinkt het alsof je de klanten de hele dag staat te beledigen.'

'Het betekent dat je overal over mag mopperen terwijl je wordt geknipt. Klets maar van je af! Gooi het er maar uit!'

'Jo, serieus, doe het niet. Dit is als een slager die zichzelf Eet Mijn Worst noemt of zo.'

'Dat is heel iets anders, want dat gaat over een penis, toch? Dit is niet smerig.'

Ik schudde moedeloos mijn hoofd. Ze bleef erbij.

Dat is nu zeven jaar geleden, en het zit elke dag mudjevol bij The Cut and Snark. Studenten blijven staan om een foto te maken van het naambord, en elk jaar als in augustus de nieuwe studielichting aankomt, kom je haar salon online overal tegen.

Ik blijf erbij dat het geen slimme zet was, maar Jo is zo gastvrij en zo goed in haar werk dat de naam niet meer uitmaakt. De ene helft van haar klanten komt voor het gewone wassen, knippen, föhnen en de andere helft zijn eerstejaars die het roer radicaal omgooien en hun lange lokken verruilen voor een opgeschoren roze met blauwe unicorncoupe.

'Denk maar aan de Pet Shop Boys of *corndogs*,' zei Rav toen Jo een huis kocht, en onze angst voor commerciële zelfmoord overdreven was gebleken. 'Als het product maar goed genoeg is, sta je niet meer stil bij de naam. Een naam is alleen een ingang. Een poort naar plezier.'

'Corndogs zijn géén poort naar plezier,' zei Clem.

'En jij kunt niet zeggen dat je werkelijk leeft,' zei Rav.

Ik vertel Clem en Jo over Geoffrey en wat hij tegen me zei, met weglating van hetzelfde detail over pap als tegen Esther.

'Dat meen je niet,' zegt Jo met een mond vol schuifspeldjes. Het is echt magistraal hoe ze mijn haar naar binnen draait en vastzet. 'Zei hij echt dat je leven één grote puinhoop is?'

'Ja, echt. Maar alles kan nog goed komen als ik maar "in de benen kom" en hem een baan voor me laat regelen. Ik zet trouwens ook "de boel op stelten" alsof ik "nog achttien" ben en heb "geen nagel om mijn gat te krabben". Waarom denken ouders dat het oké is om keihard op de man te spelen? Stel je voor dat je tegen iemand die geen kind van je is zou zeggen: "Je bent nog alleen, je hebt geen geld en je hebt niks bereikt. En nu ik toch bezig ben: sinds wanneer ben je zo dik?" Dat is toch bruut?'

'Jezus, ja,' zegt Clem, met haar vaper in de lucht prikkend om haar woorden kracht bij te zetten. 'Alleen psychopaten zouden tegen willekeurige mensen zeggen wat ouders elke dag tegen hun volwassen kinderen zeggen. Wat denken ze nou? Dat ze alles mogen omdat ze dertig jaar geleden toevallig onveilig gevreeën hebben?'

'En ik ben Geoffreys kind niet eens, hè? Hij schept zo'n kwaadaardig genoegen in zijn stiefvaderschap. Lekker mensen commanderen zonder één dag te hebben hoeven investeren in hun opvoeding.'

Het heeft iets ongemakkelijks om boze tirades af te steken tegenover een spiegel. Ik heb het kapsel van Daisy Buchanan, maar daaronder zit het hoofd van een chronisch ontevreden oud wijf.

'Ik kan je nu al zeggen wat er gebeurt als je die baan wel aanneemt,' zegt Clem. 'Dan komen ze met "Waarom heb je nog niemand gevonden?" En dan krijg je een vriend en vragen ze wanneer je gaat trouwen, en dan wanneer je eens een huis gaat kopen, een kind krijgt, aan de tweede begint en ga zo maar door. Het is nooit klaar,' zegt Clem. 'Mijn tante is net zo. Die vergelijkt eeuwig en altijd haar dochters met mij. Volgens mijn moeder is dat wedstrijdje al aan de gang sinds we leerden lopen en lezen. Negeren, iets anders zit er niet op.'

'Maar hoe moet het nu verder?' vraagt Jo aan mij.

'Ik weet het niet. Als Geoffrey geen sorry zegt, wat hij volgens mij echt nooit zal doen, weet ik niet hoe ze denken dat ik hem nog om me heen kan hebben. Esther vindt dat ik lief en aardig moet doen om mam te steunen.'

'Wat ziet je moeder eigenlijk in hem?' vraagt Jo.

'In één woord: zijn geld. Dat zijn twee woorden, maar goed. Bah. Ik wilde net zeggen dat jullie me nooit iets moeten laten beginnen met een rijke vent, maar dat zit er toch niet in.'

'Robin hoefde niet bepaald te schooieren, eerlijk is eerlijk,' zegt Clem.

'Ik laat Robin buiten beschouwing omdat dat toch geen tijd van leven had, en ik nog beter mijn geld in een piramidespel had kunnen steken dan verwachten dat ik op hem kon rekenen.'

'Ik zou echt bij hem uit de buurt blijven als ik jou was, George,' zegt Jo.

'Nee hoor, ze moet iets met hem gaan drinken en dan zeggen

dat hij haar met rust moet laten. En dan iemand meenemen die heel intimiderend is,' zegt Clem.

'Zo iemand als jij?'

'Ik dacht meer aan iemand die eruitziet alsof hij in staat is om Robins arm eraf te rukken en in zijn strot te douwen.'

'Zo iemand als jij dus.'

'Code rood, heksjes van me!' zegt Rav als we de taxi uit rollen en de afgesproken kroeg binnenkomen. Hij noemt ons graag 'mijn heksenkring'. 'Ik heb zojuist een stakker die niet zou misstaan in Kasabian een rondje zien betalen met zijn telefoon. We moeten naar een andere kroeg, en wel nu.'

We zijn de fout in gegaan door voor deze speciale gelegenheid naar een nieuwe bar te gaan, want nieuw = speciaal, waarbij we even vergaten dat nieuw = onbeproefd óók waar is. En in dit geval blijkt het dus teleurstellend. Er zijn ongastvrij weinig zitplaatsen en de muziek staat zo hard dat we moeten schreeuwen.

'Kuthipsters,' zegt Clem. Haar blik dwaalt over de Amerikaanse dinerstyle krukken en de industriële draadstaalarmaturen met kale peertjes waar je je hamster nog niet in zou opsluiten. Als de Bette Davis van de eenentwintigste eeuw klemt ze de tamponhuls van haar vaper tussen twee ranke vingers met bloedrode nagels en blaast ze een dikke sliert stoom uit haar mondhoek.

Eerlijk gezegd mag ze wel uitkijken dat ze zelf niet voor hipster wordt versleten.

'We moeten ergens heen waar we onszelf kunnen horen drinken, maar ons niet compleet lullig voelen omdat we ons hebben opgetut. Huiselijk maar stijlvol, dat is de opdracht,' zegt Rav.

Rav heeft zijn paarse wollen broek aan, en ik ben het ermee eens dat we niet naar zo'n buurtkroeg kunnen waar iedereen geheid MIETJE gaat roepen.

'Wacht eens even...' zegt Jo met een blik op mij. 'The Wicker, is dat niet wat?'

'Op mijn vrije avond?' protesteer ik. Dan kan ik wel Lucas zien, denk ik er meteen achteraan. En ik ben opgedoft en wel. Het vonkt in mijn buik. Je kunt jezelf een complete longread aan leugens vertellen, maar je eerste reflex vertelt altijd het echte verhaal.

'Ooo...' zegt Clem, 'maar dat is helemaal geen verkeerd concept. Het is best te doen daar, én we krijgen er een vipbehandeling – want Georgina.'

Rav grijpt me bij de revers van mijn jas. 'Kom op, George, twee rondjes maar. Alleen om erin te komen.'

Ik rol met mijn ogen en maak een hele show van overstag gaan, en Clem pakt haar telefoon om een taxi te bestellen. Tien minuten later zijn we op mijn werk.

'Ga maar alvast zitten, ik haal de drank wel,' zeg ik als we binnenkomen.

'Ik dacht dat jij vrij was vanavond?' zegt Lucas fronsend. Zijn blik dwaalt over mijn extravagante kapsel en make-up.

'Mijn vrienden wilden hierheen,' zeg ik, met zo'n blik van 'Bah, diepe zucht' waarvoor ik word beloond met een echte Lucas-lach. 'Rav is jarig vandaag. We gaan hierna door naar de Leadmill.'

'Ik snap het. Ik kom jullie drankjes zo wel even brengen. Zolang we niet onder de voet worden gelopen kunnen jullie tafelbediening krijgen.'

'O, bedankt!'

Ik glimlach. Lucas glimlacht terug. Heel even schieten zijn ogen van mijn gezicht naar mijn kleren. Ik draag een wijnrode gala-achtige jurk met een heel diepe v op de rug. Zo diep dat de rits pas op ongeveer onderbroekhoogte begint, wat het nog een hele toer maakte om goed ondergoed te vinden. Ik heb een strapless baleinenkorset aan waarin ik zo klemvast zit dat ik bang ben dat mijn lijf er voorgoed naar blijft staan.

Toen ik mezelf hierin wrong, dacht ik niet dat ik erin rond zou hoeven lopen waar Lucas bij was. Ik voel me opeens verschrikkelijk zichtbaar.

En het roept herinneringen op aan een andere avond, en een andere rode jurk.

Kitty komt aanzoeven en gilt: 'Georgina! O, mijn god! Je lijkt wel een filmster! Toch, Lucas?'

Ik weet niet waar ik het zoeken moet.

'Je ziet er zo mooi uit dat ik even dacht dat jij het niet kon zijn,' zegt Kitty dan.

Ik barst in lachen uit. 'Oké... Dank je wel.'

'Mooi, je haar zo,' zegt Lucas rustig terwijl hij een biertje tapt voor Rav. Ik mompel dat ik een vriendin heb die kapster is. *Is dat je eigen haar... Je eigen kleur, ik bedoelde de kleur!*

'Waar gaan jullie heen? Leadmill? De mannen duiken straks op je als duiven op friet,' zegt Kitty.

Lucas en ik kijken elkaar als vanzelf even aan, en ik zou niet durven zeggen of we iets tegen elkaar zeggen met onze blikken.

Op weg naar de anderen ben ik me hyperbewust van de lucht – en misschien ook wel ogen – die van mijn nek afzakt over mijn blote huid, en mijn ruggengraat van boven tot onder laat tintelen. Of verbeeld ik me dat?

Jo's telefoon ligt op tafel en doet brrrrrrrp bij elk appje van Phil dat binnenkomt.

Ze draait haar mobieltje om en zegt: 'Laat me alsjeblieft niet reageren.' En twee tellen later: 'Ik heb er goed aan gedaan, toch? Daar ben ik voor negenennegentig procent van overtuigd, maar dan denk ik toch weer dat ik hem alleen maar dumpte omdat hij me meevroeg naar een bruiloft.'

'Nee, je dumpte hem omdat hij van jou de rechten, de tijd en de emotionele ruimte van een partner vroeg, terwijl hij ondertussen volhield dat hij er niet aan toe was om ook echt je partner te zijn, zodat jij je energie aan hem verspilde en geen ruimte kreeg om iemand te vinden die wel die rol in je leven wil spelen,' zeg ik.

'Jij komt wel heel goed uit je woorden voor iemand in partymodus,' zegt Clem.

'Je hebt wel gelijk,' zegt Jo, 'maar... denk je dat mensen kunnen veranderen?'

Clem kijkt me aan. O jee, zegt haar blik.

'Rav, jij hebt vast wel een antwoord op dit soort vragen,' zegt Jo.

'Oké... Hmm. Beroepsmatig zeg ik ja, mensen kunnen werken aan gedragspatronen en ervoor kiezen daar niet meer in te vervallen, als dat is wat ze willen. Als dat niet kon, zou ik geen werk meer hebben. Maar mijn persoonlijke overtuiging is dat een mens niet wezenlijk verandert. Je bent wie je bent.'

'Dan moet ik er dus achter komen of Phils probleem een kwestie van gedrag of van karakter is.'

'Je moet iemand anders versieren en verdergaan met je leven,' zegt Clem.

'Hoi. Wat is voor wie?' Terwijl Lucas de glazen op tafel zet, nemen ze hem allemaal nieuwsgierig op.

'Clem,' zegt Clem, die hem haar hand toesteekt zodra iedereen een drankje voor zijn neus heeft. 'Volgens mij hadden we nog niet kennisgemaakt, die avond dat G haar stand-up deed. Wat vind jij, Lucas? We zitten midden in een filosofische discussie. Kunnen mensen veranderen?'

'Of mensen kunnen veranderen?'

'Hm-m,' zegt Clem.

Ik verstop me achter mijn glas.

'Nee, ik denk van niet. Absoluut niet. Of is dat te nihilistisch?'

'Met jou kan ik wat,' zegt Clem, en ik kijk haar aan en sper mijn ogen wijd open.

'Waarom denk je dat?' vraagt Rav.

'Wat je "verandering" noemt, komt er in mijn ervaring in feite meestal op neer dat je een kant van de ander ontdekt die je nog niet kende. Terwijl het er al die tijd al in zat.'

Mijn blote huid tintelt.

'Maar goed. Wild feestje, begrijp ik?' zegt Lucas dan droog, en Rav schaterlacht.

'Wat krijg je van me?' zeg ik snel tegen Lucas, gebarend naar de drankjes.

'Ik zet het op de rekening en dan regelen we het morgen wel.'

Ik heb zo'n voorgevoel dat ik die rekening nooit onder mijn neus krijg en dat Lucas me vrijhoudt.

'Veel plezier. En jij nog gefeliciteerd, natuurlijk,' zegt hij tegen de zelfvoldaan kijkende Rav.

'Lieve hemel,' sist Clem als hij wegloopt, en Jo zegt: 'Jeetje, hij is zo knap dat het eigenlijk nergens meer op slaat.'

'Jij zegt het. Volgens mij ging mijn baarmoedermond net open,' zegt Clem, en ik sis: 'SST, HOU OP. O, MIJN GOD.'

Waarom heb ik dit niet zien aankomen? Op de avond van Schaamte in de Schijnwerpers hadden ze Lucas niet echt gezien, en daardoor was ik het vergeten en dacht ik er te makkelijk over.

Nu moet ik bedenken hoe ik duidelijk kan maken dat ik geen belangstelling heb voor die man, maar dat hij desondanks streng verboden terrein is voor de anderen, en dat ik daar onder geen beding vragen over zal beantwoorden.

'Mijn god, waarom heb ik je nooit over hem gehoord?' zegt Clem, die hem met haar blik volgt tot hij weer achter de bar staat.

'Ik heb jullie over hem verteld hoor,' zeg ik zacht. 'Die jongen van school, weet je nog?'

'Nee, dat méén je niet,' zegt Jo. 'Zat hij bij ons met Engels? Waarom weet ik daar niets meer van?'

'Was hij degene die jou niet herkende?' vraagt Rav.

Ik knik.

'Hij komt op mij niet over als een vergeetachtig type.'

'Nou ja,' zeg ik. Ik haal diep adem, wapen me en zeg dan op een luchtig toontje dat zoveel moet zeggen als 'ander onderwerp': 'Wat wint hij er nou mee om te doen alsof hij het niet meer weet?'

Die avond in Rajput voerden ze daar weliswaar verschillende valide tegenargumenten voor aan, maar ik neem een voorbeeld aan Lucas en klink gewoon heel overtuigd.

Tot mijn verbijstering, en geholpen door de gratis shotjes waar Kitty opeens mee komt aanzetten, werkt het nog ook.

27

'Niet om melancholiek te doen, maar nu ik eenendertig ben begin ik me toch af te vragen hoelang ik nog heb voordat ik niet meer op jacht kan zonder dat het onbetamelijk wordt,' schreeuwt Rav in mijn oor, terwijl we aan onze rietjes lurken en de dansvloer afspeuren.

'Niet getreurd. Onbetamelijk was het altijd al.'

We zijn nog maar met ons tweeën: Clem wordt versierd door een man die als twee druppels water op Jarvis Cocker lijkt, en Jo is naar buiten gelopen om Phil te woord te staan aan de telefoon. We hebben het gevoel dat de hereniging aanstaande is.

'Als zij Whitney is, is hij haar Bobby,' zei Clem eerder op de avond. 'We kunnen nu alleen nog hopen dat ze niet door hem aan de crack raakt.'

We hebben even staan praten met een vriendin van een collega van Rav, ene Julia die Rav zo te zien wel leuk vond, maar als ik daar een opmerking over maak, zegt hij: 'We hebben niets met elkaar gemeen.'

'Niets met elkaar gemeen' is het standaardzinnetje waarmee Rav mensen afserveert.

'Jij zegt toch altijd dat je een superintelligente vrouw wilt leren kennen die er goed uitziet met een rode trilby en die het Incapad met je wil lopen en dat soort dingen?'

'Ja?'

'Jij bent superintelligent. Je kunt een rode trilby heel goed hebben. En als jij naar Peru wilt, kun je morgen op het vliegtuig stappen. Waarom zou je niet iemand accepteren voor wie die dingen níét gelden? Wees zelf diegene voor wie dat opgaat, en laat haar iets anders inbrengen.'

'Wil je soms zeggen dat ik zelf de vrouw moet zijn met wie ik iets wil in deze wereld?'

'Dat is exact wat ik bedoel.'

'Hmm. Ik bedoel, oké, misschien... Ik snap wat je bedoelt.'

Een kwartier later staat Rav te night-feveren in een kring bewonderaars en danst Julia om hem heen.

'Mooi haar,' zegt een man met een Amerikaans accent vlakbij. 'Een soort van, eh... galahaar?'

Ik kijk om en zie een stevige man van een jaar of dertig met een baard, een roze overhemd en een vriendelijke, open blik.

'Ed,' zegt hij met uitgestoken hand.

'Hallo, Ed. Georgina.'

Ed komt uit Minnesota en is hier komen wonen om aan de universiteit Amerikaanse literatuur te doceren. We raken enthousiast aan de praat over schrijven en over Sheffield, en min of meer schreeuwend met mijn hand aan mijn mond vertel ik hem over Schaamte in de Schijnwerpers.

In de twintig minuten daarna vertelt hij me over Minnesota. En in de twintig minuten dáárna vertelt hij me nog méér over Minnesota. Ik hoef niets meer te doen.

En dan zie ik in Ed uit Amerika opeens de geest van mijn voorbije liefdes. Het gebeurt niet vaak in een mensenleven dat je uit een patroon van eigen makelij stapt en dat van een afstand kunt bekijken.

Het ligt niet aan Ed, maar toen ik in de twintig was begon elke scharrel zo, met een best aardige jongen die mij best leuk vond, waardoor ik me verplicht voelde om hem daarvoor te belonen. *Geef die jongen een kans.*

Ik zie onze eerste date in de pizzeria nu al voor me, en de tweede in een grand café, en de seks die daarop volgt, met mij schrijlings op zijn stevige lijf alsof ik in een kano zit, terwijl ik nepkreun om er meer vaart achter te zetten en hij mijn borsten tegen elkaar kneedt alsof hij een zandkasteel bouwt.

En daarna doe ik mijn best om mezelf ervan te overtuigen dat we elkaar zo goed aanvullen, dat ik verliefd op hem aan het worden ben en dat dit Het misschien wel is, en nou ja, zoals mam zegt, *als je nog kinderen wilt.* Als hij dan na een maand of drie begint over welke fly-drivevakantie we voor volgend jaar zomer zullen boeken en dat even aanlokkelijk klinkt als in voorarrest zitten, weet ik dat het tijd wordt om er een punt achter te zetten voordat het te pijnlijk voor hem wordt. En dat je geen schrijver wordt door het aan te leggen met een schrijver. En ook geen stand-upcomedian, of wat dan ook.

Ed staat al vol verwachting klaar met zijn telefoon. Het ligt niet aan hem dat ik onze relatie in mijn hoofd al heb uitgespeeld in de tijd dat ik mijn telefoon uit mijn met kraaltjes bezette clutch heb gepakt.

'Ik wil je best mijn nummer geven,' zeg ik, 'maar ik doe nu even niet aan dates en zit niet op een relatie te wachten. Maar als je een keer de stad door de ogen van een serveerster wilt zien, of een citaat nodig hebt, of een vriendschappelijk biertje wilt drinken, kun je altijd bellen.'

'Vrienden heb ik al genoeg,' zegt hij, maar hij heeft wel eerst mijn nummer ingevoerd.

'Dan ben je een gelukkig mens,' antwoord ik.

Op dat moment draaien ze 'Dancing on My Own' van Robyn.

'O, ik ben gek op dit nummer, sorry!' zeg ik.

Het ligt er misschien wat dik bovenop om hier in mijn eentje op te dansen, maar het is wel lekker. Ik doe niet meer mee. Ik hoef geen bevestiging te halen uit het feit dat een man me ziet staan, ik hoef niets te beginnen met de eerste de beste die zich aanbiedt. Er is niets mis met nee zeggen tegen aardige jongens. Ik ben goed zoals ik ben.

Als het refrein voor de tweede keer losbarst en ik net midden in een extatisch moment zit, voel ik opeens iets tegen mijn billen en zie ik Ed achter me, die meezingt zonder de tekst te kennen en probeert me bij mijn middel te grijpen terwijl hij zich tegen me aan wrijft.

Zucht.

28

De ernst van de fall-out van de Bom van het Appelbroodje met Geoffrey dringt pas goed tot me door als ik een mailtje krijg van Mark. Mijn telefoon laat me dat barbaars vroeg op maandagmorgen weten, op een tijd waarop alleen efficiënte mensen wakker zijn, en ik loop naar beneden om hem op de laptop te beantwoorden omdat het scherm groter is en ik er dan sterke koffie bij kan drinken.

Mijn filmsterrenjurk hangt verfomfaaid aan zijn hanger, en ik ben na een interbellum van grootschalig katerdom weer geland in de echte wereld. Er is nog wel iets waarvan ik nu nog nahuiver: terwijl ik in huisbroek naar *Dawson's Creek* keek door de gaten van mijn stoffen gezichtsmasker heb ik met Lucas geappt. Ik heb ons gesprekje al zes keer teruggelezen.

> Moet ik je nou bedanken of aanklagen voor hoe ik me voel? Ik ben toe aan een volledige bloedtransfusie, net als Keith Richards #gratisSambuca

> Ha! Koppijn? ☹ Als het maar een leuke avond was (en je niet uit een kokospalm bent gevallen)

> Heel leuk, en heel erg bedankt voor de speciale behandeling ☺ (Kokospalm?)

(Dat was een grapje over Keith Richards) (Googel het maar als je er de puf voor hebt) En graag gedaan x

Het staat niet helemaal op gelijke hoogte met de briefwisseling tussen F. Scott Fitzgerald en Zelda, maar aan die onverwachte afsluiting met een kusje kan ik me nog wel een tijd warmen. Karen heeft ook nog een briefje voor me achtergelaten. Hiephoi.

GOEDEMORGEN
Ik krijg de kriebels van die schildpad van je. Gisteravond zat hij de hele tijd naar me te staren toen ik zat te eten en hij ruikt naar kool. Kan hij alsjeblieft weg daar bij de tv, hij hoeft toch niet zo dominant aanwezig te zijn in de kamer.
PS is dat wel gezond trouwens, die teennagels? Ze lijken net die van een dinosaurus?

Arme Jammy. Ik ga even bij hem kijken, aai zijn ruwe schubbenhoofd met mijn wijsvinger en voer hem een paar blaadjes sla. Ik wist van tevoren dat Karen loos zou gaan zodra ze me Jammy had laten meeverhuizen. Het heeft aardig wat vleien en paaien met cadeautjes gekost, en een verhoging van mijn aandeel in de vaste lasten, want iedereen weet dat schildpadden alle warmte opzuigen en liters water gebruiken, toch? Dat hij in de woonkamer staat, is omdat ik zijn hok die twee smalle trappen niet op krijg.

Dan klap ik mijn oude laptop open en herlees Marks bericht. Esther zet Mark altijd in als paardenmiddel als ik omgepraat moet worden. Ze maakt er spaarzaam gebruik van, omdat hij zich liever verre houdt van ruzie en ze weet dat overdosering ten koste gaat van de effectiviteit. Als ik het me goed herinner, heeft Mark voor het laatst geprobeerd een akkoord uit te onderhandelen toen ik weigerde de stola van echt bont te dragen – compleet met het angstige kopje van een knaagdier met vergeelde, puntige tandjes – die mam had uitgekozen toen ik haar bruidsmeisje was.

Hallo G! Alles goed, hoop ik? Om maar met de deur in huis te vallen: je weet dat ik me over het algemeen niet met dit soort dingen bemoei, maar je moeder is naar ik begrijp in alle staten omdat je haar uit de weg gaat na onenigheid tussen Geoff en jou, en nu krijgt Esther alles over zich heen. E wil je niet onder druk zetten omdat je dan denkt dat ze op je moeders hand is, enz. enz. je kent het wel. Kun je je moeder in elk geval melden dat je wat tijd voor jezelf neemt? Het is aan jou, ik draag je niets op. Hier sta ik, zomaar een zwager, voor een meisje en vraag haar om genoeg van hem te houden zodat hij niet meer hoeft te luisteren naar het gedram van haar zus.
Welke was dat ook alweer? *Four Weddings*? Liefs, Mark xx

Hoi Mark. Oké. Omdat JIJ het bent. ☺
Xx
PS *Notting Hill*, dacht ik.

Kennelijk zit Mark aan zijn bureau en moet hij de tijd doden, want voordat mijn boterham uit het broodrooster is gesprongen schrijft hij al terug:

Ahaaa die met die actrice? M

Eh... In al die films zitten actrices? G

Nee, OVER een actrice, bedoel ik. O, wat ik ook nog wilde vragen: hoe bevalt het bij The Wicker? Ik heb vooral te maken gehad met Devlin, leek me zeker een geschikte kerel. Kwam bij een mannetje hier terecht toen hij iemand in de stad zocht voor de boekhouding.

Hij is heel tof en de kroeg is fantastisch! Bedankt, nog maar een keer x

Ik moest wel lachen toen hij en zijn broer binnenstapten, we verwachtten geloof ik een stel magnaten in krijtstreep terwijl ze er helemaal uitzagen als rocksterren buiten dienst. Dat hoort erbij als je je geld hebt verdiend met kroegen en clubs, denk ik. Gemiddeld genomen is onze clientèle toch een stuk grijzer. Ai, dat kan ik beter niet schrijven op mijn werkmail. Delete over 3, 2, 1...

Magnaten? Ze hebben toch gewoon een paar kroegen in Dublin, dacht ik?

Ik kauw nadenkend op mijn geroosterde bruine boterham met Marmite en hoop dat Mark dit nog voor me opheldert en met 'delete' niet bedoelt dat hij alle reacties wist.

Ach, jij schat van een aandoenlijk niet-materialistische schoonzus! Ze hebben 'gewoon' drie panden in het centrum van Dublin, in eigendom, niet gepacht – weet je wat vastgoed daar waard is? – en nog een op een paar kilometer buiten de stad, in Dun Laoghaire. En dat, om je een idee te geven, is een buurtje waar iemand als Bono een optrekje heeft. Die twee hebben miljoenen in portefeuille. Ze hebben het familiebedrijf overgenomen van hun vader, dacht ik, als kroonprinsen zogezegd. Maar goed, nu op naar de jaarlijkse evaluatievergadering – JUICHT ALLEN. Bedankt, als altijd, voor je moed, beleid en trouw. Mx

Ik klap mijn laptop dicht, laat dit nieuws bezinken en stel mijn beeld van de gebroeders McCarthy bij. Dat ze aardig bij kas zaten wist ik wel, maar schathemeltjerijk? Dat had ik niet zo in de gaten. Ze kleden zich er ook niet naar, zoals Mark al zei.

Het is misschien onaardig van me, maar ik vraag me af of ze soms zo opmerkelijk ontspannen en schappelijk kunnen zijn doordat ze altijd zelf het tempo kunnen bepalen, zonder in de stress te hoeven schieten over de cashflow of de zweep erover te krijgen van iemand hogerop. Al kun je daar net zo makkelijk een ordinair Hitlertje door worden als je daar toch al aanleg voor hebt, werp ik mezelf tegen.

Onder de douche, als ik me aankleed en bij het opmaken blijft deze nieuwe ontwikkeling me bezighouden. Als de coole kliek in de zesde dit had geweten, was Lucas vast in aanmerking gekomen voor herbeoordeling en promotie, denk ik zo. Het siert hem dat hij er nooit een woord over heeft gezegd, zelfs niet tegen mij.

En dan te bedenken dat ik op school als de betere partij werd gezien. Ha. Gezien door wie, eigenlijk?

Op weg naar mijn werk haal ik nog eens diep adem, verlang terug naar toen ik nog rookte en bel dan mijn moeder. Het lijkt me goed om een extern bepaalde tijdslimiet te hebben voor dit gesprek, net als toen met Esther. Maar anders dan met Esther merk ik al snel dat dit geen gemoedelijk gesprek wordt.

'Eindelijk! Ik vroeg me al af of ik je ooit nog eens zou spreken,' zegt mam.

'Wat denk je nou,' zeg ik. De ouder-kinddynamiek werpt me spontaan terug naar mijn veertienjarige zelf. Een grijsgedraaide plaat.

'Dit had je best iets eleganter kunnen aanpakken, Georgina, in plaats van me gewoonweg dood te zwijgen.'

'Ik had het druk en ik had geen zin in ruzie.'

'Dat is ook nergens voor nodig als je Geoffrey gewoon je excuses aanbiedt. Hij bekijkt het allemaal heel nuchter nu hij weer tot bedaren is gekomen. We mogen van geluk spreken met hem.'

Ik kom midden op Northfield Road tot stilstand, met mijn kin op de grond.

'Wat? Hij zou sorry moeten zeggen tegen míj!'

'Waarvoor, in hemelsnaam?'

'Eh... Even kijken. Omdat hij zei dat ik een puinhoop van mijn leven heb gemaakt, me uitmaakte voor egoïst, liet doorschemeren dat ik een beetje een del ben en mijn werk belachelijk maakte. Ik ben een ramp, volgens hem. En hij zei dat pap een klootzak was.'

Het blijft even stil aan mams kant, en ik weet heel zeker dat Geoffrey haar die details niet heeft verteld.

'Toch gek, want volgens hem stelde jíj je agressief op. Je wilde niets weten van zijn enorm grootmoedige aanbod, maakte een grap dat je nog liever de prostitutie in ging en reageerde vreselijk onfatsoenlijk en sarcastisch op het idee dat je zelfs maar zou overwegen om te gaan werken voor een verwarmingsinstallatiebedrijf. Ik weet niet van wie je die arrogantie hebt, jongedame, want als je het mij vraagt heb je niets te verliezen.'

Hoe zeg je: jouw man is een kwaadwillige leugenaar?

Mam neemt het niet alleen voor Geoffrey op omdat hij haar creditcard en beschermheer is. Dat ze vierkant achter zijn verhaal blijft staan, moet betekenen dat ze heeft besloten dat ik haar geen groter plezier kan doen dan een fijn, veilig kantoorbaantje aannemen, onder toezicht van en gebonden aan Geoffrey. Ze wil dat ik net zo word als zij. En dan is het natuurlijk een kwestie van tijd voordat de neurotische, kinloze zoon van een van de directeuren op me af wordt gestuurd. (*Hij maakt bliksemsnel carrière en is echt een leuke, keurige jongen. Je kunt het veel slechter treffen, op jouw leeftijd.*)

'Ik heb al werk dat ik met veel plezier doe, dank je, en Geoffrey heeft me zo fout behandeld dat ik hem echt niets verschuldigd wil zijn.'

Er valt een stilte waarin mam waarschijnlijk mismoedig haar hoofd schudt.

'Het gaat Geoffreys en mijn verstand werkelijk te boven waarom je er zo tegen gekant bent om hulp van ons aan te nemen.'

'Als je me dan zo graag wilt helpen, zou ik een beetje vertrouwen en emotionele steun eigenlijk best op prijs stellen.'

'Georgina, je werkt nog steeds achter de bar, op je dertigste. Je hebt geen spaargeld, geen pensioen, geen eigen huis. Geen relatie. Wat wil je dan precies dat ik emotioneel steun?'

'Mij? Als mens? Telt dat niet?' zeg ik. Ik doe heel nonchalant en beheerst, terwijl de tranen in mijn ogen staan. 'Ik ben gelukkig.'

'Weet je dat zeker?'

'Ja,' zeg ik afgemeten.

'Je zou trouwens ook eens goed moeten nadenken of je Robin niet nog een kans kunt geven.'

'Jij... Hè? Robin? Waarom? Je kon hem niet uitstaan.'

'We kwamen hem vorige week toevallig tegen in de supermarkt. Toen we allebei hetzelfde potje pindakaas wilden pakken, nota bene! Hahaha. Heeft hij dat niet verteld?'

Mijn maag draait zich om. Wat is... Mijn handen zijn opeens glad van het zweet en ik knijp zo hard in mijn telefoon dat ik bang ben dat hij in stukken breekt. Ze mag niet merken hoe erg ik geschrokken ben.

'Nee, ik heb niets gehoord.'

'O, ik dacht dat hij dat wel zou vertellen. Hij legde uit dat het eigenlijk niet zo serieus was tussen jullie en dat jij van streek was toen hij dat zei, dat jullie toen uit elkaar gingen en hij nu juist graag een vaste relatie wil. Volgens mij meent hij het, Georgina. Soms hoeft een man alleen de goede vrouw tegen te komen om volwassen te worden en te gaan verlangen naar een geregeld leven.'

Ik zie het voor me, die vertoning voor het schap met broodbeleg, en ik word misselijk.

'Waarom vond hij het nodig om dat tegen jullie te zeggen?'

'Hij had het idee dat wij een verkeerd beeld hadden van zijn intenties. Ik mag het misschien niet zeggen, maar hij smolt bijna toen hij het over jou had. Ik had me ook nooit zo gerealiseerd dat hij uit zo'n goede familie kwam.'

'Hoelang hebben jullie wel niet staan praten?'

'Vijf minuutjes maar. Hij leek heel blij om ons te zien.'

Dat geloof ik graag.

Zo'n goede familie. Hiha. Hij heeft hints laten vallen dat er geld zit bij zijn ouders en nu is hij omhooggeschoten in mams achting. Geoffrey heeft hij op zijn ego aangesproken, en hij heeft laten zien dat hij hun positie als oudsten van de gemeenschap eerbiedigt. Nu hij zich klein heeft gemaakt en heeft gekropen en gebedeld om hun goedkeuring, en gevoelige informatie heeft geopenbaard als boter bij de vis, zijn ze wel bereid om hem in zijn streven te steunen. Ik krijg opeens vreselijk zin in een hete douche.

'Mam,' zeg ik. Ik kan me niet goed concentreren. 'Heb jij Robin verteld over The Wicker? Waar ik nu werk?'

'O... Het kwam wel ter sprake, nou je het zegt. Wacht, ja, de naam viel toen we het hadden over Geoffs plan om jou dat aanbod te doen. Robin vond dat trouwens óók een fantastisch idee, dat vind je misschien ook leuk om te horen.'

Mam brengt het heel triomfantelijk, alsof ze zojuist een konijn uit een hoed heeft getoverd. Hoe kan het dat ze niet doorhadden dat ze werden bespeeld? Wie slaat er nou zo totaal om? Van de ene dag op de andere? Ik ga overgeven, geloof ik. Ik lieg snel dat ik op mijn werk ben, al heb ik nog vijf minuten te gaan. Vijf minuten waarin ik kan nadenken over haar verhaal.

Ach, Lucas. Wijze man. Robin is inderdaad kwaadaardig. En hij houdt hier niet zomaar mee op, denk ik. Tenzij ik hem tegenhoud.

Ik ben heel hard toe aan een bevrijdende lach, en The Wicker is zo voorkomend om die te leveren.

'Recht zo die blaast!' zegt Devlin als ik mijn spullen achter de bar drop, terwijl twee mannen hijgend en piepend diep door de knieën gaan om een kleurige Wurlitzer-jukebox naast de open haard te laten zakken.

Lucas staart ernaar en vraagt: 'Wat gaat daarmee gebeuren?'

Dev geeft het apparaat een klopje en straalt alsof hij zojuist vader is geworden. 'Bijzonder is ze, hè?'

'Dat ding heeft geen geslacht en nee, het is verdomme afzichtelijk. Waar is het voor?'

Het is weer zover! Kitty en ik kijken elkaar opgetogen aan. De dag is niet compleet zonder gebakkelei tussen de gebroeders McCarthy.

'Muziek!'

'Had je nog meer plannen? Een groot scherm voor Sky Sports, misschien?' zegt Lucas. 'Bah. Dat wordt een eindeloze soundtrack van Metallica en Girls Aloud.'

'Ik zie het probleem niet.'

'Geen denken aan, Dev. Bel maar dat ze hem weer kunnen komen ophalen. Godallemachtig, het is hier toch niet voor niets een en al "traditioneel" en "speciaalbier"? Zet dan meteen een plastic kabouter buiten bij de deur en schenk voortaan cocktails in Care Bear-kleuren.'

'Heb je je wel eens afgevraagd of horecawerk wel bij je past?'

'Dit gaat om smaak, Dev. Smaak. Probeer het eens.' Lucas klinkt kribbiger dan anders.

Even later loopt hij met Keith de deur uit, Devlin sputtert na, en Kitty en ik lachen.

'Je verwacht het niet, hè, dat zo'n mooie jongen als Lucas niemand heeft?' zegt Kitty als Devlin eenmaal boven in de feestzaal rondrommelt en we met ons tweeën zijn achtergebleven.

'Misschien is hij wel niet single,' zeg ik rustig en ik neem een slokje van mijn water.

'Jawel hoor, zijn vrouw is overleden en hij heeft geen vriendin.'

Jemig, Devlin. 'Heeft zijn broer dat gezegd?'

'Nee hoor, Lucas zelf. Ik vroeg of hij iemand had in Dublin en hij zei van niet, en ik zeg: dus je bent niet getrouwd of zo, ik had gedacht van wel, en hij zegt: nou ja, ik was wel getrouwd maar ze is overleden. Waaraan dan, zeg ik, en hij zegt: kanker. Ik vroeg: heb je nu dan geen vriendin? Nee, zei hij.'

'Misschien is hij er nog niet klaar voor, na het verlies van zijn vrouw.'

'Nee, dat was het niet, zei hij, hij is er best klaar voor maar hij was nog niemand tegengekomen met wie hij iets wilde en hij is siepers over de mens, hij zegt: mensen stellen je meestal toch maar teleur.'

'Siepers?'

'Zoiets. Het begon zeker weten met sie.'

'Zie... Cynisch?'

'Ja, dat! Katten kunnen toch siepers zijn?'

'Klopt.'

'Bedoelt hij dan dat hij kattig is?'

'Nee.' Het valt nog niet mee om op twee snelheden te denken, waarvan één die van Kitty is. Dan weet ik te isoleren wat me dwarszit:

'Ik wist niet dat Lucas zo spraakzaam was.' Het steekt me een beetje dat hij met Kitty wel over zichzelf praat en met mij niet.

'Dat is hij ook niet, want toen vroeg ik wat zijn type was en toen zei hij dat hij liever niet over zijn privé praat graag, bedankt en of ik dacht dat het vat Pale Rider scheef stond.'

'Aha.'

'Maar dat trieste verhaal van zijn vrouw maakt hem wel nog lekkerder, vind je niet?' zegt Kitty, met haar rietje tussen haar voortanden alsof ze een konijn is.

'Hahaha, hoezo?'

'Nou ja, dat je weet dat hij verdrietig is. Dan krijg je toch gewoon zin om hem op te vrolijken met wat seks.'

Ik sproei bijna een mondvol water uit.

'Wat is daar nou mis mee?' zegt Kitty. 'Gewoon om aardig te zijn!'

'Snap ik, maar... Zoiets zeg je niet,' zeg ik.

Ik wou dat ik het gewoonweg kon opvatten als een grapje.

Wat als ze het voorstelt? En hij erop ingaat? Stel dat het met het volgende meisje dat ze aannemen net zo gaat? Ik sta voor het eerst stil bij de mogelijkheid dat Lucas met een collega naar bed gaat, en dat ik dan in geuren en kleuren te horen krijg hoe het was met de baas, afgelopen nacht, en ik verplicht ben mee te giebelen. De telefoonnummers op de bierviltjes kon ik nog hebben omdat die toch allemaal in een zwart gat verdwenen, maar met al

die vrouwen die op hem afduiken moet het vroeg of laat, statis-
tisch gezien... Bah.

'O, Georgina.' Devlin duikt in de bar op, bestoft door het klus-
sen. 'Kun je even naar Lucas lopen boven en vragen of de loodgieter om vier uur komt? Wel even roepen halverwege de trap.'

Ik knik en voel me net een kind voor een verboden deur, opgewonden dat ik me in het hol van Lucas mag wagen, een mij nog
onbekende, persoonlijke ruimte. De deur links achter de bar gaat
naar de woonruimte boven, en de deur rechts gaat naar de trap
naar de feestzaal.

Ik trippel de trap op en roep weifelend: 'Lucas? Lucas...'

Als ik niets hoor, geef ik maar een klopje op de openstaande
deur boven aan de trap. Het blijft stil. Dan gluur ik om het hoekje.

Eerst hoor ik zijn stem, en dan komt hij een slaapkamer uit
met zijn telefoon aan zijn oor. Ik verstijf: hij draagt alleen een
handdoekje om zijn middel, dat hij vasthoudt met zijn andere
hand. In al die weken waarin we onder elkaars kleren wroetten,
zagen we eigenlijk niets van elkaar. In een reflex wend ik me af
met een hand voor mijn ogen, alsof ik in zo'n pikante klucht zit.

'...het interesseert me geen ruk wat Niamh volgens jou zou
hebben gewild en het interesseert me ook geen ruk wat ze wilde
toen ze er nog was, dus je kunt je wel beroepen op de wensen van
mijn overleden vrouw, maar dat doet mij verder niks. Tja, ze
heeft niks te eisen want ze is er niet meer, dus dat maak ik zelf
wel uit. Wen er maar aan.'

Mijn gezicht gloeit, nee nee nee, niet doen, ik mag niet blozen,
dan zie je meteen dat ik het warm kreeg van het zien van zijn
borst en misschien ook wel iets verder naar beneden en misschien moet ik nog even kijken, maar even zwaaien zodat hij
weet dat ik er ben...

Ik kijk weer naar binnen. Poeh. Ja, hij is duidelijk... uitgebot.

En dan vinden zijn vuurschietende ogen de mijne, ze worden groot, en ik wijk achteruit de kamer uit, stamelend van 'Sorry' en 'Wist niet dat je bezig was'.

Ik sterf van schaamte maar vraag me ondertussen ook af waar dat in godsnaam over ging. Aarzelend op de overloop probeer ik te bedenken in welke context het iets onschuldigs kan zijn, of op zijn minst minder bot. Van alle verwarrende uitspraken die ik had kunnen opvangen zijn Lucas' harde woorden over Niamh wel het laatste wat ik verwachtte. Het zou de longlist niet eens hebben gehaald.

Het zou trouwens ook makkelijker zijn om wijs te worden uit wat daar nou precies gebeurde als hij er niet halfnaakt bij had gelopen. Een beetje licht in mijn hoofd draaf ik de trap weer af.

Ik overweeg of Lucas McCarthy, hoe betrouwbaar hij als baas ook mag zijn, in zijn privéleven misschien gewoon niet erg aardig is. Hij was toen met Robin zonder meer een held, maar ik ben oud genoeg om te weten dat mensen ingewikkeld in elkaar zitten. Je kunt de ene keer de verlosser, en de andere keer de duivel zijn. Ik ken hem niet, dat moet ik voor ogen blijven houden. Ik geef mezelf een tik op de vingers dat ik mezelf al inbeeldde dat we langzaam maar zeker steeds losser, steeds persoonlijker met elkaar omgingen.

Als ik beneden kom, vraagt Dev: 'Komt de loodgieter nou om vier uur of niet?'

'O, dat weet ik niet!' zeg ik schuldbewust, ook al heb ik niets fout gedaan. 'Hij zat te bellen.'

'Aha, oké. Maakt niet uit, ik vraag het zo nog wel even. Kitty en ik hadden het net over dagboeken. Had jij er een vroeger?'

'Jazeker!' Ik stort me enthousiast in het gesprek om mijn gedachten te verzetten. 'Dat is het laatste wat ik heb geschreven, tot ik me opgaf voor dat open podium. Ik zat nog op de middelbare school.' En de sappige stukjes gingen over zijn broertje... Dev moest eens weten. Of Lucas!

Dev stoot Kitty aan. 'Doe het gewoon. Ik had achteraf best een dagboek willen bijhouden.'

'Ja maar jee, niemand doet dat toch nog, o, mijn god, alsof we nog in de victoriaanse tijd zitten!' zegt Kitty. 'Je weet wel, zo van: ik schreef in mijn dagboek in mijn grote doodpon, en zo, en ik at lamspastei en die dingen. En ik schreef met zo'n pen die een veer is.'

'Wat is in godsnaam een doodpon?' roep ik uit. Dat Kitty doet alsof ik anderhalve eeuw oud ben, laat ik maar gaan.

'Zo'n nachtpon die geesten dragen en die ze oude mensen aantrekken. Je weet wel. Zoals in *The Muppet Christmas Carol*.'

'Hahaha! *The Muppet Christmas Carol*. RIP Charles Dickens,' zegt Devlin.

'Ik weet echt wel wie Charles Dickens is hoor!'

'O ja? Sorry, niks gezegd,' zegt Devlin.

'Hij is die beer die in de film het verhaal vertelt.'

Devlin en ik kijken elkaar aan, gierend van het lachen, en Kitty zegt: 'Joh, rot op.'

Dan komt Lucas volledig gekleed de bar binnen en de pret verdampt meteen voor mij. Ik zoek snel iets om schoon te maken, concentreer me op mijn werk en zorg dat ik bezig blijf. Lucas wil mijn blik vangen, merk ik, om me te peilen of gerustgesteld te worden, maar ik weet het contact te mijden, tot hij me na een tijdje toch te pakken krijgt bij de ijsemmer.

'Georgina, kunnen we vanavond misschien even praten? Na sluitingstijd? Halfelf in de kamer boven, oké?'

'Eh...' Dit had ik niet zien aankomen, en het voelt erg ongemakkelijk. Ik weet niet of ik wel wil horen hoe hij zich hieruit kletst. Maar ja. Ik kan ook niet zo snel een afspraak voor donderdagavond laat bedenken die ik echt niet mag missen, dus...

Een paar uur geleden zou ik de kans om door te dringen op zijn terrein en naar zijn spullen te gluren met beide handen hebben aangegrepen.

Maar ik weet weer even helemaal niet wie Lucas McCarthy nou echt is, en ik wil niet voor de tweede keer voor de bijl gaan om vervolgens weer uitgespuugd te worden.

29

Als mijn dienst erop zit, loop ik voor de tweede keer die dag de trap op naar het appartement, al is het deze keer een stuk minder lichtvoetig.

De deur zit dicht, en als ik aanklop, doet Lucas meteen open. 'Wil je wat drinken?' vraagt hij.

'Doe maar een kop thee, dank je.'

'Kom op, je laat me toch niet alleen drinken? Kan ik je niet verleiden met een glas whisky?'

'Ook goed,' zeg ik schokschouderend.

Hij staat me niet aan, deze krakerige nepper die me probeert te lijmen. Zeg wat je wilt over je overleden vrouw, maar laat mij erbuiten. Lucas loopt de aangrenzende keuken in, en ik kijk rond in de kleine, spaarzaam ingerichte woonkamer met een tv in de ene en een varen in de andere hoek.

Ik plof neer op de bank voor een salontafel die bezaaid ligt met allerlei paperassen van de kroeg, van spreadsheets tot bankoverzichten. Voor het eerst besef ik dat dit een eenzaam bestaan moet zijn, in een vreemde stad, in zo'n uitgewoond hok boven het werk dat al je tijd opslorpt.

Keith komt binnen met harde tikken van zijn nagels op de houten vloer, en zoals altijd stort ik me dankbaar op hem. Hij maakt het zich gemakkelijk aan mijn voeten terwijl ik hem in zijn hals kriebel.

Lucas geeft me mijn whisky en gaat tegenover me in een rieten stoel zitten. Zijn whiskyglas zet hij op de tafel tussen ons in. 'Ik vond dat ik je iets uit te leggen had over vanmiddag. Dat telefoontje toen je binnenkwam.' Hij valt even stil. 'Het is best bijzonder als iemand zegt dat zijn overleden vrouw hem geen ruk interesseert. Dev had zijn mond al over haar voorbijgepraat, begreep ik?' Lucas trekt een gezicht, maar hij lacht er ook bij, en ik knik opgelaten.

'Lucas,' zeg ik – mijn stem klinkt iets hoger en nuffiger dan normaal – 'dat hoeft echt niet. Het gaat me niets aan. Ik wil mijn neus niet in jouw zaken steken.'

'Ik wil graag uitleggen hoe het zit,' zegt hij.

Hij neemt een slok whisky, en ik volg zijn voorbeeld. Alles beter dan bedenken wat ik moet zeggen. Wat ik opving aan de telefoon klonk naar en hard, maar aan de andere kant: als hij echt zo fout is, waarom zou hij dan tekst en uitleg geven?

Misschien hoort dat bij het psychologisch profiel van de gekwelde foute jongen. Hij moet zijn imago bewaken.

'Ik was aan de telefoon met een vriend van me, in Dublin. Of een gewezen vriend, eigenlijk. Owen. Hij had een verhouding met Niamh, vlak voor haar dood.'

Ik doe mijn mond open en weer dicht, en slik moeizaam. 'O.'

Dit is niet volgens mijn regels. Niamh was een tragische figuur, een toegewijde echtgenote. Niet ontrouw. O.

'Toen ik erachter kwam, een paar weken voordat Niamh de diagnose kreeg, was het al maanden aan de gang. Ze ging zo vaak met vriendinnen op stap dat ik het niet meer vertrouwde. Dus dook ik onverwacht op in de bar waar ze zou zijn en betrapte haar met haar gezicht vastgeplakt aan dat van Owen.'

'Mijn god.'

Hij zakt onderuit.

'Het ging al niet goed meer tussen ons. We zijn te jong getrouwd, en niet om de goede redenen – ze mocht van haar familie niet in zonde leven. Het zat van begin af aan niet goed. We waren geen vrienden, en vriendschap moet altijd de basis zijn, toch?'

Ik schraap mijn keel en knik.

'De rest hou ik maar voor me, want over de doden niets dan goeds en zo. Waar het om gaat is dat ik al vóór Owen wist dat we het niet zouden redden. Dit was alleen de bevestiging. Het zou fijn zijn geweest als de ander geen goede vriend van me was geweest, maar wat doe je eraan.'

Ik knik nog maar eens, begripvol, ook al begrijp ik er niet veel van. Ik ben blij met de warmte en de tinteling van de alcohol in mijn maag.

'En toen kreeg ze te horen dat ze ziek was?'

'Ja. Zij zou gaan verhuizen, daar waren we al uit. En toen ging ze naar het ziekenhuis voor een routineonderzoek omdat ze al een tijd hoofdpijn had en kreeg ze te horen dat er niets meer aan te doen was. Een agressieve soort kanker, en opereren kon niet.'

Lucas' stem klinkt gesmoord, en ik laat de woorden maar gewoon binnenkomen in de wetenschap dat ik me straks nog een uur slapeloos lig af te vragen hoe dat moet zijn geweest. Ze verliet je al, en dan verlaat ze je echt.

'Zes weken gaven ze haar nog. Ze heeft de acht gehaald. Ga maar naar Owen, zei ik, die tijd dat jullie nog samen hebben. De rest regelen we wel.'

'Wat onvoorstelbaar dapper,' zeg ik tegen Lucas, en voordat hij denkt dat ik zomaar wat roep, voeg ik eraan toe: 'Ik meen het serieus. Echt onvoorstelbaar.'

'Ja, zo klinkt het, hè?' zegt Lucas. 'Terwijl er helemaal niets dapper aan was, vreemd genoeg. Toen ze vertelde dat ze terminaal was, zei ze meteen dat het voor ons niks veranderde. Dat was een opluchting voor me, want zo voelde het voor mij ook. Ik vond het afschuwelijk voor haar, maar een tumor veranderde niets aan de pijn en kon er ook niet voor zorgen dat we weer van elkaar hielden. Het zou nog veel moeilijker zijn geweest als ze had gezegd dat ze het zo rot vond dat we uit elkaar waren gegroeid en ze het had aangelegd met mijn beste vriend, en of we niet weer man en vrouw konden zijn zolang ze nog leefde. Ik zou echt niet weten hoe ik dat voor elkaar had moeten krijgen.'

Ik knik weer alsof ik het begrijp.

'Maar ze wilde het ook geheimhouden. Ze wist dat bijna iedereen in haar familie en van haar vrienden haar zou afkeuren om haar verhouding met Owen. En dus moesten we het samen uitzingen, als één front.'

'Wist letterlijk niemand dat jullie uit elkaar waren?'

'Nee, niemand. Devlin heb ik het na de uitvaart verteld. Hij en Mo hadden toen al bekendgemaakt dat ze hun dochter naar Niamh zouden vernoemen, en daar bleef hij bij.' Lucas wrijft in zijn ogen en zegt met een lachje: 'Het is natuurlijk ook gewoon een mooie naam, en ze waren op haar gesteld.'

Als hij moe is, hoor je beter dat hij Iers is dan anders.

'Maar goed, over die stevige uitspraken. Toen Niamh ziek werd, had ze Keith meegenomen naar Owen. Dat kon ik haar natuurlijk niet weigeren. En toen ze overleed, weigerde Owen hem terug te brengen. Volgens hem had ze op haar sterfbed gezegd dat ze wilde dat Keith bij Owen bleef, maar ik vond dat zij niet het recht had om hem af te staan. Owen heeft het zwaar, zoals je je kunt indenken, en redelijk blijven is er voor hem op dit moment even niet bij.'

'Wat? Jeez, dat is... Maar Keith is jouw hond dus?'

'Altijd geweest. Hij was nooit van Niamh. Ik kocht hem als puppy. Dus. Vanaf hier krijgt het verhaal trekken van zo'n filmhuisfilm. Devlin en ik hebben bij Owen moeten inbreken om Keith te bevrijden en kidnappen. Een gast die we kenden deed een klus in zijn appartement, en Dev kreeg met een smoes de reservesleutel van hem los. Daarna hielden we de wacht voor Owens huis tot hij wegging, en toen zijn we zijn huis binnengedrongen en hebben we Keith meegenomen.'

'Dat meen je niet!'

'Echt. Niet zo lang daarna kwam deze klus hier voorbij en vertrok ik met Keith naar Sheffield, op veilige afstand van Owen en zijn wraaklust. En hij... fulmineert, zoals dat geloof ik heet.'

'Heeft hij dan helemaal geen last van schaamte over de seks met jouw vrouw, of over het lenen van je hond en hem dan niet meer teruggeven?'

Lucas neemt een grote slok whisky. 'Integendeel. Zijn verhaal is dat hij Niamh na jaren van ellende heeft bevrijd uit een gekweld huwelijk en dat hij hier het slachtoffer is. Dat begrijp ik ergens ook wel, hij hield tenslotte van haar, dus hij rouwt ook. Maar hij zei...'

Hij valt stil. Ik zie dat hij zich moet vermannen. 'Hij zei dat de stress van onze ruzies wel eens de oorzaak van de kanker kan zijn geweest. Ik geloof er niks van dat het feit dat Niamh en ik onze bek tegen elkaar opentrokken ook maar enige invloed heeft gehad op haar ziekte, maar het zal je gezegd worden. Ik heb haar volgens hem met mijn getier voortijdig het graf in gejaagd.'

'Jee, Lucas, dat is...' Ik moet even slikken. Net klom ik nog met lood in mijn schoenen de trap op, maar nu wil ik graag de vriend voor hem zijn die hij nodig heeft. 'In een ongelukkige relatie ruzie je nou eenmaal, en dan roep je van alles wat je achteraf liever niet had gezegd. Jij kon niet weten wat er zou gebeuren, net zomin als Niamh en Owen. Dan heb je gewoon geen hart, als je zoiets zegt. Wat een lul.'

'Dank je.' Hij drinkt zijn glas leeg. 'Is het goed als ik er nog een neem? Jij ook nog?'

Ik knik en geef hem mijn glas aan. Tot hij weer terugkomt, is het zachte gesnurk van Keith het enige geluid in de kamer.

'O, nou snap ik ook waarom je niet wilde dat ik Keith uitliet!' zeg ik.

'Wat? O, ja. Ik heb het idee dat Owen in de kreukels ligt en dat maakt hem onvoorspelbaar, dus hou ik Keith altijd bij me voor het geval Owen besluit hem ongevraagd te repatriëren. Ik sloeg je aanbod toch best subtiel af, dacht ik?'

'Nee hoor, het was allesbehalve subtiel,' zeg ik lachend.

'Sorry,' antwoordt Lucas, en dan blijft het een tijd stil.

'Ik weet niet hoe ik om Niamh moet rouwen,' zegt hij dan. 'Er is geen handleiding over omgaan met het verdriet om iemand die je wel de nek om kon draaien toen ze nog leefde.'

'Zoek een therapeut. Dat helpt echt.'

'Denk je?'

'Ik heb het zelf ook gedaan,' zeg ik. 'Je hebt schone en vuile wonden, zo legde mijn therapeut het uit. Rouw werkt anders als je een moeizame relatie had met degene die dood is. Een schone wond doet evengoed pijn, maar die geneest wel als er niks raars gebeurt. Een wond door een explosie of zo, of granaatscherven, dat geeft bijkomende schade, er kunnen infecties bij komen kijken, noem maar op. Dat heeft meer tijd nodig om te helen, en de genezing gaat anders in zijn werk. Inzien dat het een ander soort wond is, daar begint het mee.'

Ik had nooit ofte nimmer kunnen voorspellen dat ik dit nog eens bij Lucas McCarthy op de bank zou zitten vertellen. Fay en ik hadden het over twee mannen in mijn leven, en een daarvan zit hier tegenover me.

Lucas schuift naar voren op zijn stoel. 'Mag ik vragen wie jij hebt verloren?'

'Mijn vader.'

'En daar ben je over gaan praten met een therapeut?'

Ik zou natuurlijk de bewerkte versie kunnen vertellen, maar om een of andere reden weet ik gewoon dat Lucas na Fay de eerste en enige wordt aan wie ik het hele verhaal vertel.

De Lagavulin dempt de emoties, maar toch stok ik af en toe. 'Ik had een heel goede band met mijn vader...' Ik doe het maar zin voor zin, dan kan ik bijkomen in de stiltes.

'Je hoeft er niet over te praten als je niet wilt, hè,' zegt Lucas.

'Nee hoor, ik wil het zelf. Ik studeerde net een maand en kwam voor het eerst een weekend naar huis. Met een gigantische tas was, natuurlijk, en dat gevoel dat je na eindeloze omzwervingen en heroïsche ontberingen voorgoed veranderd bent.'

Lucas grinnikt zacht. 'Alsof je Frodo bent, ja. Of bedoel ik Bilbo?'

'Ik had mijn moeder laten weten dat ik zou komen, maar mijn vader wist het niet. Gebrek aan communicatie was wel een trefwoord in de relatie van mijn ouders. Als mijn vader het had geweten, zou hij enthousiast klaar hebben gezeten met fish-and-chips en een fles wijn. Nu kwam ik verreisd aan van mijn wereldreis vanuit het verre Newcastle, rekenend op zo'n feestelijk onthaal, en was er niemand thuis. Ook niet erg. Ik deed mijn was in de wasmachine, maakte een sandwich van vijf sneetjes hoog en liep de trap op om die op mijn kamer naar binnen te proppen.'

Lucas glimlacht, en ik heb het idee dat ik oprechte genegenheid voor mij bespeur.

'En toen viel ik in slaap, eerstejaars met chronisch slaaptekort die ik was. Toen ik wakker werd, hoorde ik mijn vader praten. Ik sloop de trap af en wilde net "VERRASSING, ik ben er weer!" roepen toen ik in de gaten kreeg dat hij niet met iemand in huis praatte, maar aan de vaste telefoon, in de gang.'

De tijd heeft de scherpe kantjes geen steek botter gemaakt. Het is nu twaalf jaar geleden, maar ik voel de schok weer bijna net als toen. Het voelt ook als verraad aan pap dat ik dit vertel. Ik realiseer me nu pas dat ik het daarom altijd voor me heb gehouden. Om hem te beschermen.

'Maar goed... Hij praat duidelijk tegen een vrouw, en hij zegt dingen die je echt nóóit uit de mond van je vader wilt horen. Wat hij met haar gaat doen. Wat hij graag wil dat zij bij hem doet. Pornopraat, Lucas. Mijn god. En dan heb ik het meeste nog kunnen verdringen. Het woord "kutje" kwam voorbij, dat weet ik nog wel.'

'Jakkes.' Lucas gaat met zijn hand naar zijn voorhoofd. 'Dat is wel... naar. Echt naar.'

'Zeg dat. Ik sta dus nog op de trap, kan niet op of neer zonder dat hij me hoort of ziet, en nu moet ik ermee in het reine zien te komen dat ik weet dat hij vreemdgaat.'

Ik haal een paar keer diep adem. 'Hij hangt op. Hij ziet me staan. Hij ontploft omdat ik hem sta af te luisteren, omdat hij weet wat ik heb gehoord en toch íéts moet doen om zich af te reageren. Ik word bang en ontplof tegen hem. Of hij wel weet wat hij mam aandoet, en mij, en mijn zus. Dat hij geen zak voorstelt als vader of echtgenoot.'

Doorademen, Georgina, naar je buik, zeg ik tegen mezelf. Denk aan wat Fay zei.

'Hij liet het allemaal over zich heen komen. Wat moest hij anders? Ik ben hem het hele weekend uit de weg gegaan, en toen vertrok ik gebroken weer naar Newcastle.'

Adem in, adem uit.

'Een dag later belde hij op voor een verzoeningspoging en stelde hij voor om naar Newcastle te komen om te praten. Ik zei dat hij de schijt kon krijgen.'

Net als ik denk dat ik er ben, knap ik. Het woordje 'schijt' is de druppel, en ik stort in. Met mijn handen voor mijn gezicht en schokkende schouders zit ik te huilen. Normaal gesproken zit dit veilig opgeborgen in een goed afgesloten kluis waarvan ik de sleutel probeer kwijt te raken. Soms doe ik de kluis open en is het alsof de inhoud me met huid en haar zou kunnen verslinden.

Een paar tellen later merk ik dat Lucas naast me knielt. Hij slaat een arm om me heen, en ik nestel me volautomatisch snikkend tegen zijn schouder. Zijn shirt ruikt naar hem, op een goede manier. Hij is groter en breder dan de jongen met wie ik toen in het park lag te rotzooien. Ik wil niets liever dan mezelf vergeten in deze omarming, en niet alleen omdat hij Lucas is en omdat hij ooit veel voor me betekende. Het voelt goed om vastgehouden te worden. Het verzacht die onwrikbare pijn in mijn hart.

'Sorry,' zeg ik, met een stem die opeens drie octaven hoger zit door het huilen. 'Sorry. Het ging over je vrouw en nu zit ik hier opeens te grienen...'

'Hé, hé, hé, niks sorry, huilen mag altijd,' sust Lucas, wrijvend over mijn rug. Keith piept verbaasd, en daar moeten we allebei om lachen. Lucas haalt tissues en ik pak er eentje van hem aan. Ik wilde echt niet huilen waar Lucas bij was, maar achteraf heeft het me wel goedgedaan.

Lucas gaat weer zitten, en ik verfrommel de tissue tussen mijn handen.

'Nou ja, en toen...' Ik hap naar adem. '...ging hij dood. Een paar weken daarna. Aan een zware hartaanval. We hadden het niet meer uitgepraat. Dat was dat. "Krijg de schijt" was het laatste wat ik ooit tegen mijn vader zei.'

Ik snuif en haal hortend adem.

Lucas hapt ook naar adem, maar dan anders. 'O nee.'

'Ik heb mijn moeder of mijn zus nooit over die ruzie verteld. Hoe had ik dat moeten doen? We begraven pap vijfentwintig jaar vroeger dan verwacht, en dan: o, trouwens, hij piste buiten de pot, met wie weet ik eigenlijk niet, veel plezier met deze informatie?' Ik schokschouder. 'En pap kon zich niet meer verweren. Dus ik snap hoe het voor jou was dat je niet kon vertellen dat Niamh en jij uit elkaar waren, en hoe teleurgesteld je in haar was. Ik kon niemand vertellen dat mijn vader en ik elkaar de leukste van de wereld vonden, maar dat mijn laatste herinneringen eruit bestonden dat we elkaar uitmaakten voor rotte vis en ik hem afkatte aan de telefoon.'

Nagekomen tranen kruipen over mijn wang, en ik veeg ze weg met mijn mouw.

'Ach jee.' Lucas kijkt naar de grond en pinkt zelf ook een traan weg.

Ik pak mijn whisky van tafel. 'En toen kwam de verrassingsscène na de aftiteling nog,' ga ik verder. 'Ik lag zo in de vernieling dat ik tijdens de tentamens aan het eind van mijn eerste jaar een paniekaanval kreeg, en ik ben daarna nooit meer aan het tweede jaar begonnen. Pap wilde altijd dat ik ging studeren. Ik krijg nog steeds een steek als ik foto's zie van net afgestudeerden met zo'n muts, poserend tussen hun ouders. Ik wist zo zeker dat ik er ook nog eens zo bij zou staan. Weer mis.'

'Wat een ellende. Arme jij.'

Een tijd lang zitten we zwijgend te luisteren naar Keiths gesnurk.

'Jij en je vader hadden een goede verstandhouding, toch?' zegt Lucas dan.

'Ja.'

'Dan wist je vader wel dat je van hem hield. En hij hield van jou. Stel dat hij vijf minuutjes terug kon komen, wat zou hij dan tegen je zeggen? "Georgina, niet te geloven dat je zo tegen me tekeerging, de laatste keer dat ik je zag"?'

Ik denk er even over na en schud dan mijn hoofd.

'Dat bedoel ik. "Het spijt me zo," zou hij zeggen. "Het spijt me dat je zo teleurgesteld in me was, die laatste keer." Maar jij hebt zijn verontschuldigingen niet eens nodig. En hij hoeft ook geen sorry te horen van jou.'

Ik sta met mijn mond vol tanden om zoveel inzicht en fijngevoeligheid.

'Dank je wel,' zeg ik. 'Ik ben echt heel blij dat je dat zegt.'

Lucas kijkt me scherp aan.

'En dat gebeurde allemaal rond je achttiende?' vraagt hij.

'Ik was achttien, ja. Het was in mijn eerste jaar, in de winter.'

Ik zou kunnen zweren dat die leeftijd hem iets zegt. Even later zakt die achterdocht weer weg en denk ik: of wacht, misschien was het geen herkenning wat ik zag. Misschien zag ik iemand die zijn best doet om je te plaatsen omdat je een nieuwe betekenis voor hem hebt gekregen.

'Een paar maanden na ons eindexamen,' zeg ik. Wie niet waagt...

'Het valt niet mee als op die leeftijd de grond onder je voeten verdwijnt,' zegt Lucas.

'Nee, absoluut niet. Je weet dan nog nauwelijks hoe je zelf in elkaar zit, laat staan wat je ermee aan moet als je ouders opeens compleet andere mensen blijken dan je altijd dacht.'

'Precies. Volgens mij kreeg ik mezelf en de rest van de wereld pas rond mijn vijfentwintigste een beetje in de peiling. Eigenlijk had het ook wel wat, die onschuld. Achteraf.'

Zit er een dubbele bodem in wat we zeggen of lijkt het maar zo?

'Over mannen die vreemdgaan gesproken,' zeg ik – om het gesprek een nieuwe draai te geven, niet zozeer omdat ik het erover wil hebben – 'je had gelijk met wat je over Robin zei. Hij was mijn ouders tegengekomen in de supermarkt en heeft ze wijsgemaakt dat hij vreselijk verknocht aan me is. Hij wist dus donders goed dat ik hier werkte toen hij hier laatst kwam.'

'Jezus. Al kijk ik er ook niet van op, eerlijk gezegd.'

'Nu ik erover nadenk: ik ging ervan uit dat hij mijn ouders toevallig tegen het lijf liep en niet had staan posten bij de supermarkt, maar nu weet ik dat niet zo zeker meer.' Ik laat een stilte vallen. 'Hij denkt dat alles geoorloofd is omdat hij van me houdt, wat natuurlijk literaire lulkoek is.'

'Georgina,' zegt Lucas, 'ook als het niet zo is: kijk uit met die man. Als ik iets heb geleerd, is het dat mensen je veel ergere dingen aandoen uit naam van de liefde dan wanneer ze je gezworen vijand zijn.'

Op weg naar huis, starend naar de donkere straten, malen die woorden door mijn hoofd tot ik niet meer weet wat ik moet denken. Keken we elkaar op dat moment nou aan alsof we elkaar volkomen begrepen, of beeld ik me dat maar in? Er is iets veranderd tussen Lucas en mij vanavond. Ik weet alleen nog niet goed wát.

30

In het geval Geoffrey hadden de diplomatieke inspanningen inmiddels niet geleid tot een bestand, maar tot een impasse. Hij wenste zijn excuses niet aan te bieden, en ik vertikte het ook.

Ik had het prima gevonden als ik die oude walrus met zijn snoeprode haren nooit meer had hoeven zien, maar dat was geen optie als ik nog enigszins een relatie met mijn moeder wilde. En dat weekend werd ik al voor de keus gesteld: zou ik hem boycotten door de zondagse lunch bij Esther over te slaan of niet?

Moest ik met een smoes komen of botweg weigeren? Maar toen drong zich opeens de vraag op waarom híj daar wel zonder blikken of blozen kon komen opdagen, terwijl ik uit principe de verschoppeling uithing. Conclusie: Geoffrey kon mijn rug op.

Esther zei dat ik dan maar een halfuur eerder moest komen, zodat ik al aan tafel zou zitten alsof ik daar thuishoorde als zij binnenkwamen, als symbolisch gebaar, en ik deed dankbaar wat me was opgedragen.

Waar we allebei helaas geen rekening mee hielden, is dat Geoffrey zo'n schrikbarend onaangename gast is die denkt dat het van opmerkelijke efficiëntie getuigt om drie kwartier voor de afgesproken tijd op de stoep te staan, terwijl dat natuurlijk uitzinnig onfatsoenlijk is. Als ik uit de taxi stap, staat zijn glanzende nieuwe bolide al pontificaal voor de deur, als de koets van Meneer Pad.

Het zit me zo vreselijk dwars dat mam hierin mee moet gaan, letterlijk en figuurlijk. Ik hoop dat ik nooit in een huwelijk terechtkom waar ik niet vrijuit kan zeggen: *Nee, we gaan niet een uur te vroeg op pad zodat onze gastvrouw op haar tanden moet bijten en niet nog even onder de douche kan springen zoals ze van plan was. Ga zitten.*

'Hallo,' zeg ik als ik de woonkamer binnenkom, en Milo zingt 'Haaaaaallo, tante Georgina' terug.

Terwijl mam en Mark me begroeten, zet Geoffrey gemelijk zijn glas cava aan zijn mond, zonder me aan te kijken of iets te zeggen.

Esther is opvallend ongedurig en schiet overeind om wijn voor me in te schenken. 'Alles kits?' vraagt Mark als ik ga zitten, en we kletsen wat. Ik zie mam haar hersens pijnigen om een onderwerp te vinden dat iedereen aanspreekt en ook nog volkomen ongevaarlijk is.

Ik zou haar kunnen vertellen dat je eens heel goed moet nadenken of je wel bij de goede partner zit als die partner je sociale leven zoveel ingewikkelder maakt. Dat hebben mijn maanden met Robin me dan toch geleerd.

'Kijk aan, Esther,' zegt Mark en hij staat op. 'Daar zul je haar hebben, precies op tijd!' Een busje voor aangepast vervoer draait de oprit op.

'De wonderen zijn de wereld nog niet uit,' zegt Esther. 'Het verzorgingstehuis staat zeker in brand.' Nana Hogg komt uit het busje, en met veel drukte en inspanning – van anderen – wordt ze in een rolstoel gezet en naar binnen gereden. Daar eist ze een plek op de bank op, waardoor tot mijn intense genoegen een zichtbaar ontstemde Geoffrey zijn plaats moet afstaan. Ze pakt haar breiwerk erbij en werkt met tikkende naalden verder aan haar egeltjes van zachte, oudroze wol.

'Wat een mooi idee van jou,' zegt Mark dan tegen mij, 'om bloemen op het graf van je vader te leggen op zijn verjaardag en Milo mee te nemen. Ik ben vrij die dag, en Esther kon geloof ik ook vrij nemen?'

'Ja, de school heeft Milo de hele dag vrij gegeven,' zegt ze.

'Jullie zijn van harte welkom om mee te gaan, Patsy en Geoff,' zegt Mark. 'We hadden gedacht om een uur of één te gaan, en daarna misschien even lunchen?'

Dat argeloze fatsoen van Mark werkt hier feitelijk als een duivels wapen. Uit mijn mond zou het klinken als een steek onder water, maar Mark is oprecht. En daar steekt Geoffrey nog onaangenamer tegen af.

'Eh... hmm,' zegt Geoffrey.

'Ik denk dat dat wel kan,' zegt mam opgelaten.

'Hoezo?' zegt Geoffrey geïrriteerd.

Mijn ogen rollen bijna uit hun kassen. Gaat hij nu serieus de rotzak uithangen, met publiek erbij? Bijzonder. Blijkbaar is hij nog te nijdig over mij om op de gebruikelijke indirecte achterbakse toer te gaan. We zijn in staat van oorlog.

'Het is wel de dag dat hij vijfenzestig zou zijn geworden,' zegt mam.

'Maar hij is er niet meer, hè?'

Er valt een onbehaaglijke, geschokte stilte. Het enige geluid is het getinkel van de wijnglazen die worden bijgeschonken door een gespannen tuttende Esther.

'Je bedoelt dat hij niet uit zijn graf opstaat om ons een stuk worteltaart aan te bieden?' zeg ik tegen Geoffrey. We hebben nog niks tegen elkaar gezegd, tot nu. Mijn lef vervult hem zo te zien met gepaste weerzin. 'Jee, wat een teleurstelling.'

'We hoeven er niet per se bij te zijn,' zegt Geoffrey tegen mam. Mij negeert hij.

'Zij kan toch gaan als ze dat wil?' zeg ik.

'Jij bent gewoon een onruststoker die wel eens een toontje lager mag zingen,' zegt Geoffrey. En dan vervolgt hij tegen mam: 'Die man was een nare oude schuinsmarcheerder, het is allemaal poppenkast, en ik vind dat je niet moet gaan. Zeg gewoon dat je niet gaat, Patsy. Het is genoeg geweest. Ze mogen het best weten, ze zijn er oud genoeg voor.'

Oké dan. Hij doet nu tegenover dit publiek zoals hij eerder tegen mij deed. Dat mam van de verhouding moet hebben geweten had ik al begrepen. Maar weet Esther het? Ik kijk naar haar en zie dat zíj verward mijn kant op kijkt. Ze lijkt verrast en ongerust tegelijk, en ik durf niet te zeggen of ze het voor het eerst hoort of niet.

'Wat is een schuimmeneerder?' vraagt Milo.

'AKELIGE MAN,' zegt Nana Hogg opeens tegen Geoffrey. 'Een akelig mannetje, dat ben je.'

Iedereen kijkt haar verbaasd aan. Ik was in alle opwinding al vergeten dat ze er zat, en ik was vast niet de enige.

'Nana!' zegt Mark.

'Hou eens op met haar te commanderen...' Ze priemt met een breinaald in mijn richting. '...zoals je haar altijd commandeert.' Ze prikt met de tweede breinaald in mams richting.

Die Nana Hogg. Wat een fenomeen.

Geoffrey loopt intussen paars aan.

'Ik zal me er niet toe verlagen een dame op leeftijd te beledigen, maar –'

'Ik ken jouw soort. Hamish, de man van mijn vriendin Margie, liet haar en de kinderen altijd in bietensap geweekt brood eten terwijl hij zich volvrat aan biefstuk en zijn loon naar het wedkantoor bracht. Jij doet me sterk aan hem denken. Naar type.'

'Nana, wilt u alsjeblieft ophouden,' smeekt Mark wanhopig.

Ik begin zachtjes te lachen. Dat is echt geen poging om olie op het vuur te gooien, ik kan het echt niet helpen. Dit is gewoon geniaal.

'Waaruit zou moeten blijken dat ik niet deug als echtgenoot?' vraagt Geoffrey.

'Je bent een bullebak,' zegt Nana Hogg. 'Laat haar toch naar het graf van haar man gaan.'

'Ik leg haar geen strobreed in de weg.'

'Je hebt net letterlijk tegen haar gezegd dat ze niet moest gaan,' zeg ik. 'En je gaf af op mijn vader. En noemde hem een schuinsmarcheerder.'

'Correct, en wie van zijn kinderen heeft een aardje naar haar vaartje?'

Mijn mond valt open.

'Zo praat je niet tegen mijn zus,' zegt Esther, tot ieders verbazing. Dit is een drama, een bloedbad. Mam zit er als een standbeeld bij, met grote ogen. Mark is in een paar minuten een jaar ouder geworden.

'Wat dan nog als ze graag een beetje flirt? Daar is niets verkeerds aan hoor,' zegt Nana Hogg. 'Ik zou het wel weten als ik haar figuur nog had.'

'Ik heb wel genoeg gehoord.' Geoffrey staat op en haalt met veel misbaar zijn jas van de kapstok in de hal. We zitten stil te luisteren; mam zit roerloos in haar stoel. Haar eerste neiging is altijd om Geoffreys kant te kiezen, maar zelfs zij heeft nu haar twijfels.

Hij laat zichzelf uit en gaat in zijn auto zitten, vol in het zicht door het erkerraam. De motor draait, en het portier aan de bijrijderskant staat alvast open voor als mam volgzaam achter hem aan naar buiten komt.

'Moet ik niet even met hem gaan praten?' vraagt Esther aan Mark, maar zelfs Mark haalt alleen zijn schouders op.

Nana Hogg zit alweer in alle rust te breien.

'Mam,' zeg ik, 'je hoeft niet naar hem te luisteren. Hij heeft zich als een hufter gedragen. Laat hem maar een nachtje zweten, morgen kun je ook nog terug.'

'Ze heeft gelijk,' zegt Esther.

Mam kijkt ons aan, kijkt dan door het raam naar Geoffrey en bijt op haar onderlip. Dan knalt het portier dicht, de achterlichten gloeien fel op, en Geoffrey trekt op en laat het grind opspatten. In de stilte zegt mam iets wat ik nooit uit haar mond had gedacht te horen.

'Georgina, heb je sigaretten bij je?'

31

We staan bij Esther in de tuin kleumend mentholsigaretten te roken uit een pakje dat ze ergens achter in een kastje heeft gevonden. Ik had niet verwacht dat ik mam nog eens teleur zou stellen door haar niet te kunnen voorzien van Marlboro Lights.

'Ik vind het naar dat je er zo achter moest komen van pap, Gog,' zegt Esther, met een hand om een elleboog.

'Joh, Esther, ik wist het al,' zeg ik. 'Ik wist juist niet dat jullie het wisten. Hoe wisten jullie van elkaar dat jullie het wisten?'

'Ik zag pap een keer met haar toen hij zei dat hij naar Graham ging. Ik was buiten met mijn vriendinnen en zag ze uit Atkinsons komen, hand in hand. Toen ben ik naar huis gegaan en heb het tegen mam gezegd. Ik was een jaar of tien.'

Zo lang dus al.

'En ik wist het voor die tijd al,' zei mam. 'Ik had het bijna van begin af aan door. Hij dacht dat ik het niet zou merken als hij thuiskwam met Rive Gauche van Yves Saint Laurent in zijn kleren. De stumper.'

'Hoe ben jij het dan te weten gekomen?' vraagt Esther aan mij.

'Ik hoorde pap...' Hmm. Niet te hard van stapel lopen. '...iets afspreken met een vrouw aan de telefoon, in mijn eerste weekend thuis in mijn eerste jaar. We kregen er slaande ruzie over, vlak voordat hij doodging. Ik dacht dat ik het beter voor me kon houden. Pap was er tenslotte toch niet meer.'

'En wij maar denken dat jij het onder geen beding te weten mocht komen. Jullie waren zo dik met elkaar, pap stond voor jou echt op een voetstuk. Daar wilden wij hem niet vanaf stoten,' zegt Esther.

'Lief van jullie,' zeg ik. Ik frons. Ze wilden mij dus beschermen. Voor dat nieuwe perspectief moet ik even ruimte maken in mijn hoofd.

Mam blaast een lange rooksliert uit. Het is zo'n bizar gezicht, mijn moeder met een sigaret. Ik wist wel dat ze af en toe rookte toen ze in de twintig was, maar toen ze zwanger werd van Esther is ze gestopt en nooit meer begonnen.

'Grace, zo heette ze. Ze hadden tien jaar lang af en aan iets. Hij kende haar van zijn werk. Wilde geen afstand van haar doen,' zegt mam. 'Zij was niet getrouwd, dus hij had haar altijd op afroep.'

'Nou ja, zeg. De smeerlapperij,' zeg ik. 'Zo fout voor jou én voor haar. Wat zij deed, klopte ook niet, maar ze zal wel hebben gedacht dat het echte liefde was en dat pap misschien bij jou zou weggaan.'

'Ik had niet gedacht dat je zo zou reageren,' zegt mam. 'Ik dacht dat je mij misschien de schuld zou geven omdat ik hem niet gelukkig maakte.'

Ik hou van mijn moeder hoor, maar soms vind ik het bijna onvoorstelbaar dat we hetzelfde DNA hebben.

'Waarom zou ik jou de schuld geven? Jij kunt er toch niks aan doen dat hij je bedroog?'

Mam knikt. 'Toch ben ik blij dat je het niet wist.' Ze stoot Esther even aan. 'Jij had het er soms best moeilijk mee, hè?'

Esther knikt en schopt met de punt van haar schoen in de grond. 'Het was moeilijk om hem nog gewoon als vader te zien.'

Ik zie nu de tiener Esther ook vanuit een nieuw perspectief, met haar neerbuigendheid, haar ergernis over mij en mijn band met pap, en sommige gevallen van slaande deuren.

'Waarom bazuint Geoffrey het nu opeens rond?' vraagt Esther. 'Waarom denkt hij dat hij dat zomaar kan maken? We willen gewoon het graf bezoeken, geen standbeeld oprichten.'

'Het maakt hem jaloers, denk ik,' zegt mam.

'Op een dode,' schamper ik, en dan vraag ik me af of dat niet een beetje hypocriet is, gezien wat er zoal bij mij opwelde bij het bekijken van de overleden Niamh.

'Ik weet dat hij lastig kan zijn, lieverds, maar ik moet een beetje op mijn tellen passen. Hij gaat over het geld.'

'Mam, de overwaarde van dat huis is grotendeels van jou,' zegt Esther. 'Je staat niet met lege handen. Die man moet eens goed in de spiegel kijken, zeg dat maar tegen hem.'

'Zo eenvoudig is het niet.'

'Dat zeg ik ook niet, maar je kunt echt niet zo over je heen laten lopen.'

'Wij kunnen je helpen, mam,' zeg ik.

'Dat is lief van jullie, maar jullie hebben je eigen leven. Ik wil niemand tot last zijn.'

'Hoezo zou je ons tot last zijn?' zeg ik. Ik heb opeens het gevoel dat ik elk moment kan gaan huilen. Slikken gaat me moeilijk af door de brok in mijn keel. Ik kan me niet heugen wanneer we ons voor het laatst zo zusterlijk verbonden hebben gevoeld.

'Er is hier altijd een kamer voor je vrij,' zegt Esther met een arm om mams schouders.

En dan voel ik me voor het eerst volkomen nutteloos door mijn eeuwige geldgebrek. Dat soort praktische hulp kan ik haar niet bieden, al zou ik het nog zo graag willen.

'Laten we maar naar binnen gaan, het eten is klaar,' zegt Esther, met een blik op Mark die vanachter het keukenraam naar ons zwaait.

Als ik mijn sigaret uittrap, trekt mam me aan mijn mouw.

'Je kunt veel van je vader zeggen, Georgina, maar jullie zaterdagen heeft hij nooit voor haar laten schieten. Dat was toch een soort troost voor me.'

Ik voel me gestreeld, en in de war, en schuldig, en verdrietig, in één grote kluwen.

Als de passievruchtenmousse soldaat is gemaakt bedankt mam voor koffie, en dan weet ik al hoe laat het is. De rest kan ik uittekenen. Ze is nog wel zo verstandig om te wachten tot Nana Hogg zit te snurken in een leunstoel en geen commentaar kan leveren.

'Esther, bedankt voor je aanbod om hier te blijven logeren, maar ik denk dat ik toch maar naar huis ga.'

Esther fronst haar wenkbrauwen. 'Weet je het zeker?'

Ik wil zo ontzettend graag nuttig zijn, in plaats van het steeds weer te moeten overlaten aan mijn competente zus, die als kind ook al veel langer gebukt ging onder mijn vaders verhouding dan ik. En ondertussen huppelde ik blij met hem van het ene café naar het andere currytentje.

'Ja hoor, heel zeker. Het is vast alweer gezakt, en ik zal tegen Geoffrey zeggen dat hij erg overtrokken reageerde.'

Nou, succes ermee.

'Als je het echt zeker weet,' zegt Esther.

'Ja hoor.'

'Zullen we samen met de taxi gaan, mam?' vraag ik. Mark is zo attent om op te staan en te beginnen met afruimen, en ik zeg zacht tegen haar: 'Dan ga jij naar binnen, kijkt even hoe het gaat en of het geen slaande ruzie wordt, en dan app je me. Als je weer weg wilt en met mij mee naar huis wilt tot het stof weer is neergedaald, dan kan dat.'

Mam knikt beschaamd, en ik denk: Is dit nou normaliseren? Dit is het taalgebruik van mensen die misbruik hanteerbaar proberen te maken. Ik verlang normaal gesproken niet naar een vriendje om voor me te zorgen, maar op dit moment zou ik toch wel heel erg blij zijn als er iemand was met wie ik dit kon delen. Iemand die mij steunt, en via mij ook háár. Weten dat je er samen voor staat, zoals Esther en Mark dat van elkaar weten.

Ik bel een taxi en we pakken onze spullen. Mark heeft Milo alvast naar bed gebracht, en Nana Hogg maken we liever niet wakker. Ik zou haar trouwens graag een medaille opspelden.

Esther schiet me bij de voordeur nog even aan.

'Fijn dat je dit doet, Gog. Als het aan mij lag was ze gebleven, maar...'

'Ik heb eens ergens gelezen dat weggaan bij zo iemand "geen moment, maar een proces" is. De kans was klein dat ze opeens het licht zou zien. We moeten in de buurt blijven, zoals jij ook al zei, zodat ze weet dat ze het niet alleen hoeft te doen.'

Esther drukt me stevig tegen zich aan, en ik laat het lekker lang duren. Ik voel me klein, roze en pluizig.

Als we aankomen bij het grote huis in Fulwood denk ik aan wat mijn moeder vooral aantrekt in Geoffrey. Het is een prachtig victoriaans huis, een grote, donkere twee-onder-een-kap van die typische Yorkshire-steensoort met de kleur van donkere karamel. Ruime treden leiden naar de voordeur met glas-in-lood, die gemaakt lijkt om een oudste jeugdherinnering te worden.

Maar het is en blijft ook de kerker van een mensenetende reus. Ik kijk mam aan en pak haar hand. Het moet een ramp voor haar zijn, deze rolwisseling. Ik kan mezelf tenslotte geen kei noemen in het accepteren van háár zorgzaamheid. Nog een meevaller dat de chauffeur keihard Magic FM op heeft staan.

'Het maakt niet uit hoelang het duurt. Ik blijf hier tot je me appt.'

Ze kust me op de wang en geeft een klopje op mijn hand.

Even later valt de voordeur achter haar dicht en gaat het licht in de gang aan.

Nog geen vijf seconden later pingt mijn telefoon.

Welterusten lieverd! X

Ze heeft nog niet eens de tijd gehad om iets tegen hem te zeggen, en nu meldt ze me al dat alles goed is.

Wat daarvan trots, roekeloosheid, fatalisme of optimisme is, zou ik niet durven zeggen.

32

Een slechte vakman geeft zijn gereedschap de schuld. Of in mijn geval haar materiaal.

Vanavond is de tweede Schaamte in de Schijnwerpers, over 'Mijn rottigste date', en ik twijfel inmiddels ernstig aan mezelf wegens mijn gebrek daaraan. Ik heb weken de tijd gehad, maar tussen de familieruzies en de ruzies in mijn hoofd over wat ik vind van Lucas door, zijn de pogingen iets te bedenken op sensationele wijze gestrand. Finaal afgaan ten overstaan van vrienden, familie en collega's – het ultieme recept voor slapeloze nachten.

Tot zover mijn hoogdravende betoog tegen Jo dat goede anekdotes voor iedereen gelijkelijk voor het oprapen liggen en je alleen de kunst moet verstaan om ze te zien liggen.

'Ik heb nooit dates gehad die echt erg genoeg waren. Niets wat zich kan meten met "...en toen bleek dat hij onder die smoking een enkelband droeg", in elk geval,' zeg ik tegen Kitty. Lucas is verderop bezig met iets onduidelijks en doet alsof hij niet meeluistert.

'Die keer op mijn vierentwintigste dat mijn vriendje Mike me verraste met een tripje naar New York, dat komt nog het dichtst in de buurt. Op de eerste dag gingen we naar het Empire State Building, en daar vroeg hij me ten huwelijk. Ik zei nee. En toen moesten we nog drie dagen door zien te komen omdat we geen van tweeën genoeg geld hadden om de vlucht om te boeken.'

'O, mijn god!' zegt Kitty.

'Nou, dat dus. Mijn "Nee" was ook geen "Nu nog niet", maar een "Wát? Nee!", en ik riep ook meteen dat we er maar een punt achter moesten zetten. We kenden elkaar net drie maanden! Toen zag een stel Japanse toeristen die ring, ze begrepen het verkeerd en probeerden ons te laten poseren voor een foto. Mike is nu gelukkig getrouwd, maar ik vind toch niet dat hij het verdient dat ik die dag voor een column in *The Star* herbeleef, met publiek erbij.'

'Dit begint zo langzamerhand te klinken naar het "Beste jongen, misschien moet je eens proberen te acteren", van Laurence Olivier,' zegt Lucas. Hij schuift een fles terug op de plank en zegt tegen Kitty dat ze pauze kan nemen.

Ik vind het zelfs al lekker als hij in de contramine gaat. Ik voel mezelf gewoon weer voor de bijl gaan. Dat mag ik niet laten gebeuren.

'Wat bedoel je?'

'Je kunt toch ook iets verzinnen? Het is een schrijfwedstrijd, geen competitie wie het interessantste leven heeft. Het gaat ze vast deels om die durf, lijkt me.'

'Zit wat in.'

'Hoe zouden ze trouwens moeten controleren of het echt gebeurd is? Denk je dat ze vragen om de bonnetjes van Bella Pasta uit 2010 of daaromtrent?'

Ik lach, bijt op mijn onderlip en zeg dan: 'Ik heb wel een grappig verhaal over een vreselijke date, maar dat gaat over Robin. Is dat moreel verantwoord? Of verstandig?'

Lucas schokschoudert. 'Hij stond hier zelf te vertellen over jullie...' Hij valt stil om het woord 'seksleven' te vermijden, en het stemmetje in mijn achterhoofd roept: *Zegt dat niet iets? Wie verliefd is, wordt preutser rond de begeerde, dat is wel zo. Regel nummer zoveel van de hofmakerij.* Ach stem, hou toch je mond. '...jullie persoonlijke dingen. Alleen daarom al zie ik er geen kwaad in. Het is lik op stuk geven, als je het negatief wilt zien.'

Ik knik. 'Dat is wel zo. En zolang hij er geen lucht van krijgt...'

Lucas ziet een stamgast, begroet de man en schuift een vaasje onder de gewenste tap.

'Je kunt zijn naam weglaten. Tenzij hij in de zaal zit, lijkt het me erg onwaarschijnlijk dat het bij hem terechtkomt.'

Lucas heeft gelijk. En zelfs áls Robin me ter verantwoording zou roepen, heeft hij geen poot om op te staan. Ik ga in gedachten het dateverhaal door en bewerk de sleutelpassages. Om redenen van herkenbaarheid moet ik tot mijn spijt een herleidbaar element schrappen: Robin die tegen mijn ouders zei dat wij als sterrenkoppel met versmolten namen 'Robgina' of 'Hornee' zouden heten.

Dan komt er een jongen in een sweater van Superdry binnen die me vaag bekend voorkomt.

'Georgina! Ze zeiden al dat je tegenwoordig hier werkte!'

Het is Callum, ober en junior seksrat bij That's Amore! Ik herkende hem niet meteen zonder zijn groezelige, grijsgewassen witte overhemd met ruches, en zijn reusachtige pepermolen.

'Hoi Callum,' zeg ik. 'Ze zeiden het goed, zoals je ziet.'

'En jij zei dat je met me uit zou gaan als ik deed wat je vroeg, maar daarna heb je nergens meer op gereageerd. Harteloos.'

'Dat zei ik niet. Formeel gezien was de afspraak dat jij mijn jas voor me zou pakken. Dat heb je niet gedaan, dus de deal ging niet door.'

Lekker dan. Ik sta er weer fraai op, zo zonder verdere context.

'Nou ja. We zijn dus gesloten door de inspectie. Overtreding van de warenwet. Er lag een dode rat bij de afvalbak. "Hij is toch dood?" zei Tony. "Lijkt me geregeld." En die man zei: "Nou, nee hoor, maat, zo werkt het niet."'

Ik hou mijn lachen in zodat ik nog meer te horen krijg. 'Nee, dat lijkt me... niet de bedoeling.'

'Ik denk dat ze het zwaar opvatten omdat het maar een halve dode rat was, want dan moest er nog een levende rat zijn, was hun redenering, die die dode had aangevreten. Maar dat konden ze niet bewijzen, want die konden ze niet vinden.'

Hij haalt zijn schouders op en spreidt zijn handen, alsof de complexe controverse tussen That's Amore! en De Hygiënecode een kwestie is waar de allerbeste juristen hun hoofd nog lang over zullen breken.

'Maar goed, Tony is nu weg, en zodra Beaky de vergunning weer op orde heeft, heropenen we de zaak onder een nieuwe naam. En ik word bedrijfsleider! Interesse?'

Ik wil net beleefd bedanken, maar dan zegt Lucas: 'Ik wil niet moeilijk doen, maat, maar ze is hier aan het werk. Ga op Linked-In werven in plaats van onder mijn neus, wil je?'

'Waar bemoei je je mee? We leven nog altijd in een vrij land, dacht ik,' zegt Callum, die zijn vuisten in de zakken van zijn sweater stopt en weer eens blijk geeft van de spitsvondigheid die hem zo'n bekwame kracht maakte bij That's Amore!

'Ik ben hier de baas,' zegt Lucas.

Callum antwoordt met een loom lachje. 'Lol. Kijk, wij gaan honderdvijftig procent betalen, dus ik denk dat jij hier straks zelf meer diensten staat te draaien. Zeg dat maar tegen jóúw baas.'

Lucas knippert even met zijn ogen. 'Ik ben de bedrijfsleider niet, ik ben de baas. Mijn naam staat hier op de gevel. En nou oprotten, bijdehandje.'

Ik ben zo beleefd om pas over de grond te rollen van het lachen als de deur achter Callum is dichtgevallen.

'"Ik ga met je uit als je mijn jas haalt." Toe maar, Penelope,' zegt Lucas grijnzend.

'Zo was het niet! Mijn god, ik was net ontslagen, ze gooiden me letterlijk op straat, en hij dacht mijn jas te kunnen gijzelen in ruil voor een avond uit. Jezus,' sputter ik, terwijl Lucas me hartelijk uitlacht. 'Ik heb hem nooit een date aangeboden, dat wil ik hierbij wel even vastleggen.'

'Misschien had je dat beter wel kunnen doen, gezien je huidige worsteling met een verhaal voor de schrijfwedstrijd. Over die wedstrijd gesproken,' zegt hij met een blik op de klok, 'volgens mij gaan ze zo beginnen.'

'En toen zei ze: "Sorry, maar dat is mijn mooncup." Dat was de laatste keer dat ik rode port dronk. Dat was het, bedankt.'

De magere lat met de platte pet maakt een lichte buiging voor het schaterende en applaudisserende publiek, en ik ril bij het vooruitzicht om niet de klapper, maar de domper van de avond te worden. Het verhaal dat ik heb uitgekozen is meer een vertraagd afgespeelde ramp dan een spervuur van grappen.

Net als de vorige keer ben ik de hekkensluiter bij Schaamte in de Schijnwerpers, en anders dan de vorige keer heb ik de andere optredens nu wel gezien. Ik heb ook geregeld dat ik mijn uren al heb gemaakt vandaag, zodat ik hierna niet meer aan het werk hoef en alle tijd had om me op mijn tekst te concentreren. En als het klaar is, kan ik me bezatten.

Vanavond staat Kitty boven achter de bar; de broers zijn beneden aan het werk.

Ik zit aan de witte wijn met mijn vrienden, mijn zus en mijn zwager en wacht tot ik word opgeroepen. Het ontroerde me dat Esther speciaal vroeg wanneer de volgende keer zou zijn.

'We vonden het echt hartstikke leuk!' zei ze toen ik dat tegen haar zei. 'Ik had eerlijk gezegd mijn twijfels van tevoren, maar ik was zo trots op mijn grappige zusje. Ik vertelde het aan mam, en die zei dat je alles over haar mag zeggen, zolang je maar duidelijk maakt dat het bij haar thuis altijd schoon en aan kant is.'

Dat is goed om te weten, want mam krijgt ook nog een satirisch veegje uit de pan in mijn dateverhaal. Iets met hakken en spaanders.

Het is een onevenwichtig clubje vanavond. De ene kandidaat stuitert van de zenuwen, de volgende blijft maar praten, en weer een ander doet zijn mond bijna niet open. Een paar verhalen zijn echt heel goed: een over een internetdate met een gevoelige man die alleen met achtergestelde kinderen blijkt te werken vanwege een taakstraf, en een verhaal van een meisje dat uiteindelijk niet met haar date, maar met diens gescheiden vader naar huis ging. Dat laatste was waarschijnlijk verzonnen, maar het was wel hilarisch – krijg je alweer gelijk, Lucas McCarthy.

'Georgina, is Georgina in de zaal?' roept Gareth, die met een stapel papieren in zijn hand op het podium is gestapt. Mijn blik dwaalt onwillekeurig af naar Mr. Keith, in de jury. Ik kan deze ronde zijn aanwezigheid wel een stuk beter hebben – hij moet toch inzien dat ik gelijk had als hij hoort dat That's Amore! een halve kinderboerderij ernaast runde. (Stel je voor dat iemand de redactie daarover zou mailen.)

Ik loop naar de microfoon en merk dat dat de tweede keer geen spat makkelijker is.

'Mijn rottigste date...' Ik schraap mijn keel. '...was geen eerste date. Mijn ouders wilden graag de man ontmoeten met wie ik inmiddels drie maanden iets had. Dave, dat lijkt me wel een goede naam voor hem. Mijn moeder zou voor bubbels en knabbels zorgen, zei ze. Dat is mamtaal voor prosecco en olijven, dipsausjes, je kent het wel, en dingetjes met een korstje uit de oven. We waren er nog maar net toen mijn moeder Dave soepstengels en een bakje hummus voorhield. Eerste fout.

"Ik heb coeliakie," zei hij, "en ben bovendien principieel tegen kikkererwten, Mrs. Horspool. Het spijt me." Het zou best handig zijn geweest als hij mij dat van die coeliakie had verteld, en ik keek er ook wel van op gezien alle *deep-pan* pizza's Hawaii die ik hem al had zien verorberen. Nooit geweten dat je bij Papa John's glutenvrije pizza's kon krijgen. "Ik heb geen coeliakie-coeliakie," verklaarde hij later. "Ik heb gewoon de ervaring dat tarwe niet lekker bij me valt, en mensen hechten nou eenmaal aan labels. Toch? Dat begrijpen ze beter." Mij leek die soepstengel grijpen toch echt een stuk eenvoudiger.'

Er wordt hier en daar gelachen.

'Ik merkte dat hij melig begon te worden nu de sociale druk werd opgevoerd, in de overtuiging dat het de boel er gezelliger op zou maken, terwijl de ramp zich al aftekende. Als een piloot die met de moed der wanhoop de besturing overneemt en recht op de golven afkoerst, terwijl het vliegtuig zich vanzelf op de goede hoogte zou hebben gestabiliseerd als hij de piepjes, lichtjes en turbulentie had genegeerd. En toen was het tijd voor: "En wat doe je voor de kost?"

Dave was komiek en verscheen af en toe ook op televisie.

Mijn stiefvader vroeg: "Van welk programma zouden we je kunnen kennen?"

"Een afkickprogramma," grapte hij. Ik weet niet of jullie het bijhouden, maar wat mij betreft was dat fout nummer twee.'

Er wordt weer gelachen, en ik kijk even de zaal in. Ze hebben al wat op en ze willen te graag, maar het doet me toch deugd.

'"Verdient dat nou een beetje, komiek zijn?" vroeg mijn stiefvader, die Dave zo'n handgebakken chipje met sourcream-en-nog-wat aanbood.

"Een beetje, ja," zei Dave. "Maar ik doe er ook andere dingen naast. Sociale media en zo. Twitter."

"Is dat dan betaald?" vroeg mijn stiefvader.

"In sommige gevallen wel," zei Dave. "Ik bedenk tweets voor humoristische accounts."

"Voor andere komieken?" snoof mijn stiefvader. "Schrijven die hun eigen grappen niet?"

"Nee, voor bedrijven," zei Dave. "Ik ben het aapje van PG Tips, bijvoorbeeld. Dat theemerk. Ik weet het, weer een illusie armer, het spijt me."

Dave beantwoordde hun niet-begrijpende blik met een grijns.

"Aapjes? Thee? In de dierentuin?" zei mijn stiefvader.

"Dat gebreide aapje," zei Dave. "Met Johnny Vegas. Je weet wel, van AAPIES!" Hij brulde het zo hard dat hij stukjes natte chips in het rond sproeide.

"Dus als ik het goed begrijp," zei mijn stiefvader, die bijna aan zijn zevenenzestigjarigentaks zat, "zijn er mensen die op hun computer inloggen op het internet om de opmerkingen van een knuffelbeest te lezen, maar eigenlijk ben jij dat, die zich uitgeeft voor een knuffelbeest?"

"Klopt helemaal," zei Dave.

"Lieve hemel," zei mijn stiefvader. "Ik ben vast niet het beoogde publiek voor die technische praat."

Dave zat aan de wijn, en stevig ook, en hij had grieppillen geslikt waarvan de dokter had gezegd dat ze niet samengingen met alcohol. Ergens halverwege zijn vierde glas gleed hij in standje filosoof na een paar joints.

Mijn moeder vroeg of hij wilde trouwen en kinderen krijgen. (Fijn, mam.) Hij zei: "Het is welbeschouwd een kwestie van of je voor de rode of voor de blauwe pil gaat, hè?"

"Viagra?" zei mijn stiefvader Geoffrey.'

Er werd gelachen. Echt gelachen.

'Even later zat Dave de plot van de bekende sciencefictionfilm *The Matrix* aan die twee uit te leggen, binnen de context van zijn ultralinkse politieke opvattingen. Mijn moeder keek er erg van op dat ze in een simulatie leefde die gecreëerd was door het kapitalistische systeem, vooral omdat ze net een nieuwe keuken had laten plaatsen.

"Ik woon anders met veel plezier in Fulwood hoor!" zei mijn moeder.

"De werkelijkheid als construct," zei Dave. En toen liet hij een boer. "Je moet echt *Manufacturing Consent* van Noam Chomsky eens lezen."

"Je moet echt een keer volwassen worden, jongen," zei mijn stiefvader.

"Ja, moet dat?" lalde mijn vriend. "Echt? Getallen, weet je. Wat boeit het. Neem jou nou, jij bent zeventig," zei hij tegen mijn stiefvader, die antwoordde: "Ho, ho, ik ben zevenenzestig!" Mijn vriend keek naar mijn moeder en besloot het er maar niet op te wagen, godzijdank. "En zij is dertig…" Hij wees naar mij. "En dit huis is, wat, honderd jaar oud? Dat bedoel ik! Getallen. Betekent allemaal helemaal niets."

"Wel als je nog kinderen wilt hoor," zei mijn moeder, en dat was het moment waarop ik besloot dat ik in een simulatie leefde die gecreëerd was door Satan. "Straks is Georgina vijfendertig en holt haar vruchtbaarheid achteruit, daar heb ik haar laatst nog een artikel uit de *Telegraph* over opgestuurd."

"Nog bedankt, mam," zei ik, "al zie ik het verband tussen mij en Kate Middleton niet helemaal, eerlijk gezegd."

"De koninklijke familie? Bah!" zei Dave met een blik van intense afschuw. "Als mijn revolutie losbarst, belandt Kate Middleton in een kerker."

"Maar zij heeft dan nog de troost van drie beeldig geklede kindjes," zei mijn moeder tegen mij op een toon alsof ik me diep moest schamen, en toen kreeg ik een hysterische lachbui om deze clash tussen Dave's universum en mams universum, en hun gedoemde pogingen nader tot elkaar te komen.

"In dat fluweel, en die spencertjes! Die kakkindjes zijn uitgedost als spoken die in een brand zijn omgekomen," brulde Dave.

Tien minuten later dommelde hij weg terwijl mijn stiefvader over zijn volkstuin zat te vertellen, en liet hij een scheet in zijn slaap.'

Ik kijk de zaal in.

'Mijn vriend Dave en ik zijn niet meer bij elkaar.'

Ik vouw mijn aantekeningen op. Volgens mij ging het best goed. Iedereen klapt en joelt, en er fluit zelfs iemand op zijn vingers. Ik word overspoeld door een golf van plezier en opluchting.

Maar dan zie ik wie er floot. Robin McNee.

33

Voordat ik iets kan doen of zeggen word ik door een nerveuze Gareth van het podium gedreven.

'We hebben vanavond een bijzondere toegift, mensen. Een speciale gast die ons heeft verzocht hem toe te voegen aan het programma voor een eenmalig gastoptreden. We voelen ons zeer vereerd, dus handen op elkaar, graag, voor Robin McNee!'

Strak van de zenuwen loop ik terug naar mijn tafel, waar ik verbijsterde blikken wissel met mijn tafelgenoten. Hoe is Robin hier verdomme beland? Waarom hebben de gebroeders Mc-Carthy hem niet beneden al bij kop en kont gepakt en de deur uit gesmeten?

Robin woelt door zijn haar en doet zijn gespeeld schuchtere inleidende manoeuvres: bescheiden blik, nederig gebogen hoofd. Dan haalt hij de microfoon van de standaard.

'Goedenavond, drinkers van The Wicker en liefhebbers van gedeelde schaamte. En Georgina, natuurlijk...' Hij doet alsof hij me zoekt in de massa. '...gefeliciteerd. Ik heb genoten.'

Serieus, hoe is hij verdomme boven gekomen? Ik voel woede opborrelen en bedenk tegelijkertijd dat ik onredelijk ben. Tenzij je een uitsmijter bij de deur zet, kun je nooit iemand gegarandeerd buiten houden, en waarschijnlijk is Robin door iemand geholpen. Wat is die lul van plan? Met de chaos en ellende van de vorige keer nog vers in mijn geheugen hou ik mijn hart vast voor wat hij nu weer voor plagen over ons gaat uitstorten.

Een beweging bij de deur trekt mijn aandacht, en ik zie Lucas staan, onzichtbaar voor de rest, die met een diepe frons naar Robin kijkt en dan het publiek afspeurt naar mij. Ik weet niet hoelang hij daar al staat.

Als onze blikken elkaar vinden, haalt hij een duim horizontaal langs zijn hals. Ik schud heel licht mijn hoofd en maak met twee handen een dempend gebaar bij wijze van 'laat maar'. Zou de scène die we schoppen als we hem nu van het podium sleuren rampzaliger zijn dan de scène die Robin schopt als we hem laten staan? We gaan het zien.

'"Leermoment", ken je die uitdrukking? Het was ooit een term voor van die onderwijstypes, maar tegenwoordig kom je het overal tegen, van TED Talks tot politiekeopiniestukken,' zegt Robin. 'Een leermoment is een venster, een opening, dat is het idee, een ongeplande gebeurtenis of ervaring die je de kans biedt om te groeien. Maar om te kúnnen leren van dat moment moet je eerst voor die les openstaan. Je moet het herkennen als een les.'

Robin draait de dop van een flesje water dat Gareth hem nog snel heeft aangegeven. Gareth kijkt alsof hij Ricky Gervais voor een optreden heeft gestrikt. Robin heeft geen spiekbriefje.

Waarom nam ik in godsnaam Robin als onderwerp? WAAR-OM? Het heeft me zo kwetsbaar gemaakt. Omringd door puinhopen, roepend dat ik er niets aan kon doen, kom ik met smoezen. Dit ben ik dus gewoon. Zo ben ik. Het valt echt niet meer te ontkennen. Mijn god, dat uitgerekend die zak van een Robin McNee me hier indirect die genadeloze spiegel voorhoudt. Net nu ik dacht dat ik nieuwe, betere wegen was ingeslagen.

'Ik vroeg me af welke leermomenten in mijn leven ik onopgemerkt voorbij heb laten gaan.' Hij zet het flesje weg. 'Ik had een vriendin, een slimme, interessante vrouw die me op een avond na een van mijn optredens had aangesproken om te zeggen dat ze me goed vond. Een cynische onderpresteerder die me had zien optreden en toch nog met me naar bed wilde – helemaal mijn type! En dat niet alleen: ze was veel en veel en véél te hooggegrepen voor me. Vreselijke uitdrukking, trouwens. Alsof je denkt dat er wel iets in eugenetica zit, toch? Vul je eigen variant maar in van "Ze denken vast dat ik haar in een loterij heb gewonnen".'

Iedereen lacht – welwillend, gecharmeerd. Alsof ze eekhoorntjes zijn en hij ze nootjes voert. 'Cynische onderpresteerder'. Smeerlap. Zie hoe hij zijn mes net onder de ribben naar binnen laat glijden, met zo'n snelle, subtiele polsbeweging dat niemand het doorheeft behalve het beoogde slachtoffer.

'Op een van onze eerste dates gingen we naar de nieuwe *Blade Runner*. We zitten er klaar voor, ook voor de onvermijdelijke discussie achteraf over vervolgfilms die altijd slechter zijn dan het origineel. De film is net vijf minuten bezig als een man een paar rijen achter ons opeens zegt: "HIJ IS EEN ROBOT!" We kijken elkaar even aan, maar zeggen niks. Even later, zodra iemand op het scherm verschijnt, gebeurt het weer: "ROOOOOBOT!", op zo'n zangerig toontje. Alsof het een spoiler is. Hier en daar wordt gegiecheld. We kijken om. O jee. Is dit zo'n boomer met een irritante ringtone en altijd en overal zijn telefoonspeaker áán? Een kletsmillennial die denkt dat hij thuis op de bank zit te netflixen? Of iemand met een verstandelijke beperking, misschien? Het is niet te zeggen, en die onzekerheid brengt mij als goedlinkse deuger in een lastig parket. Dus doe ik wat elke burgerman van middelbare leeftijd in dergelijke gevallen doet: ik raak stilletjes in paniek en hoop dat er een echte volwassene opstaat om dit op te lossen.'

Gelach.

'Helaas weet de man niet van ophouden. Wat of wie er ook verschijnt op het scherm, hij levert commentaar op een spottend, sarcastisch toontje. "SEXY MEID." "MOOIE KAR." Het enige wat bij mij opkomt, is een grap dat ik toch meer had verwacht van de editie met exclusief commentaar van de regisseur.' Robin kijkt het bewonderende publiek met pretogen aan. 'Tip: zoek in een crisis nooit je heil bij een komiek. Mijn vriendin fluistert dat ze naar de wc moet en staat op. En dan zegt het heerschap dat iedereen stoort: "O LA LA, HALLO DAAR, MEISJE!"

Dan hou ik het niet meer. We hebben het eerste halfuur al half moeten missen door Mr. Robot en zijn psychotische episode, en nu valt hij ook nog mijn vriendin lastig? Klaar mee! Ik zeg dat ze weer moet gaan zitten en kom zelf overeind. Ik loop de zaal uit en spreek iemand van het personeel aan. De medewerker gaat met een zaklampje de zaal in, en de man wordt verwijderd. Als hij langs me loopt, zeg ik tegen hem, neurotische liberaal die ik ben: "Sorry hoor, maar je zat het gewoon te verpesten voor de rest." De man staart me aan, dringt zich zonder een woord langs me, en ik voel me gerechtvaardigd. Geen spoortje spijt, en regelrecht onbeleefd. Ik tut hoorbaar.

Onder de gedempte bijval van de bioscoopbezoekers om me heen zoek ik mijn plek weer op. Ik heb opgetreden, mijn partner beschermd: ik voel me een echte man.

Als we na de film aan de pizza zitten – Amerikaanse pizza voor mij, dunne korst, met pepertjes – zeg ik: "Hij negeerde me gewoon straal toen ik sorry zei. Waarom zou ik me trouwens moeten verontschuldigen? Echt hoor, sommige mensen..." En toen zei mijn vriendin: "Volgens mij was hij doof. Als je doof geboren bent, gebruik je taal anders dan horenden. Ik heb een keer een klant gehad die me een kerstkaart gaf met HET MEISJE op de envelop."

"Of hij was gewoon onnozel," zeg ik.

"Hij moet anders wel de eerste *Blade Runner* hebben gezien en begrepen," zegt ze dan. "Hoezo?" vraag ik. "Omdat hij al wist wie robots waren en wie niet, en zonder die context kon je dat niet meteen vanaf het begin weten."

En toen, beste mensen van The Wicker, reageerde ik bozig. "Wat had ik volgens jou dan moeten doen?" zei ik. "Had ik hem zijn gang moeten laten gaan met zijn REGEN! en GEVAARLIJK GE-WEER?" Ze zei: "Het is geen commentaar op jou. Ik probeer alleen te bedenken wat zijn kant van het verhaal zou kunnen zijn." "Als ik niks had gedaan had ik nu ook de wind van voren gekregen!" zei ik.

Ze keek me verwonderd aan. "Ik verwachtte helemaal niet van je dat je iets deed."

Ik zat daarna nog een halfuur te mokken. Een bedankje zou fijn zijn, dacht ik. Een beetje waardering. Waarom haalt ze haar schouders erover op? Ik deed het toch voor háár?

Pas toen ik haar moest missen, die vrouw van wie ik oprecht hield, en nóg hou...' Er valt een stilte terwijl hij doet alsof hij zich moet herpakken. '...pas toen ik terugkeek op mijn fouten, kwam het begrip. Ik had mezelf onder druk gezet omdat ik dacht dat ik op de proef werd gesteld, dat ik aan een bepaald beeld moest voldoen. Er klopte alleen niets van mijn beeld van wat zij wilde. Zij wilde geen man-die-die-gast-eruit-laat-gooien. Zij wilde een man die zijn best deed om die ander te begrijpen. Die andere man was misschien doof, maar ík had niet geluisterd.

Mijn rottigste date, kortom, was ikzelf. Dat was het, bedankt.'

Robin klikt de microfoon weer in de standaard.

De tent wordt bijna afgebroken, alsof hier een briljant komiek is geboren, en als ik wegloop zie ik dat Robin wordt omstuwd door vrouwen.

Game over. Dit heeft niets meer met liefde te maken. Dit is een groteske imitatie van bewondering die Robin als excuus gebruikt om mij op te jagen. De overhand op mij houden en winnen, dat is zijn enige doel, en op dit moment voelt het alsof hij daarin is geslaagd.

34

Robin wordt de deur gewezen, mijn verontwaardigde vrienden en familieleden mogen bijkomen met gratis drank in een afgeschermd hoekje, en Gareth van Schaamte in de Schijnwerpers bekvecht met een boze Devlin over de wijsheid om Robin een plek in het programma te geven. Waar ik kom, komt bonje.

Lucas troont me mee naar de keuken. Omringd door schoongepoetste roestvrijstalen werkbladen en werkeloos zoemende apparaten zegt hij: 'Sorry, Georgina, het spijt me vreselijk. Dit was helemaal onze fout. Ik had er niet meer aan gedacht om Devlin een signalement te geven, en hij is naar binnen geglipt toen ik even bezig was. Ik ben stom geweest, ik had gewoon beter moeten opletten.'

'Het maakt niet uit.'

'Het had gewoon nooit mogen gebeuren, sorry. Die vent heeft je nu al twee keer te grazen genomen terwijl je aan het werk was, dat is twee keer te veel, en dit had heel eenvoudig voorkomen kunnen worden.'

Ik ben in elk geval verdorven genoeg om een verlekkerde huivering te voelen bij het zien van een kruipende Lucas.

'Weet je, als brutalen de halve wereld hebben, heeft Robin het halve universum. Daar doe je niks tegen. Het was trouwens niet een date die ik me herinner.'

'Nee? Ik ging er eigenlijk van uit dat hij het over jou had.'

'Dat is ook zo, maar het ging heel anders. Hij klaagde niet over die man en liet hem er ook niet uitzetten. Hij zat alleen luidkeels te vloeken en gaf het personeel een sarcastisch applausje toen ze eindelijk optraden. Hij liegt dat hij barst. Of nee, pardon, hij maakt gebruik van zijn artistieke vrijheid.'

Lucas slaat zijn armen over elkaar en schudt misprijzend zijn hoofd.

'Dat ik ooit iets met die man heb gehad, je zult wel denken,' zeg ik dan opeens. Ik kan er ook niets aan doen.

Tot mijn intense voldoening kijkt Lucas me oprecht verbaasd aan.

'Wat? God, nee. Ik heb zelf ook genoeg domme keuzes gemaakt.'

Oeps. Dat onderwerp moesten we nu maar niet verder uitdiepen. Er valt een ongemakkelijke stilte.

'Maar die "Dave" van jou was wel Robin, toch?' vraagt Lucas.

'Ja hoor.'

'Als dat ook bij elkaar gelogen was, wil ik het liever niet weten. Ik had er zoveel lol om dat dat net zoiets zou zijn als wanneer ze je vertellen dat de kerstman niet bestaat.'

Ik schater het uit. 'Waargebeurd, dat zweer ik.'

Lucas kijkt naar me, en ik snap dat hij me wilde opvrolijken en daar nog in geslaagd is ook, en ik ben hem intens dankbaar voor zijn poging.

De ochtend na Schaamte in de Schijnwerpers besluit ik dat ik maar eens moet ophouden met concluderen dat Robin McNee toch echt een probleem is. Het wordt tijd dat ik er iets aan doe.

Het punt, zeg ik tegen mezelf nu ik er een nachtje over heb geslapen, is dat Robin geen fysieke bedreiging is. Hij is een psychologische terrorist. Hem schrik aanjagen met een spierbundel is geen logische stap, wat Clem ook mag zeggen, en hoe enthousiast mijn onderbuik ook op dat idee reageert. De vijand met zijn eigen wapens verslaan, zeggen ze dat niet zo?

Dus wat is zijn achilleshiel? In panels is hij altijd de geschifte, dromerige surrealist tussen de eeuwige jochies met hun onderbroekenlol. Ik kijk er niet van op dat hij wat Kitty betreft op tv de show steelt. Het is ook duidelijk dat hij erop rekent dat hij met zijn jongensachtige manier van doen nog goed kan meekomen met vrouwen die tien of vijftien jaar jonger zijn. Daar ben ik het levende bewijs van. Geruchten dat hij een manipulatieve vieze oude bok zou zijn, zouden hem dus zeker problemen opleveren.

Dat brengt me op een idee.

Robin is een chaoot. Als zijn telefoon weer eens leeg was, gebruikte hij soms die van mij. Ik verdacht hem nooit van afspraakjes met andere vrouwen omdat zijn telefoon nooit beveiligd was, en meldingen met tekst en al open en bloot op zijn scherm verschenen. Dus in technologisch opzicht was hij een open boek. Al begrijp ik nu natuurlijk dat hij wel degelijk iets te verbergen had. Het kon hem gewoon niet zo bar veel schelen of het verborgen bleef.

Omdat hij zijn agent Al zo vaak belde met mijn mobieltje dat ik steeds vaker verkeerd geadresseerde berichten van onbekende nummers binnenkreeg, sloeg ik Als nummer op een gegeven moment maar op.

Als ik me al schuldig voel dat ik Al erin betrek, is dat zo vervlogen bij de gedachte aan die avond dat hij de amateurdocumentairemaker uithing in de kroeg waar ik werk.

Ik ben niet stom. Als ik Als nummer heb, heeft hij mijn nummer misschien ook. En als op zijn scherm EX VAN CLIËNT DIE JE HEEL KWAAD HEBT GEMAAKT TOEN JE BEZOPEN WAS verschijnt, is de kans vrij groot dat hij me wegdrukt.

Ik zit achter mijn laptop zorgvuldigheid te betrachten en ontdek dat Al niet alleen op Twitter zit, maar er zelfs actief is. Handig. Ik stuur hem een privébericht. Hoi. Georgina hier, de vriendin van Robin McNee.

Bah. Het zegt al een hoop dat ik "vriendin" bijna mijn toetsenbord niet uit krijg. Ik meet me mijn oude titel met bijbehorende privileges weer aan omdat Al dan vast denkt dat we het weer hebben bijgelegd, en omdat 'ex' een signaal kan zijn dat ik kwaad in de zin heb.

Sorry dat ik stoor, maar ik maak me een beetje zorgen om hem. Kan ik je wat dingen voorleggen? Onder ons? Gx

Als je iemand voor de gek houdt, heeft de ervaring me geleerd, is niet je sluwheid maar het verrassingselement je belangrijkste wapen. Dat kan elke telefoonfraudeur je vertellen. Als Al hier rustig over nadacht, zou hij misschien navraag doen bij Robin, maar de kans is groot dat hij meteen wil weten wat er aan de hand is. Dit is dus een zorgvuldig gecalculeerde benadering met mij in een ongevaarlijke én intrigerende rol, waardoor Al zonder bedenkingen zal toehappen. Als hij zijn telefoon opneemt, ben ik binnen. Het lukt.

Hai Georgina! Geen probleem. Even bellen?

Ja! Ik heb je nummer. Ik bel je over een minuut of tien x

Ok x

Ik bel. Hij neemt op. Ik zal nooit weten of dat zonder mijn inleiding ook zou zijn gebeurd, maar ik heb desondanks het idee dat ik de goede tactiek heb toegepast.

334

'Al, hoi. Het zit zo. Je weet wat Robin laatst in de kroeg deed, hè? Toen hij op die stoel klom?'

'O, eh... Ja? Hmm, ik was best ver heen die avond, dat speciaalbier komt altijd harder aan dan je denkt!'

'Oké. Je weet dat ik weg ben bij Robin omdat ik hem in bed aantrof met Lou, toch? Toen jullie naar de kroeg kwamen waar ik werk, dacht ik nog dat het toeval was. Maar nu weet ik dat hij mijn ouders heeft gesproken, achter mijn rug om, hun onzin heeft verteld en toen die informatie over mijn werk heeft ontfutseld. Wat hij daar vervolgens mee deed, heb je zelf kunnen zien.'

'Eh...' Al realiseert zich dat hij in de val is gelopen. 'Dat wist ik niet.'

'Nee, natuurlijk niet, dat suggereer ik ook niet. Maar gisteren deed hij het weer. Hij dook op mijn werk op en stak in een zaal vol mensen een heel verhaal over mij af.'

'Ai.'

'Ik heb een probleem, Al, dat is het eigenlijk, en ik wil graag jouw advies. Sinds we uit elkaar zijn, is Robin al midden in de nacht naar mijn huis gekomen, waar hij steentjes tegen het raam gooide en mijn huisgenoot de schrik op het lijf joeg. Hij is naar mijn werk gekomen en heeft daar een scène geschopt, tot twee keer toe. Het scheelde niks of hij had me mijn baan gekost.' Een schepje erbovenop kan nooit kwaad. 'Toen ik Robin betrapte met een ander heb ik heel duidelijk gezegd dat het afgelopen was tussen ons. Ik heb niets gezegd of gedaan waaruit hij ook maar enige hoop kan peuren dat ik hem nog terug wil. Ik heb op geen enkel bericht van hem gereageerd. Dit komt maar van één kant. Dit is lastigvallen, stalken, of hoe je het ook wilt noemen.'

Ik haal adem in een diepe stilte en hoop dat Al nog aan de lijn is.

'Eerlijk gezegd begin ik me zo langzamerhand zorgen te maken,' vervolg ik. 'Als hij hier niet snel mee ophoudt, moet ik me toch op stappen gaan beraden.'

'Ik luister, maar wat wil je dat ik doe? Ik ben zijn agent, niet zijn oppasser. En ik zit driehonderd kilometer verderop.'

'Weet ik. Maar jij stond er wel vrolijk bij te filmen en Robin aan te moedigen. Ik hoopte dat we er misschien samen iets op konden bedenken.'

'Ik was niet van het hele verhaal op de hoogte – ja, sorry, leg daar maar even neer, Charlie – anders had ik dat zeker niet gedaan. En de opname is ook gewist.'

Hij zit in zijn kantoor, het 'Sorry, ik moet nu echt weg' hangt al in de lucht, dus ik moet snel tot de kern komen.

'Klopt. Maar waar ik dus mee zit, Al, is dat jouw cliënt mij hinderlijk volgt, en als ik niemand kan vinden die hem terug kan fluiten, informeel, zit er niets anders voor me op dan naar de politie te stappen en een straatverbod te vragen. Zie je het al voor je, de plaatselijke krant die staat te posten bij de rechtbank?'

Ik weet helemaal niets van straatverboden, rechtbanken of de aandacht van lokale media voor dit soort zaken, maar goed, Al wist ook niets van filmen op privéterrein. *Zolang je maar heel overtuigd klinkt.*

'Hola! Ik had niet in de gaten dat de nood zo hoog was dat je de politie erbij wilt halen. Is dat niet schieten met een kanon op een mug?'

Nu heb ik opeens zijn volle aandacht. Hij ruikt gevaar. Ik heb hem in mijn macht.

'Tegen deze mug helpt geen vliegenmepper, Al. Dus zeg jij het maar. Wat moet ik doen? Ik wil ook niet dat het zover komt, maar wat moet ik dan, als tien keer vragen of hij mij en de mijnen alsjeblieft met rust wil laten niet helpt?'

'O, dit... Wacht, ik doe even de deur dicht...' Ik hoor gerommel en doffe klappen. 'Luister, dit loopt uit de hand zo. Ik ga met Robin praten. Ik zal hem te verstaan geven dat dit jou echt niet lekker zit en dat hij zijn gemak moet houden. Maar... Dit is vertrouwelijk, dat begrijp je, strikt vertrouwelijk, maar heb je wel eens overwogen of Robin niet licht, eh... bipolair zou kunnen zijn?'

'Nee, niet echt. Hoezo?'

'Hij heeft sterk wisselende stemmingen. Soms komt hij weken nauwelijks buiten en zit hij alleen sufgeblowd op de bank, en dan is hij weer tijdenlang niet te stuiten. Het kan zijn artistieke temperament zijn, natuurlijk, maar ik vraag nu me toch af of er geen diagnose onder zit. Misschien komen die al te enthousiaste liefdesverklaringen daar ook vandaan.'

'Aha. Ik zou het niet weten.'

Hmm. Zal ik het fatsoenlijk spelen of niet? Ik wil snel resultaat, zonder losse eindjes. Oké, onfatsoenlijk dus.

'Denk je dan dat hij voor de rechtbank zou kunnen aanvoeren dat hij geestelijk labiel is?' vraag ik liefjes.

'Ik zal met hem praten,' zegt Al haastig. 'En je ziet hem niet meer bij jou in de kroeg.'

'Ontzettend bedankt, fijn dat je me kon helpen.'

Hiha. *Nu jij weer, Robin McNee.* Puur figuurlijk, hè, doe liever niets, maar toch: nu jij weer.

Kennelijk heb ik Al echt laten schrikken, want een kwartier later krijg ik een appje van Robin.

Hi! Oké, jij je zin. De boodschap is overgekomen. Kan ik je misschien spreken over iets anders? Het is belangrijk. Geen uitnodigingen voor een drankje meer, beloofd. Over werk. Rx.

Nee. Ik hap niet.

35

'Maar je wilt Robin McNee dus echt heel zeker weten niet meer terug?' vraagt Kitty. Ze zuigt aan een rietje dat in een flesje cola light steekt.

'God nee, heel ontzettend zeker niet,' zeg ik, driftig schrobbend over een plank onder de bar. Sinds Robins bericht van gisteren heb ik niets meer van hem gehoord, dus ik durf bijna wel te zeggen dat mijn snode plan heeft gewerkt. Ik weet waar Kitty heen wil met haar vragen, maar omdat ik niet kan zien of Lucas in de buurt is, geef ik voor alle zekerheid maar antwoord alsof hij meeluistert. Het is al tegen negenen, en het is zowaar eens een heel stille avond.

'Dus je hebt nu geen vriend?' vraagt ze.

'Nee.'

'Maar je zou het wel willen, op zich? Trouwen en kinderen en alles?'

'Dat zijn drie verschillende vragen,' zeg ik met een lachje. 'Ja hoor, ik wil best een relatie, maar ik heb geen haast. En ik weet pas of ik die andere twee dingen wil als ik die relatie heb.'

'Ga gewoon op Tinder!'

Ik kom overeind. Vaatdoek uitspoelen, uitwringen, op de klok kijken. Het is echt een slome avond, maar het eind komt in zicht.

'Als ik dan op zoek zou gaan, ben ik eerlijk gezegd eerder uit op liefde dan op een nachtje lol. De echte romantiek, zeg maar. Ik ben *Woeste hoogten* weer eens aan het lezen en ik kwam zo'n mooie zin tegen: "Waar onze zielen ook van gemaakt zijn, de zijne en de mijne zijn hetzelfde."'

Kitty kijkt verwonderd voor zich uit, en heel even vlei ik mezelf met de gedachte dat ik deze queen van de social media misschien nog eens aan de klassiekers uit de wereldliteratuur krijg.

'Ik snap het niet,' zegt ze. 'De zijne en de mijne wát? Gaat het over twee mannen? Lees jij homoporno of zo?'

Lucas steekt zijn hoofd om de hoek en zegt: 'Sst!'

'Hun zielen! Hun zielen zijn hetzelfde,' zeg ik, schuddend van het lachen.

Dan stapt er een vrouw met een strenge paardenstaart op de bar af, en iets in haar blik en haar gedecideerde manier van doen maakt me alert.

Ik trek mijn gezicht in de plooi. 'Ja?' zeg ik tegen haar. Dat is niet mijn gewoonlijke begroeting, maar dit lijkt ook geen gewone klant.

'Ben jij Georgina?' vraagt ze.

'Eh... Ja?'

'Ik heb iets voor je, van Bob.' Voordat ik kan zeggen dat ik geen Bob ken, brengt ze de arm die ze net nog achter haar rug hield naar voren. Ze heeft een plastic bakje in haar hand, en zonder nog iets te zeggen gooit ze de inhoud recht in mijn gezicht. Het voelt koud en scherp aan, en het prikt in mijn ogen; ik zie opeens helemaal niks meer en gil van de schrik.

Om me heen klinken opgewonden mannen- en vrouwenstemmen, en dan voel ik dat ik word afgevoerd naar de keuken.

Achter me slaat een deur dicht, ik hoor Lucas zeggen: 'Pas op, koud,' en dan word ik met mijn hoofd onder de kraan geduwd en voel ik water over mijn gezicht stromen. Als het mijn neus in loopt, begin ik te piepen van de schrik en stribbel ik tegen alsof ze me aan het waterboarden zijn.

'Dit moet echt even, Georgina, werk eens mee!'

Ik laat me verslappen, hap naar adem als het stromende water dat even toelaat en hoor Lucas snel achter elkaar *kut kut kut* zeggen, en ik begrijp niet waarom hij zo bang klinkt en waarom ik met mijn hoofd in de gootsteen hang en niet gewoon een handdoek krijg, en waarom plukt hij nou aan mijn kleren? Hij sjort mijn mouwen over mijn handen en zet me rechtop. Trekt hij zomaar mijn shirt over mijn hoofd?

Voordat ik kan knipperen tegen het water of eens goed kan ademhalen hang ik alweer met mijn hoofd onder de kraan. Het loopt nu ook in mijn hals en spettert tegen mijn borst, en ik voel mijn blote huid reageren op de lucht. Wat wil hij nou? Moet ik nog natter worden? Het water gutst als een waterval over me heen en kruipt nu zelfs al onder de band van mijn spijkerbroek, en ik gil: 'Niet doen, het is zo koud!' alsof ik een klein kind ben.

Dan word ik omhooggetrokken en rechtop gezet als een lappenpop, twee warme handen sluiten zich om mijn hoofd, en ik hoor Lucas zeggen: 'Kun je je ogen opendoen?'

Ik probeer voorzichtig of mijn oogleden nog los willen. De keuken komt vaag in beeld, vertekend door een dik H_2O-filter en met een grijzige tint door de uitgelopen mascara. Ik knipper een paar keer. Een warm stroompje water sijpelt uit mijn neus.

'Brr. Wat gebeurde er nou?'

'Kun je...' Lucas maakt zijn vraag niet af. 'Zie je mij?'

Ik stel scherp op zijn gezicht en zeg: 'Ja, wat dacht jij?'

Met zijn gezicht een paar centimeter van het mijne en zijn duimen op mijn slapen draait hij mijn hoofd voorzichtig naar links en naar rechts. Dan houdt hij me iets verder van zich af, zijn blik daalt af, hij strijkt met zijn vingertoppen over mijn sleutelbeen en kijkt me weer aan om mijn reactie te peilen. Ik hou mijn adem in en bewaar dat gevoel voor later. Dan kijk ik ook naar beneden. Mijn bovenlijf is bloot op mijn beha na, alsof dit zo'n stressdroom is, maar dan echt. Het wollen vestje dat ik net nog aanhad, ligt op de tegelvloer met mijn kletsnatte T-shirt erbovenop. Ik ben allang blij dat ik een ondoorzichtige zwarte balconette draag vandaag, want als er sprake was geweest van tepels had ik mezelf van kant moeten maken. Toen ik me vanmorgen aankleedde, hield ik er geen rekening mee dat Lucas McCarthy en ik samen mijn decolleté zouden inspecteren.

'Eh... Waarom ben ik bijna bloot van boven?' vraag ik. *Je toont wel initiatief, Lucas,* denk ik ondertussen. *Ik kreeg iets in mijn gezicht, weet je nog?*

'Hoe voel je je? Gaat het nog?'

Ik knipper nog wat water uit mijn ogen, glimlach en zeg: 'Ja, hoor. Behalve dan dat ik halfnaakt ben en nogal nat en bij God niet weet wat ik hier doe.'

Ik haal mijn neus op, hoest, vraag me af of ik mijn armen niet voor mijn borst moet kruisen en besluit dan dat ik beter de schijn kan ophouden, dwars door de schaamte heen, al hou ik wel onopvallend mijn buik in. Ik raap mijn natte shirt op van de vloer en druk het tegen me aan.

'Christus.' Lucas doet een stap naar achteren en laat zich zakken tegen de magnetron. 'Christus,' zegt hij weer. 'Dat was... Ik moet even bijkomen hoor.'

'Wat is er dan?' zeg ik.

'Ik dacht dat het een zuuraanval was!'

'O!' Ik haal opgelucht adem, en Lucas kijkt me met grote ogen aan.

'Wat dacht jij dan?'

'Nou, niet daaraan, in elk geval. Was dat heel dom van me?'

Opeens begrijp ik alles wat Lucas net heeft gedaan, en ik voel me tegelijk grenzeloos naïef en ontzettend blij dat het geen moment bij me is opgekomen.

'Des te beter, zullen we maar zeggen. Dat waren zo'n veertig seconden die ik nooit meer hoop mee te maken.'

'Ja, trek het drama maar weer naar je toe, als een echte man. Ik ben hier de verzopen kat, hè. In mijn beha.'

'Ja, eh... god, ja. Sorry, maar ik vond de mogelijkheid dat je huid losliet door een bijtend goedje toch belangrijker dan je eerbaarheid.'

Lucas kijkt nadenkend naar mijn borst en kijkt dan snel weg, ik sla toch maar mijn armen over elkaar, en allebei verlangen we naar een gat in de grond om in te verdwijnen.

'Je weet niet half hoe opgelucht ik ben, Georgina, ik dacht echt dat je met gillende sirenes zou worden afgevoerd.'

'Je was er heel snel bij met het water. Ik ben onder de indruk.'

'Ik heb een paar EHBO-cursussen over brandwonden gedaan. Heb je echt niet aan zuur gedacht? Niet te geloven. Ik zag het in slow motion gebeuren.'

Lucas schudt zijn hoofd, en ik zie dat hij echt behoorlijk geschrokken is. Dat ontroert me. Het streelt me trouwens ook, net als die vingers over mijn huid...

'Waarom deed ze dat?' vraag ik. 'Wie is die Bob?' We kijken elkaar vragend aan, tot me iets begint te dagen. Wie zou mij – binnen de context van The Wicker – met een schadelijk goedje willen overgieten? 'Wacht eens even. Thor, die stripper, heette die niet Bob?'

'Ik zou het echt niet meer weten.'

'Ja! Weet je nog toen hij wegliep? "Bobby vergeet nooit iets!" riep hij toen. Dit was dus zijn wraak. Maar waarom zou je dan met water gooien?'

'Nou, ik denk niet dat het water was, hoor.'

Ik hou een natte haarlok onder mijn neus en snuif. 'Je hebt me zo grondig schoongespoten dat er niet veel meer van te bespeuren valt. Maar goed... Stripperspis, dus? Houden we het daarop? Goede naam voor een speciaalbiertje trouwens, als je nog eens iets zoekt,' zeg ik grinnikend.

'Jezus, jij kunt ook echt overal een melig lolletje van maken, hè?' zegt Lucas.

Voordat ik iets kan zeggen, zet hij me klem in een knuffel die ik totaal niet heb zien aankomen. Mijn shirt valt uit mijn handen. Ik geef me maar over aan mijn gevangenschap binnen de rechte hoeken van zijn ellebogen en leg aarzelend mijn armen om zijn rug. Zijn hart is nog niet tot bedaren gekomen, voel ik. Dan bromt Lucas met zijn mond in mijn haar: 'Als er één gezicht is dat nooit verwoest zou mogen worden...'

Ho. Wat?

We laten elkaar los, kijken elkaar van dichtbij in de ogen, en ik denk: Jezus, gaan we nou zoenen? Na die schrik en het uitkleden en de angst en de crisis die we samen hebben doorstaan, ligt alles open. Want behalve een kwart van mijn borsten is nu ook blootgelegd dat Lucas om me geeft. De lucht tussen ons knettert.

Dan gaat de deur open. Devlin steekt zijn hoofd om het hoekje, ziet de omhelzing en laat zijn blik afdalen naar mijn blote buik. Ik wijk onwillekeurig naar achteren, maar Lucas verstevigt zijn greep net genoeg om te zorgen dat ik blijf staan.

'Mijn broertje heeft zich al op de dame gestort, zie ik. Dan zal haar vast niets ernstigs mankeren. Er wordt hier eten bereid, denk je daaraan, Luc?'

'Wat gebeurt er allemaal?' hoor ik Kitty met een hoog stemmetje vragen. 'Is alles goed met Georgina?'

Lucas verplaatst zich galant zonder me los te laten, bukt, raapt

343

mijn vest op en geeft het me aan, en ik klem het als een badhanddoek tegen mijn borst. Mijn shirt moet eerst nog grondig worden uitgewrongen en dan drogen op de verwarming, anders wordt het hier ongevraagd een Miss Wet T-Shirt-bar.

'Het is al geregeld. Iemand gooide Georgina een onbekende, heldere vloeistof in het gezicht,' zegt Lucas.

'De ongepaste grappen die op dit moment absoluut niet bij me opkomen – jullie kennen me – hou ik nog maar even voor me.'

'Ga toch weg, Devlin.'

'Hahaha. De belager ging ervandoor, en Kitty kon niet snel genoeg achter de bar vandaan komen om haar achterna te gaan. Waar ging het om?'

'Georgina denkt dat die stripper erachter zit die we er toen uit hebben geknikkerd.'

'Om wraak te nemen voor die klap, denk ik.'

'Oké. Er valt hier in elk geval genoeg te beleven, zullen we maar zeggen,' zegt Dev.

Hij verdwijnt weer, en ik trek mijn vest aan en doe de knoopjes dicht, wat vreemd genoeg voelt als een intiemere handeling dan zonder vest voor Lucas staan. Dat zit hem waarschijnlijk in de suggestie van de enige andere situatie waarin het zou kunnen gebeuren. Volgens mij is het voor hem hetzelfde, want hij wendt zich half af en zegt iets vaags over wel of niet de politie bellen.

'Wat moeten we dan zeggen? De politie bellen omdat iemand met water heeft gegooid is net zoiets als een schooiertje aangeven voor een ballon op straat.'

'Die sadisten dachten ongetwijfeld dat jij zou denken dat het een zuuraanval was,' zegt Lucas. 'Ik vind het wel een aangifte waard. Als dat betekent dat er iemand in uniform bij ze op de stoep staat om er even op te wijzen wat voor straf er staat op gooien met iets ergers, is het toch nog ergens goed voor.'

'Dat is waar. Het was me het dagje wel, zeg,' verzucht ik. Ik strijk mijn natte haar achter mijn oren en realiseer me dat mijn make-up er vast uitziet alsof ik auditie ga doen bij Kiss.

'Een veelbewogen dag, ja,' zegt Lucas. 'Al met al lijkt het me geen probleem als je het verder gezien houdt voor vandaag.'

'Ik denk dat ik thuis onder de douche spring en dan terugkom voor een stuk of wat grote glazen drank, als dat ook goed is.'

Lucas neemt me taxerend op. 'Voor de schok?'

'Voor de schok.'

'We hadden al vastgesteld dat de schok voor míj stukken ernstiger was,' zegt Lucas.

'Dan moet jij ook maar een paar stevige borrels nemen.'

Lucas kijkt op zijn horloge. 'Tot over een uurtje dan.'

Een sessie? Met ons tweeën? Ik voel een huivering van opwinding. Ik denk steeds aan wat Lucas zei toen hij me omhelsde. Hij heeft zichzelf verraden.

Ik heb hoop.

36

'Zeg het eens, mevrouw. Wat mag het zijn?' zegt Devlin.

'Een kleintje Stripperspis, graag,' zeg ik. Het is een halfuur voor sluitingstijd, en ik ben nerveus en vol verwachting weer aan de bar verschenen, na meer tijd en zorg aan mijn opfrisbeurt en outfit te hebben besteed dan gerechtvaardigd voor een avondje doorzakken. Ik draag een strak Cure-shirt; in sommige situaties is subtiliteit zwaar overschat.

'Die heb ik van de tap gehaald, het zag troebel. De leidingen moeten doorgespoeld, denk ik,' roept Lucas, en we lachen als twee hyena's. Vandaag mag Devlin eens met zijn ogen rollen om ons, in plaats van andersom. Jee, Bobby, je hebt me echt een dienst bewezen. Heel bijzonder.

En dan te bedenken dat ik Lucas kortgeleden nog afstandelijk vond. Kennelijk moest ik voor de tweede keer degene achter dat frontje leren zien. Hij moet je eerst vertrouwen.

Als Lucas werkt, werk ik meestal ook. Nu zit ik met een glas rode wijn aan een tafeltje en kan ik eens rustig naar hem kijken. Ik heb een vergunning voor stiekem gluren en ik ga er alles uit halen wat erin zit.

Ik wilde tot vandaag niet weten wat de aanblik van Lucas bij me teweegbrengt. Het zou puur masochisme zijn geweest om op die manier na te denken over iemand die me niet eens mocht en die zo'n lage dunk van me had dat hij me had gewist. Nu vraag ik me af of het niet juist ideaal is, een ongerepte tweede kans zonder een voorgeschiedenis die in de weg kan zitten.

Ik zet mijn hand onder mijn kin. Hij pakt een fles van een hoge plank, en zijn T-shirt schuift omhoog zodat een paar centimeter buik zichtbaar wordt. Een klant is zo attent om toch maar een andere gin te vragen, zodat hij de fles terug moet zetten en naar dat andere merk moet reiken, en deze keer zie ik zelfs de spanning in de spieren boven zijn riem als hij zich uitrekt. Mijn eigen niet zo platte buik spant zich ook, uit solidariteit.

Het doet me zelfs wat als hij zich over de kassa buigt: die spanning in zijn schouders, zijn soepele bewegingen. Mijn god, kijk dan hoe hij zijn inktzwarte haar van zijn licht bezwete voorhoofd strijkt... Hij kijkt even naar mij, en mijn ogen schieten snel terug naar mijn telefoon.

Hij had toch voorgesteld om iets met me te drinken? Ik zou bitter teleurgesteld zijn als dat er niet van komt.

Ik ben weg van Dev, maar toch barst ik van dankbaarheid als hij zich verontschuldigt en zegt dat hij graag zou blijven hangen voor een neut, maar dat Mo en de kinderen op bezoek zijn en hij eerder afnokt. Ik bied Lucas aan om te helpen met opruimen, maar hij wimpelt me af. Als de laatste stamgasten de deur uit stommelen, blijven alleen Lucas, ik en Massive Attack achter. *Stand in front of you...*

Ik huiver bij het vooruitzicht.

'Is dat deze?' Hij houdt een fles rood op, wijst naar mijn glas en dan op het etiket.

Ik knik. Hij komt met de fles en een glas naar me toe, en ik sta zo strak van de ingehouden spanning dat ik kaarsrecht zit. Hij komt tegenover me in de andere sjofel chique leunstoel zitten, draait de fles open, schenkt me bij, vult zijn eigen glas en zegt dan: 'Oké, Georgina Horspool. Dit is toch stukken beter dan dat we op de brandwondenafdeling van het ziekenhuis waren beland, toch?'

Hij pakt zijn glas, grijnst en tikt het mijne aan.

We. Heeft dat iets te betekenen? Zou 'je' niet logischer zijn geweest?

Van lang geleden weet ik nog hoe duizelingwekkend spannend dit is. Niet weten of hij hetzelfde voelt als ik, weten dat ik van grote hoogte naar beneden kan vallen als dat niet zo is. Dit gevoel is nergens mee te vergelijken, en daar doet de dreiging dat ik op de rotsen in de diepte te pletter val niets aan af.

Praten gaat vanzelf, nu we genoeg gemeen hebben. Hij vond studeren ook vreselijk, vertelt hij, en zijn studie bedrijfskunde heeft hij dan ook tegen heug en meug afgemaakt.

'Pa wilde dat we het familiebedrijf overnamen, klaar uit. Andere ideeën waren niet welkom en werden trouwens ook niet gesubsidieerd. Dev voelde zich er als een vis in het water, maar... Het klinkt misschien verwend, maar een leven als kroegbaas was allesbehalve mijn droom.'

'Wat had je dan liever willen worden?'

'Lesgeven trok me eigenlijk wel,' zegt Lucas, die zijn glas heen en weer laat schieten van zijn ene naar zijn andere hand.

'Nu je het zegt. Dat zie ik je zo doen!'

'Zit je me nou te stangen?'

'Nee, joh!' zeg ik met een grijns. Ik ben niet objectief, maar mijn indruk is toch echt dat we zitten te flirten.

'Je zou alsnog de lerarenopleiding kunnen doen,' opper ik.

'Ja, dat kan. Behalve dat ik te oud ben om weer van voren af aan te beginnen, en dat ik toch aan een bepaald inkomen gewend ben... Luxeproblemen, ik weet het.'

Hij lacht zo'n leep, scheef lachje en kijkt me aan vanonder zijn wenkbrauwen... Ja, ik geloof dat we toch echt zitten te flirten. Denk ik.

'Barst je dan van het geld?' vraag ik. Ik ben heel benieuwd of hij met een eerlijk antwoord komt.

'Eh... Hmm. Wat zou een kies antwoord op zo'n vraag zijn?'

'Een eerlijk antwoord.'

'Ja, ik ben rijk. Of we zijn rijk, eigenlijk. Doe wat ik zeg en alles is straks van jullie, dat was ons duivelspact met mijn vader. Hij was nogal een bullebak en hij nam het ook niet al te nauw met de wet bij het zakendoen met de minder frisse elementen in het Dublinse nachtleven. Daar hebben wij een bezem door gehaald, hij is inmiddels met pensioen, en daar ben ik blij om ook.'

'Hoe komt het dan dat Dev en jij zo goed gelukt zijn?' vraag ik zonder erbij na te denken, en Lucas kijkt oprecht vergenoegd.

'Tja, dan moet je bij mijn moeder zijn.'

Ik weet dat je geen sterretjes in je ogen hoort te krijgen van veel geld en dat Lucas echt niet meer waard is omdat hij op papier veel geld waard is. Maar toch mag ik van mezelf even fantaseren dat ik bij hem hoor. De mannen in mijn leven waren tamelijk lakse pechvogels die aan het eind van de maand meestal bij mij geld kwamen lenen. Foei, Georgina. Niet doen. Je zit hier niet in een boek van Austen; altijd je eigen broek ophouden! Denk maar aan mam en Geoffrey.

Het gesprek komt op Robin, en ik vertel Lucas mijn versie van de avond dat ik hem betrapte met Lou. Op alle goede momenten rollen zijn ogen uit hun kassen, schatert hij het uit en zuigt hij zijn adem in, en als ik van een afstandje naar ons kijk, zie ik ons klikken en een band krijgen en vind ik mezelf voor de verandering best behoorlijk leuk. Ik heb me dan wel ingelaten met een halvegare, maar ik kan daarmee naar de metaforische Cash Converters en het omzetten in iets met amusementswaarde.

Als de wijn op is, vraagt Lucas of ik de kersenlikeur al heb geprobeerd die we op proef hebben gekregen, en dan gaan we over op plakkerige shotjes, met synchroon smakkende lippen en discussies of het nou heerlijk is of gruwelijk zoet. Volgens de verlichte klok boven de bar is het halftwee. Mijn brein is nevelig van de drank, maar ik weet wel dat het moment van de waarheid nabij is.

'Is het al zo laat? Tijd om een taxi te bestellen,' zegt Lucas.

'Luc,' zeg ik. Ik gebruik met opzet zijn bijnaam. Het is een risico. Een risico met voorbedachten rade. 'Toen jullie me in dienst namen, hè... Ik hoorde jou toen tegen Dev zeggen dat je er hier geen Hooters van wilde maken.'

Lucas kijkt me verschrikt aan. 'Heb ik dat gezegd?'

'Eh... Zo klonk het wel, ja. Ik stond buiten te roken bij het keukenraam, na de wake.'

'Hmm, ik had vast te veel op...' Hij kijkt weg, opgelaten, en ik vraag me bezorgd af of ik niet te ver ben gegaan.

'Ik dacht eigenlijk niet dat ik eruitzag als het domme blondje met een flinke bos hout voor de deur.'

'Dat is ook niet zo!'

'Robin noemde me altijd een volkse Marilyn Monroe.'

'Zo dan. Hij lijkt zelf op Leo Sayer. Ik denk...' Lucas aarzelt. 'Ik denk dat ik Devlin terug wilde fluiten omdat hij het zomaar had toegezegd, in half bezopen toestand, zonder overleg.'

'Oké.'

'...en als het klonk als commentaar op je uiterlijk, dan spijt me dat. Ik stond Dev af te zeiken, daarom kwam het er zo bot en grof uit. Hmm...' Hij wrijft over zijn achterhoofd. 'Ik voel me nu wel een enorme lamstraal, achteraf.'

Ik speelde hoog spel door Lucas hiermee te confronteren, en het is mijn verdiende loon dat het verkeerd uitpakt. Hij voelt zich ongemakkelijk, en van het gezellige sfeertje is niet veel meer over.

'Nee joh, je zou me nooit afkammen, dat weet ik toch. Het is meer... Ik ben soms bang dat ik het verkeerde soort man aantrek. Robin kon bijna niet geloven dat ik wel eens een boek las. Misschien moet ik mijn haar zwart verven en die roze jas afdanken.'

Dat lijkt er meer op, Georgina, denk ik. Je zit wel akelig manipulatief naar complimentjes te hengelen, maar het kan nog net.

'Mannen die geen oog hebben voor de intelligentie van een vrouw vanwege haar haarkleur zijn je aandacht sowieso niet waard.'

'Helemaal waar.'

Hij trapt er niet in.

'Voor Hooters zou ik trouwens eerst onder de zonnebank moeten.' Jemig, Georgina, laat het gáán. Hoor je zelf wel wat je zegt?

'Ik zou er echt niet over inzitten. Je bent mooi zoals je bent.'

BINGO. Toch nog gescoord, in blessuretijd. *Mooi.* Lucas Mc-Carthy vindt me mooi. *Als er één gezicht nooit verwoest zou mogen worden.* Natuurlijk betekende dat iets. Kan niet anders. Mijn hart gaat zo tekeer dat ik elk moment verwacht dat de buren op de muur bonken of het niet wat zachter kan.

'Maar goed.' Lucas kijkt op de klok. 'Een taxi dus.' Hij staat op en loopt naar de bar om te bellen.

Doe iets. Nu of nooit.

'Nog eentje om het af te leren?' roep ik, als Lucas ophangt. Wat moet een kroeg tegenwoordig nog met een vaste lijn? Ik had hem niet moeten laten bellen. Ik had ook kunnen doen alsof ik het zelf via de app regelde.

'Check, doe maar dan,' zegt Lucas.

Glunderend schenk ik nog eens bij, terwijl hij terugloopt naar ons tafeltje. Hij pakt zijn glas en klinkt met me, en zijn vingers raken heel licht de mijne. We drinken, en onze blikken vinden elkaar. Als ik onbewust mijn tong over mijn lippen haal om een druppel binnenboord te houden, trekt die beweging zijn blik, maar zo kort dat ik niet durf te zeggen of ik het echt zag of het alleen wilde zien.

Koplampen schijnen vol op het raam, en Lucas staat op. 'Zo, dat is snel,' zegt hij, op een toon waar ik echt niets uit kan opmaken.

Nee, nee, nee, denk ik als ik ook opsta. De lichten glijden weer verder. 'Vals alarm,' zegt Lucas.

Ik sta pal voor hem en kijk naar hem op, en hij kijkt op mij neer; de wereld houdt zijn adem in, en ik weet dat dit mijn kans is.

'Lucas?' zeg ik.

'Ja?' zegt hij.

'Ik heb geloof ik een beetje te veel gedronken,' zeg ik. 'Ik moet naar huis, maar...'

'Wat?'

'Ik wil niet.'

Hij steekt zijn hand uit en strijkt een losse lok uit mijn gezicht, want elkaar aanraken hoort er nu blijkbaar opeens bij tussen ons, en ik denk: Als dit geen teken is, weet ik het ook niet meer.

Voordat ik zelf zeker weet dat ik het ga doen, ga ik tegen hem aan staan, leg mijn armen om zijn hals en zoen hem.

37

Het blijft doodeng, al maakt de alcohol die paar tellen voordat je weet of hij zal reageren net iets minder verschrikkelijk. In je eentje dansen is een makkie vergeleken bij in je eentje zoenen. Dat is pas eenzaam.

Net als ik bang word dat het niet meer gaat gebeuren, zoent Lucas me opeens terug, met evenveel vuur. Zijn hand ligt om mijn hoofd en zijn vingers vlechten zich in mijn haar.

Niemand zoent zo lekker. Ik dacht dat er een roze filter over mijn puberherinneringen lag, maar ze blijken eerder vervaagd, als oude foto's. Alles wat hij toen met me deed, doet hij weer met me. Het lijkt wel alsof mijn lichaam nog weet wie hij is, alsof het ene na het andere lichtje aanfloept, in herkenning en lust en tot in mijn tenen. De tientallen keren dat ik in de tussenliggende jaren heb gezoend-plus verbleken hier stuk voor stuk bij, bij die verovering en overgave en alles wat hij aanricht.

Zal best, zei ik steeds tegen mezelf, maar je maakt toch een sprookje van zo'n eerste liefde, hè, het is pure nostalgie. Maar dat is het niet. Mijn god, dat is het dus niet.

Hij moet weten hoe ontzettend graag ik hem wil. En aangezien ik steeds niet genoeg lef had om dat tegen hem te zeggen, leg ik nu maar alles in deze vorm van communicatie.

Dus zoen ik hem niet alleen nóg inniger en uitdagender, maar laat ik ook mijn handen onder zijn T-shirt en over de huid eronder glijden, in de hoop dat ik duidelijk kan maken dat dit niet zomaar zoenen voor het slapengaan is, maar een dwingende en dringende uitnodiging om me mee naar boven te nemen.

Lucas reageert door zijn hand onder míjn shirt te laten glijden – yes! – en ik pak zijn hand en schuif hem rechtstreeks door naar mijn borst. In elk geval niet alsof ik lastig te verleiden ben. Ik laat me meeslepen door de verrukking van het moment. Hij knijpt zachtjes, plukt aan het kanten randje van mijn beha en strijkt licht met zijn vingertopjes over mijn linkertepel. Als door een wonder zijn we opeens weer op dat tweede honk (ik snap dat met die honken nooit) dat we toen in de hortus ook behendig wisten te bereiken zonder op te vallen. Alleen hoeven we nu niet hunkerend en onvoldaan elk naar ons eigen huis.

Als ik aan zijn gulp morrel, pakt hij mijn hand en zegt: 'Stop.'

Ik wijk een heel klein stukje achteruit en haal weer adem.

'Hè?'

'Dit kan zo niet.'

Ik kijk naar de ramen. Hij heeft wel een punt. De luxaflex houdt niet alles tegen, en er brandt hier nog genoeg licht om ons van buiten te kunnen zien.

'Oké. Naar boven dan?'

Mijn kleren zitten scheef en mijn wangen gloeien.

'Nee. Dit moeten we niet doen, bedoel ik.'

Ik snap er niks van. Hij doet een stap bij me vandaan, maar het voelt als lichtjaren.

'M-maar... Ligt het aan mij?'

Hij kijkt me donker aan en zegt gesmoord: 'Dat zeker niet.'

Argh. Mijn moeder zou het een dame onwaardig vinden hoe ik eraan toe ben. Ik wil hem weer zoenen, maar hij pakt me bij mijn bovenarmen en houdt me tegen.

'Ik meen het, Gina. We hebben te veel gedronken en denken niet goed na.'

Gina?

'Dat weet ik,' zeg ik. 'Is dat een probleem dan?'

'Hmm.' Hij schudt zijn hoofd. 'Voor jou misschien niet.'

Eh... Wil hij wel, maar kan hij niet? Is dat het? 'Wat bedoel je daarmee?'

'Het lijkt nu misschien een heel goed idee, maar morgen moeten we weer gewoon samenwerken.'

'Daar zit ik niet mee,' zeg ik heel stellig.

'Maar ik dus wel. Je taxi komt zo. Heb je je jas?'

Eerst dacht ik dat hij een geintje maakte. Zodat ik er nog meer overtuigingskracht in legde, misschien. Nu snap ik dat hij niet staat te bluffen, en ik weet niet hoe ik het heb.

'Wat is dan het probleem?'

'Ik begin liever niks met iemand met wie ik nog moet samenwerken,' zegt hij zacht. 'Dat wordt me te ingewikkeld.'

'Jezus!' zeg ik, geraakt, beledigd, en iets te hard. Ik kan echt geen enkele baan bedenken waar ik een nacht met Lucas McCarthy voor zou laten schieten.

'Wat?' zegt Lucas rustig. Hij heeft zichzelf veel beter in de hand dan ik. 'Wat is daar mis mee?'

Ik voel me zo ontdaan en weerloos dat ik niet meer op mijn woorden let.

'Niks willen met iemand met wie je werkt, dat is gewoon een slappe smoes. Zoveel mensen leren iemand op hun werk kennen. Zeg dan meteen dat je me niet leuk genoeg vindt, ook prima.'

Dat zou natuurlijk absoluut niet prima zijn, en de grond onder mijn voeten wegslaan, maar dat iemand die mij met een zoen het gevoel kan geven dat mijn botten smelten er zelf niets bijzonders bij voelt, dat weiger ik gewoon te geloven.

'Dat is het niet.'

'Maar... Waarom zoen je me dan?'

'Jij zoende mij.'

Mijn mond valt open. 'Ach, natuurlijk, sorry hoor. Ik dacht dat hier twee mensen bij betrokken waren, maar ik overviel je, begrijp ik? Ik stond mezelf te betasten?'

'Georgina,' zegt Lucas, die zo te zien van zijn stuk begint te raken, 'je bent beeldschoon. Je bent fantastisch. Jou afwijzen zou niemand makkelijk afgaan. Maar je werkt nou eenmaal voor me. En dus kan ik dit niet doen.'

Dat is overduidelijk een compliment als troostprijs. Mij afwijzen gaat hem uitstekend af.

'Weet je, Lucas, het is al erg genoeg dat je me uitspuugt alsof ik een hap kattenvoer in je chili con carne ben, maar dat je erover liegt maakt het wel af. Je kunt me ook gewoon vertellen hoe het echt zit. Ik ben een grote meid hoor. Alles beter dan beleefd afgepoeierd worden.'

Die lijkt hard aan te komen bij Lucas, die zich nu echt staat op te winden. 'Is dat zo? Volgens mij is dat onzin. De waarheid is helemaal niet heilzaam of bevrijdend, maar een stronthoop waar je beter niet in kunt roeren. Dat zou jij toch moeten weten.'

Heeft hij het nou over mijn vader? Of...

Zwaar ademend staan we tegenover elkaar, terwijl zijn woorden tussen ons in blijven hangen.

'Goed,' zeg ik met verstikte stem. 'Je geeft dus toe dat het samenwerken je eigenlijk niet echt kan schelen en dat er iets anders aan de hand is?'

'Eh... ja,' zegt hij onzeker. Hij heeft spijt als haren op zijn hoofd van zijn uitbarsting, zie ik, maar hij heeft zich uit de tent laten lokken en maar één zet vooruitgedacht, en nu is het te laat.

Mijn eigen potje blufpoker dreigt ook in de soep te lopen. Door alle verwarring en schaamte heen heb ik me veel zelfverzekerder voorgedaan dan ik ben. Dit is intens pijnlijk en behoorlijk eng ook, maar ik kan nu niet meer terug.

'Je hebt toch gehoord wat ik tegen Kitty zei? Over... nou ja, liefde en zo? Zo niet, dan kan ik het nog wel ophelderen. Ik ben dus niet uit op eeuwige trouw.'

Hij kijkt me fronsend aan. 'Dat is het niet.'

'Wat is het dan?'

'Het doet er niet toe.'

'O, jawel.'

Als de echte reden moest worden afgedekt met een leugentje om bestwil moet het wel vreselijk zijn. En hij weet niet dat ik met Kitty over hem heb geroddeld en daardoor weet dat hij wel een nieuwe relatie zou willen, dus als hij zich nu beroept op de nagedachtenis van Niamh is dat al het tweede leugentje om bestwil. Ik denk dat ik wel weet wat er nu komt, en ik zou alles – echt alles – liever horen dan wat ik denk dat hij gaat zeggen.

Gaat hij... Dat zal toch wel niet?

'Ik meen het, ik heb echt liever dat je het gewoon zegt.'

'Waarom? Wat schiet je ermee op?'

'Het is altijd beter dan dit vraagteken,' zeg ik om de brok in mijn keel heen.

Dat is bluf: ik zou echt niet weten of het beter is dan blijven twijfelen. De kroeg voelt niet knus en veilig meer, maar donker en stil en verraderlijk. De vonk tussen ons is gedoofd en walmt na als een sputterende kaars. Lucas wendt even zijn hoofd af en kijkt me dan recht in de ogen.

'Jij herinnert me aan een van de naarste avonden van mijn leven.'

We staren elkaar aan.

'Waar heb je het over?'

'Volgens mij weet je wel wat ik bedoel.'

'Maar...' Ik weet niet wat ik moet zeggen. Ik ben hier niet klaar voor. Twaalf jaar de tijd om me voor te bereiden op dit moment, en ik ben er niet klaar voor.

'Je herinnert het je vast nog. We waren achttien en hadden, zoals dat toen geloof ik heette, "vaste verkering".'

Hij wist dus precies wie ik was. De naarste avond van zijn leven? Ha. Hij moest eens weten. En al die tijd had ik geen idee dat hij er zo over dacht. Ik zie vast lijkbleek.

'En inderdaad,' zegt Lucas, 'ik deed alsof ik niet wist wie je was nadat Dev eenmaal had doorgedrukt dat we moesten samenwerken. Dat leek me eenvoudiger.'

'Jij bent de baas. Je had kunnen zeggen dat je het niet met me zag zitten.'

Dit doet er nu niet meer toe, maar ik moet het gesprek toch gaande houden terwijl ik mijn hoofd op orde breng. Hij wist het!

Buiten claxonneert de taxi, en we doen allebei alsof we het niet horen.

'Ik wilde je niet straffen voor iets uit een vorig leven. Ik lig er nu tenslotte ook niet meer wakker van. Maar inderdaad, van alle barmeisjes in Sheffield had ik bij voorkeur niet net die ene getroffen die eens mijn hart heeft gebroken.'

En daar komt hij nu mee?

'Dus ik heb jouw hart gebroken?' zeg ik.

Lucas reageert niet.

'Jij hebt míjn hart gebroken,' zeg ik in die stilte.

Dan lacht Lucas. Hij lacht er gewoon om.

'Leuk geprobeerd. Dat moet herinneringsvervalsing zijn, denk ik.'

Ik zou zoveel kunnen zeggen, maar ik sta met mijn mond vol tanden. Hoe moet ik erover praten, tegen al die vijandigheid en afwijzing in? En ondertussen voel ik de druk van zijn lippen nog op de mijne, en zijn handen nog op mijn huid.

'Maar... Jij wilde me niet,' zeg ik.

Lucas kijkt me aan met een loodzware, sardonische blik. Zijn ogen stromen over van minachting en alles wat hij niet wil zeggen en wat ik zou moeten weten.

'Ja, dat kan kloppen. Naderhand hoefde ik je inderdaad niet meer.'

Even staat de tijd stil. Ik sta stil. Ik zeg niets.

Ik neem mijn jas aan van Lucas, haal mijn tas van de stoel vlakbij en loop weg.

'Tot morgen?' zegt hij, sarcastisch en toch hoopvol.

Mijn enige reactie is de deur die voor zijn neus dichtvalt.

38

Misschien zou het de volgende ochtend bij het wakker worden anders voelen, dacht ik nog. Maar helaas. Ik voel me zo mogelijk nog leger. En toch: nu ik echt niets meer te verliezen heb, merk ik ook dat ik over onvermoede reserves beschik.

Als ik op tijd voor de lunchdrukte op mijn werk kom, stuit ik al bij de deur op Devlin, die op pad gaat voor nieuw meubilair. Lucas komt pas later in de middag, hoor ik, wat mij prima uitkomt.

'Ik moet opzeggen, helaas. Wat is de opzegtermijn in het eerste halfjaar? Een week?'

Devlin kijkt alsof ik zojuist zijn onderbroek in zijn bilspleet heb getrokken.

'Voor zeer gewaardeerde krachten als jij is het zo lang of kort als je zelf wilt, maar dat doet er verder niet toe. Wat ga je doen? Welke vuile geniepigerd heeft je gekaapt?'

'Niemand hoor. Ik heb wat gespaard en ga eens goed nadenken over wat ik verder wil en kan. Ik ben dertig, ik kan niet eeuwig achter de tap staan,' zeg ik met een zwak lachje. Dat van dat sparen is niet eens gelogen. Ze betalen uitstekend in The Wicker, nog afgezien van de extraatjes waar ze mee strooien, en ik had zelden tijd om geld uit te geven omdat ik zoveel werkte. Ik ben eigenlijk gek dat ik wegga.

Ik kan alleen echt niet blijven.

Devlin kijkt me droefgeestig aan. 'Och nee... Ik ben er beduusd van. Je bent zo goed als familie. Is dit niet een verkapte onderhandelingspoging? Waar moet ik mee komen om je hier te houden? Of staat je besluit vast? Ik weet van Mo dat ze soms verwacht dat ik ruik wat er aan de hand is.'

'Nee hoor,' zeg ik lachend. 'Ik speel echt geen spelletje. Geen dubbele bodems.'

Dat is niet helemaal waar, maar ik ga hem natuurlijk niet wijzer maken dan hij is.

Lucas zal het vanzelf wel een keer van Devlin horen, neem ik aan, maar tot mijn verrassing blijkt hij al op de hoogte als hij iets na vieren binnenkomt. Dev is nog niet terug, en voor zover ik weet hebben ze elkaar niet gesproken. De broers zullen wel met elkaar geappt hebben.

Lucas kijkt me alleen strak aan en gaat achter aan het werk. Kitty bemant de grote bar en kan de drukte prima aan. Na een tijdje hoor ik dat Lucas me roept.

'Kan je me vertellen waar ik de limoenen kan vinden?' vraagt hij vanuit de keuken, terwijl hij met zijn voet de deur openhoudt.

'Liggen ze niet gewoon waar ze horen, bovenin?'

Lucas reageert niet, en ik zet me geestelijk schrap en loop de keuken in. Hij doet de deur dicht met een harde klik en blijft ervoor staan.

'Neem je ontslag?'

'Ja.'

'Waarom?'

Ik kan hem niet in de ogen kijken, dus ik weet ook niet of hij oogcontact probeert te maken.

'Ik wil er even tussenuit. Ik heb wat geld –'

'Dat verhaal dat je tegen Dev hebt opgehangen ken ik al. Je vertrekt zonder uitzicht op iets anders. Wat is de echte reden?'

Ik haal mijn schouders op en schop met de punt van mijn schoen tegen het opstaande randje van het zeil.

'Wat jij zei. Je zit niet te wachten op ingewikkeld gedoe met iemand met wie je samenwerkt.'

'Er is geen ingewikkeld gedoe. We hebben het niet ingewikkeld gemaakt.'

Allemachtig. *We zijn niet met elkaar naar bed geweest, ik heb je afgewezen, dus niets aan de hand.* Ik ben zo boos dat het me echt moeite kost om me te beheersen.

'Oké. Dus wat je tegen me zei, geeft volgens jou verder geen gedoe?'

Daar heeft Lucas niet van terug; hij kijkt betrapt en lijkt opeens op zijn hoede voor me. Dat hij zich nu op zijn beurt klemgezet voelt – en iets van mij verwacht wat hij niet gaat krijgen – is toch een troost, hoe schraal ook.

'Ik zei niet voor niks dat we het verleden beter niet konden oprakelen. Jij vroeg ernaar.'

'Dat is waar, en nu het is uitgesproken kan ik het niet meer niet-weten.'

'Word ik nou gestraft omdat ik iets heb verteld wat jij zo nodig wilde horen, ook al zei ik van tevoren dat je het niet leuk zou vinden?'

'O, dus jíj wordt hier gestraft? Grappig. *Van alle barmeisjes in Sheffield* kun je er vast wel een vinden die mijn plaats kan innemen. Mij kost dit gewoon mijn inkomen.'

'Daar heb ik toch niet om gevraagd?'

'Ik kan hier niet blijven werken,' zeg ik alleen.

'Ik...' Lucas gaat met zijn hand naar zijn achterhoofd. Ik zie de spanning in zijn lijf terwijl hij worstelt met de vraag of nog meer openheid iets zou uitmaken, of dat het alles alleen nog maar erger maakt.

'Overviel het je nou echt zo, hoe ik erover dacht? Ik heb alleen gezegd dat ik er verdriet van had, van hoe het liep. Toen, bedoel ik. Nu voelt het bijna als het verhaal van iemand anders.'

Het kriebelt bij me om door te vragen en hem erop te wijzen dat ik hem niet tegelijk koud kan laten én met weerzin kan vervullen. Maar mijn rotsvaste besluit is het enige wat me overeind houdt, en alles wat hij nu nog kan zeggen zou alleen maar deuken in mijn pantser slaan. Ik haal even diep adem.

'Dat is alleen niet het hele verhaal, hè. Ik kreeg het stempel van schaamteloze slet van je.' Ik spreek het heel duidelijk en nadrukkelijk uit, en hij kan me niet aankijken.

'Dat is niet waar!' zegt Lucas met een blos op zijn wangen. 'Mijn god, we waren een stel kinderen, wat maakt het nog uit, zeg nou zelf.'

'Het maakt jou kennelijk nog uit, gezien waar het gisteren een stokje voor stak.'

Lucas slikt moeizaam. 'Het spijt me als ik je heb gekwetst of me onhandig heb uitgedrukt. Voor mijn gevoel lag dat allemaal achter ons en hoefden we het niet nog eens dunnetjes over te doen.'

Het dunnetjes overdoen. Met zijn pogingen om het af te zwakken kwetst hij me alleen maar meer.

'Ik ben blij dat we vrienden zijn, bedoelde ik. Waarom zouden we dat verpesten?'

'Het staat me ook niet aan dat je al die tijd deed alsof je niet meer wist wie ik was. Dat je een spelletje met me speelde. We hadden het meteen op de eerste dag uit de weg kunnen ruimen.'

'Hoe dan? Gezellig verhalen van toen ophalen? "O ja, weet je nog dat we..." Hij maakt zijn zin niet af en fronst diep. Hij en zijn sikkeneurige schoonheid kunnen me wat. 'Je stelt me voor raadselen, Gina.'

Doet hij dat expres, dat terugvallen op mijn oude koosnaam? Ik zou hem er graag om verketteren en hem met mijn grote mond voor 'player' uitmaken, maar ik denk dat er iets anders achter zit. Hij wil het niet over vroeger hebben omdat dat hem kwetsbaar maakt. Er vallen gaten in zijn verdediging.

'Dat zal best, als jij zo arrogant bent om te denken dat ik me schouderophalend zou neerleggen bij jouw lage dunk van mij.' Ik hou het bijna niet meer bij die laatste woorden, maar zolang ik overeind blijf, ga ik door. Ik zal hier verdomme mét mijn waardigheid de deur uit lopen.

'Ik heb geen lage dunk van je. Je hebt het hier fantastisch gedaan, en we zien je niet graag vertrekken. Dat geldt voor Dev en voor mij. Als je weg wilt omdat je mij liever niet meer ziet, kan ik je vertellen dat ik binnenkort terugga naar Dublin, en Dev en Mo de boel hier verder samen bestieren tot ze een bedrijfsleider aanstellen.'

Jezus, hij wil dus niet eens dat ik blijf om mezelf, maar om mijn professionele kwaliteiten. Hij dacht dat hij een troef uitspeelde, maar hij had niets rotters kunnen zeggen. Wat ik tegen Dev zei, is niet de reden dat ik ga, en wat ik tegen Lucas zei, is dat ook eigenlijk niet, en door dat voor ogen te houden kan ik nu mijn rug rechten en hem met geheven hoofd in de ogen kijken.

'Dank je wel. Maar ik ga toch weg.'

Ik loop langs hem heen, knal de keukendeur open, neem mijn plaats achter de bar weer in en zeg op luide toon: 'Wie mag ik helpen?' Lucas McCarthy kan me wat. Gestolen worden, bij voorkeur.

Het valt me nog het zwaarst om het Kitty te vertellen, vreemd genoeg. Ze huilt.

'Je voelt als een zus van me,' zegt ze als ze me om de hals valt.

'Ik kom echt nog wel eens langs, we blijven elkaar gewoon zien.'

'Ja, maar dat is toch anders. Ik heb zoveel van je geleerd.'

'Echt?'

'Ja, echt hoor! Jij hebt me uitgelegd dat hoofdkaas en tenenkaas geen kaas zijn, maar dat je een van de twee wel kan eten, of zult eten, o, mijn god, ik weet het niet meer maar het was heel handig!'

'We blijven vriendinnen. Dat beloof ik. Eens vriendinnen, altijd vriendinnen,' zeg ik. Lucas komt voorbij, en ik druk Kitty nog eens stevig tegen me aan.

'Je kunt haar toch niet gewoon laten gaan?' jammert de betraande Kitty tegen Lucas. Het is een afgrijselijk moment, maar ik moet haar er wel om prijzen.

'God heeft haar helaas voorzien van een vrije wil,' zegt Lucas tegen Kitty. 'Om naar wens te gebruiken,' zegt hij tegen mij. 'Of misbruiken, kennelijk.'

Het is een gemakzuchtige, ondoordachte opmerking. Ik zie Lucas' gepijnigde blik en bezweer mezelf dat die me niets doet. Maar dat is niet zo.

39

Uiteindelijk maakte ik de week niet meer vol. Dat was mijn laatste dag, want ik hield het echt niet langer uit met Lucas in de buurt. Dev reageerde fantastisch, stopte me onverstandig veel geld toe, zoende me op beide wangen en vervolgens nog een keer, en omhelsde me zo stevig dat ik even dacht dat hij mijn ribben had gekneusd.

'Je komt toch nog vaak langs, hè? En je kunt hier altijd weer komen werken als je wilt.'

Ik bedankte hem, pakte mijn roze pluizenmonster en vertrok, zonder blik achterom en zonder afscheid te nemen van Lucas, die boven de deur achter zich dicht had geslagen en zich niet meer had laten zien. Ik zei tegen mezelf dat ik dat prima vond.

Toen ik thuis op mijn eerste werkloze middag verveeld zat te scrollen op mijn laptop kreeg ik een melding over Robins jongste triomf. Hij had nooit de moeite genomen om een eigen Facebookaccount aan te maken, maar hij had wel een fanpage, en ik was vergeten dat ik die had geliket.

Als het vroeger uitging met iemand, en die iemand woonde niet bij je in de buurt, hoefde je hem nooit meer tegen te komen of zelfs maar iets over hem te horen. Ik ben geen fan van het moderne alternatief. Nu kun je van een afstand hun hele verdere

leven volgen – of zij dat van jou – door simpelweg een naam in te vullen in de zoekbalk van Facebook.
Het eerste wat ik doe is op Unlike klikken. Dan gaan mijn ogen naar het bericht.

Hallo daar! Hieronder kun je *Chortle*'s vooruitblik lezen! Er zijn nog een paar plaatsen beschikbaar bij de speciale sneak-preview van Robins nieuwe voorstelling, vanavond in The Last Laugh. De opmaat voor een complete tour, plus het Edinburgh-festival volgend jaar!! TOT VANAVOND toegang £5 / aanv. 19u

Ondanks zijn opvallende tv-optredens bij *Idiot Soup* bleef Robin McNee lange tijd een van de best bewaarde geheimen van het comedycircuit. Met zijn nieuwste, nietsverhullende, persoonlijke werk kan het bijna niet anders of de beste stand-up van Sheffield treedt definitief uit de schaduwen.
Het dagboek van mijn ex draait om fictieve citaten uit het dagboek van zijn innig betreurde, verspeelde grote liefde, dat hij 'ontdekte' bij het rondsnuffelen in haar slaapkamer. *My Dad Wrote A Porno* meets *Judy Blume*, kort gezegd. Hij vertelt hoe zijn nieuwsgierigheid hem duur komt te staan door de confrontatie met haar wellustige gevoelens voor haar eerste liefde, terwijl hun eigen leven tussen de lakens daar tamelijk tam bij afsteekt.
Bij McNee roepen de ontdekkingen uit het dagboek de vraag op of mannen ooit echt kunnen begrijpen wat vrouwen van hen verlangen, en of ze ooit aan dat ideaal kunnen voldoen. Door mee te gluren met haar verhitte adolescente fantasieën over een ander, ziet hij in hoe hij tekortschoot als de man

367

die erna kwam. Bereid je voor op lachen, huilen en kromme tenen om het woord 'gleuf'.

Ik stop met lezen en veeg mijn klamme handen af. Ik lees het. Ik herlees het. Ik lees het nog vier keer en loop dan rondjes door de kamer terwijl ik hard 'Vuile KLOOTZAK' roep. Ik ren naar boven, trek de la open en duw met onhandig trillende handen de kleren uit de weg. Het ligt er. Het ligt er nog. Ik pak het schrift en blader het door, met bonkend hart. Het is nog compleet. Dan klem ik het tegen me aan en huil ik alsof dit een scène uit een soapserie is. Mijn woorden. Mijn woorden zijn gestolen.

Met bevende handen sla ik de bladzijden om. Het zou altijd pijnlijk zijn geweest om dit terug te lezen, maar na de laatste confrontatie met Lucas snijdt het me door de ziel. Alsof je het verband losmaakt en je vingers diep in de operatiewond eronder steekt.

Ik raak mijn gevoel voor tijd kwijt als we Bezig Zijn, maar dan ook echt, het was zo drie uur later, en het enige wat ik nog weet is dat ik me afvroeg waar zijn linkerhand was. Toen ik thuiskwam, had ik het gevoel alsof iedereen aan me kon zien wat ik de hele middag had gedaan. Het eten was niks, ik haat lamsstoofpot met die spikkelstukjes spek. George Best is dood en dat vindt pap erg, geloof ik. Mam zei: 'Hij kon erop wachten met hoe hij leefde,' en toen zei pap: 'Mr. Best, waar is het toch fout gegaan?' en toen hadden ze weer zo'n humeur dat ze elkaar irritant vinden op een soort niveau waar Esther en ik niks van snappen...

Ik had op mam ingepraat dat ik nieuwe beha's en slips moest hebben, dus toen gingen we naar Marks & Sparks, en daarna wilde ze EVEN PRATEN over het veilig doen met jongens aaaaaargh neeeee. 'Ik heb geen vriendje,' zei ik, wat bij pap meteen geholpen zou hebben, omdat hij er niet over na wil denken, waarschijnlijk. Maar mam keek me met opgetrokken wenkbrauwen aan en zei: 'Soms is het ook niet je vriendje.' Ik wist al wat ze ging zeggen: dat ik geen slet moest zijn, maar dan op zijn jarenvijftigs, en JA HOOR: 'Denk eraan, Georgina, nette jongens gaan graag om met nette meisjes...

Hij is de lekkerste uit de wereldgeschiedenis, dat weet ik gewoon zeker, ook al is hij mijn eerste en besta ik nog maar achttien jaar. Hij is het schoolvoorbeeld van sexy en volgens mij heeft hij niet eens door hoe mooi hij is. Dat zegt hij tegen mij! Ik stel me steeds voor hoe dat straks gaat, echte seks. Hoe moet je nou weten hoe dat werkt? Je moet het doen met wat je bij elkaar hebt gesprokkeld van films, tv, die vieze boekjes die Gary Tate vroeger op school liet zien en dat afgrijselijke filmpje 'Zo maak je een baby' dat we een keer bij biologie te zien kregen, waarin een man en een vrouw lief naar elkaar glimlachten en toen samen naar de slaapkamer gingen, waarna er een balletdanseres in beeld kwam die met een lint in het rond sprong en toen lag de hele klas in een deuk...

Ik klap het dagboek weer dicht en voel een onweerswolk van schaamte, ontering en woede om deze schending.

Hoe komt hij eraan? Ik herinner me dat Robin een keer – nee, wel een paar keer – alleen op mijn kamer achterbleef als ik naar mijn werk moest. *Als je straks de achterdeur neemt en die goed achter je dichttrekt, heb je geen sleutel nodig.*

En daar maakte hij dus gebruik van door in mijn spullen te

neuzen. En mijn dagboek te lezen. Heeft hij stukken overgenomen? Het zou me niets verbazen, dus dan heeft hij óf een fotografisch geheugen (met al dat geblow van hem? Niet heel waarschijnlijk) of hij heeft er (een stuk waarschijnlijker) foto's van gemaakt. En de tekst verwerkt in zijn voorstelling.

Wat zei Lucas ook alweer? *Als hij ook maar iets persoonlijks heeft wat hij tegen je kan gebruiken...* Van hieruit lijkt Lucas niet zomaar slim, maar regelrecht helderziend.

Pas na een groot glas wijn en nog eens vijf keer die aankondiging op *Chortle* herlezen bedenk ik wat me te doen staat.

Met mijn bluf heb ik dan wel de agent van Robin McNee zover gekregen dat hij de telefoon opnam toen ik hem belde, maar mezelf Robins kleedkamer binnenkrijgen gaat mijn machiavellistische talenten te boven.

The Last Laugh is in City Hall, het oude stadhuis, en een uur voordat de voorstelling begint, kom ik daar aan. Als ik Robin een beetje ken, zit hij hier nu ergens met zijn laptop voor zich aan het bier, met een bak van zijn geluksguacamole met extra hete Dorito's ernaast. (Geen geintje, zo deed hij dat echt. 'Elke artiest heeft rituelen,' zei hij, alsof hij Nikki Sixx met een fles Wild Turkey was.)

Ik zou me als iemand anders kunnen voordoen, maar dat schiet niet op als ik niet eens weet als wíé ik me moet voordoen om zo door te mogen lopen naar Robins kleedkamer. 'Ik wil graag seks met de fameuze, scherpzinnige, grappige Robin McNee' zou voor Robin meteen werken als wachtwoord, maar bij de beveiliging red ik het daar niet mee.

Ik moet maar gewoon hopen dat het verrassingselement ook nu weer vruchten afwerpt.

'Er is ene Georgina Horse Poo voor je,' zegt het fletse baliemeisje door de telefoon. Ik sta te trillen van de zenuwen. Als hij nee zegt, heb ik geen plan B. 'Loop maar door hoor, daar naar links,' zegt ze dan tegen me.

Ik sta stiekem versteld. Robin speelt vanavond een voorstelling die *Dagboek van mijn ex* heet, en hij bedenkt niet dat ik hem wel eens naar de strot zou kunnen vliegen? En dan valt het kwartje: het boeit hem eigenlijk niet eens wat mij drijft of bezighoudt. Dagboek van mijn ex die me eigenlijk nooit zoveel kon schelen.

'Fijn om je te zien,' zegt Robin, als ik heb aangeklopt en naar binnen ben gelopen. Hij zit achter zijn laptop, in een T-shirt met JIJ VS DE GAST DIE NIET BELANGRIJK WAS, ZEI ZE, en stripfiguren eronder. Naast zijn roségouden MacBook staat een grote fles chocolademelk. Dat is wel ironie, dat deze man straks anderhalf uur lang op een podium mijn puberale onzin binnenstebuiten staat te keren. Toen ik me nog als een puber gedroeg, wás ik er tenminste ook een.

'Je ziet er adembenemend uit in dat licht,' zegt hij dan, met een pen in zijn mondhoek. Hij denkt blijkbaar dat ik hier ben omdat ik eindelijk bij zinnen ben gekomen en misschien zelfs wel in ben voor een 'warming-up' voordat hij op moet.

Bah.

'Je hebt mijn dagboek gelezen,' zeg ik afgemeten.

'Ik heb er een blik op geworpen,' zegt Robin, met zo'n krampachtig schuldbewust lachje.

'Volkomen verachtelijke, boosaardige, amorele gedachteverkrachter die je bent,' zeg ik.

'Gedachteverkrachter!' Robin legt zijn pen weg. Hij is gepikeerd, maar ondertussen is hij in gedachten druk bezig om te bedenken of hij deze ontmoeting niet ergens kan inpassen vanavond.

'Serieus. Je bent een smeerlap,' zeg ik om het nog even af te maken. 'Hoe kun jij jezelf nog recht aankijken in de spiegel? Je leest stiekem het dagboek van een vrouw met wie je een relatie hebt gehad. Dat verwerk je in je voorstelling, en je laat haar er per toeval achter komen, een paar uur voordat je er honderden onbekenden mee gaat vermaken. Zou je me op zijn minst willen zeggen dat je beseft wie en wat je bent?'

'Jij liet me toch alleen in je slaapkamer! De la stond halfopen! Dat is zo goed als een uitnodiging.'

Daar is de koektrommel van Rav weer.

'Ik vond het vreselijk lief, zo onschuldig, en die heerlijke droge Georgina-toon klonk er zo krachtig in door... Ik was waanzinnig verliefd, ik wilde weten hoe je in elkaar zat. En het maakte me jaloers. Zo van: wie is die rivaal die je liever was dan het leven zelf? Naar wiens aanraking smachtte je alsof je fysiek verslaafd aan hem was?'

Ik huiver. Wie hoort er nou graag dat zijn jeugdige erotica is gelezen, laat staan dat het breed wordt uitgemeten op een podium? Als Lucas hier ooit lucht van krijgt, snapt hij vast meteen dat het op hem gebaseerd is. De andere twee shows die hij van Robin heeft gezien, draaiden tenslotte om mij.

Hij probeert me te ondergraven, maar dat gaat hem niet lukken.

'Het was niet voor jou bestemd. Je hebt nooit gevraagd of je het mocht lezen, en je hebt het me achteraf ook niet verteld. Leg me eens uit waarom je het acceptabel vindt om het openbaar te maken en me publiekelijk te vernederen? Wat is de logica erachter, zeg maar?'

'Oké, wacht, even een paar puntjes. Er wordt hier niemand vernederd. Het is een tedere ode aan het leven...'

'Ik heb nu meer zin in een ode aan jouw dood.'

'Ha! Nee, het is totaal geen brute afrekening, en het is op geen enkele manier te herleiden naar jou persoonlijk. De hele clou is juist of je wel echt bestaat! Geloof me, kom gewoon kijken en oordeel dan.' Robin neemt nog een slok bier en zegt, met zo'n gebaar alsof hij er ook niets aan kan doen: 'Ik wilde nog met je afspreken om je te waarschuwen, maar je wilde niet.'

'Raar hè, na die campagne van jou om me terug te krijgen. Je zei er niet bij: "O ja, George, ik ga iets doen met je dagboek, kun je daar nog iets over zeggen?"'

'Nou, schattebout, de vorige keer dat ik je zag, stond jij anders een verhaal af te steken over hoe ik mezelf bij je ouders thuis half lam voor paal zette. Daar had je ook niet vooraf toestemming voor gevraagd, voor zover ik me herinner. Dus wie gebruikt hier nou eigenlijk wie? Volgens mij zit er geen enkel verschil tussen wat jij deed en wat ik hier doe.'

Ik wist het. Ik wist dat hij dat zou zeggen, en ik bal mijn vuisten.

'Een dagboek is iets heel anders. Bij die avond bij mijn moeder waren wij allebei betrokken, en de gebeurtenissen in mijn dagboek gaan alleen over mij. Deze schending van mijn privacy is van een volkomen andere orde, en dat weet je best.'

Hij haalt onverschillig zijn schouders op. 'Ik heb het alleen slimmer gespeeld, dat is het enige verschil, en daar wil je me nu voor straffen.'

Het is maar een *spelletje.*

'Val dood, Robin. Heb je ook maar één minuut nagedacht over de context van dat verhaal? Over hoe het afgelopen zou kunnen zijn met dat vriendje, in de wereld buiten dat dagboek? Of wat er toen nog meer gebeurde in mijn leven?'

'Als hij je heeft gedumpt is hij de stommeling, toch?'

Stel je voor. Stel je toch eens voor dat je een man bent en denkt dat jouw erkenning zoveel waard is dat zo'n gemakzuchtig, slijmerig wegwerpcomplimentje wel pleister genoeg is voor zo'n diepe wond.

'Misselijkmakend, dat ben je. Verschuil je maar niet achter die nonchalante, achteloze lulkoek. Het is bittere ernst wat jij mij aandoet, en er is totaal níéts grappigs aan.'

'Ach, weet je. Je wist waar je aan begon. Denk je dat je de eerste vriendin bent die in een voorstelling wordt verwerkt? Niet dus. Bij lange na niet. Zo gaat dat in de kunst. We zijn kannibalen van ons eigen leven. Ons leven is onze brandstof. En tot dat met Lou ging jij daar gretig in mee. Je was nogal fan. Denk maar aan die eerste avond. Zeg het maar: wie maakte toen misbruik van wie? Wie sleepte wie mee naar huis? Jij zag het wel zitten om Robin McNee bij te schrijven op je scorelijstje.'

Ik voel me wee. Eén ding heb ik dan toch geleerd: iemand die alles wat hij zichzelf wil aandoen weet recht te praten, is tot alles in staat. Wat zei Lucas ook alweer? Mensen die geen grenzen kennen, zijn gevaarlijk.

Robin komt overeind, veegt de Dorito-kruimels van zijn kleren en maakt aanstalten om me de deur uit te werken.

'Ik zou hier zomaar de Perrier mee kunnen winnen. Stel je voor! Je zit er nu nog te dicht op, dat is het. Over een paar jaar kijk je hierop terug en ben je dolblij dat ik dit heb gedaan. Het is een eerbetoon, een liefdesbrief. Ik bezing eindeloos hoe... hoe fascinerend je bent, Georgina. Als íémand er slecht van afkomt, ben ik het, wil ik maar zeggen. Jij bent de muze. Denk je dat Warren Beatty er nog mee zit dat Carly Simon zong dat hij verwaand was?'

Ik doe mijn uiterste best mijn woede binnen te houden, want als ik nu ontplof, luistert hij helemaal niet meer naar wat ik zeg. Maar het kost me moeite.

'Je kent me niet eens. In dat halfjaar dat wij iets hadden heb je nooit de moeite genomen om je in me te verdiepen. Je wilt alleen goedkoop scoren met mijn dagboek om jezelf meer glans te geven. Je weet niets van mij, niets van mijn voorgeschiedenis en niets van mijn leven nu. Je hebt geen benul hoeveel schade en verdriet je aanricht door wat je van me hebt gestolen.'

'Hoe goed kennen we de mensen in ons leven ooit? Op die vraag ga ik in mijn voorstelling juist in. Kom gewoon kijken! Als je maar eenmaal je verlegenheid van je af kunt zetten, vind je het ongetwijfeld fantastisch.'

Dat hij het nu schuift op 'verlegenheid' laat de stoppen toch nog doorslaan. Ik ram als een brute geweldenaar met mijn vuist op tafel en buig me naar hem toe totdat hij een stap naar achteren zet.

'Robin. Je bent geen razendinteressante, wereldberoemde kunstenaar! Je bent een middelmatige komiek die zich boven de massa probeert te verheffen met uit de lucht geplukte gevoelige "inzichten" en die doet alsof hij een Sensitieve Nieuwe Man is, wat je absoluut niet bent. Je bent een egocentrische blaaskaak die doet alsof hij iets te melden heeft door de woorden van een vrouw te gebruiken, tegen haar wil.'

Voor mijn ogen verandert Robins gezicht in een star masker van verbolgen woede.

'O ja? Goh, bedankt voor dit kritische oordeel, barmeid. Ik sta daar in elk geval! Wat kun jij daartegenover stellen? Zeuren en janken, leunen op een man, en je tieten in de strijd gooien, dát kun je.'

'Ik zal je vertellen wat jij nu gaat doen, Robin. Je zegt af voor vanavond, omdat je je ineens niet lekker voelt en bedenkingen hebt. Je herschrijft de voorstelling voordat je er weer mee op het podium gaat staan, en schrapt alles wat uit mijn dagboek komt. Schrijf zelf eens iets. Doe wat je nu zogenaamd hebt gedaan en kom met een fictieve ex-vriendin en haar fictieve dagboek. Herschrijf tot in detail alles wat ook maar zijdelings gerelateerd is aan Georgina Horspool.'

Ik dacht het toch niet, zegt Robins zelfgenoegzame grijns.

'Doe het of ik neem je te grazen. Ik zoek elke site op waar over jou wordt geschreven en vertel daar hoe je mij hebt genaaid. Ik ga interviews geven over wat het met je doet als iemand om wie je geeft je zo onderuithaalt. Dit verhaal lijkt me echt geknipt voor de *Grazia* of *The Pool*.'

'Eh... richt je dan de aandacht niet juist op...' zegt Robin, die wanhopig zoekt naar een manier om dit weer naar zich toe te trekken.

'Dat klopt, maar als ik jou was zou ik niet blij zijn met de gratis publiciteit. Dat principe wil je niet uittesten als er een benadeelde vrouw in het spel is. Zoek maar eens op hoe het nu met bepaalde carrières gaat sinds de man in kwestie is ontmaskerd als engerd. Vrouwen zijn dan toch vaak geneigd zich solidair te verklaren. Misschien komen ze je voorstelling wel verstoren. De organisatie van comedyfestivals zou zich misschien op het achterhoofd krabben als ik opbel en zeg dat ze bloed aan hun handen hebben als ze jou laten optreden. Dan gaat het na een tijd niet meer om jouw opwekkende, bijzondere dagboekverhaal, maar om het feit dat je ex je overal achtervolgt en roept dat het een foute, achterbakse rotstreek is. Want dat is het.'

Robin blaast eens diep uit, maar ik ben nog niet uitgepraat.

'In die interviews kan ik natuurlijk ook vertellen dat we uit elkaar gingen omdat ik je met een ander betrapte, wat je zelf in het openbaar hebt toegegeven. Dat kan ranzig worden. Ik vraag me af of *Idiot Soup* dan niet besluit dat het tijd wordt voor een fris, verantwoord gezicht. Je zei altijd dat je een Bill Hicks wilde zijn, die uit *Letterman* werd geschopt. Dit is je kans om zelf zo'n gevaarlijke komiek te worden aan wie niemand zijn vingers wil branden.'

Robin trommelt met zijn vingers op het bureau, zinnend op een vluchtplan. Dan gooi ik mijn laatste kaart op tafel.

'Dit voorstel wil ik ook voorleggen aan Al. Ik ben benieuwd hoe de man van de cijfertjes het risico afzet tegen de verwachte opbrengst,' zeg ik, om de duimschroeven nog steviger aan te draaien.

'Je laat mijn agent erbuiten,' snauwt hij. Alle welwillendheid is nu verdwenen. 'Nu ga je te ver. Al is een zakenpartner, geen pion voor de vuile spelletjes van een versmade vrouw.'

Het is heerlijk om de echte Robin te zien verschijnen. Hij heeft me gesmeekt om terug te komen, maar ík ben de versmade vrouw, natuurlijk, en degene die vuile spelletjes speelt, ook al is dit mijn eerste en enige tegenzet. Het is de oude, vertrouwde vrouwenhaat, verstopt achter een modern frontje.

'Nee, dan de vuile spelletjes van de versmade man! Zoals achter mijn rug lulkoek ophangen tegen mijn ouders, ze uithoren om erachter te komen waar ik werk –'

'Waar heb je het over? Volgens mij heb je ze niet meer helemaal op een rijtje.'

We zijn er weer. *Dat mens spoort niet.* Het laatste redmiddel van de zakkenwasser tegenover iedere vrouw die hem ter verantwoording roept.

Robin heeft besloten dat hij, aangezien hij me toch nooit meer terugziet, het verhaal elke draai kan geven die hij wil.

'Dus wat wordt het?' Ik kijk hem recht aan. 'Zijn we het eens dat je aan het herschrijven slaat? Of wordt het oorlog? Voor mij als barmeid staat er weinig op het spel, zoals je al zei. Zeker vergeleken met een groot kunstenaar als jij.'

Hij zucht en hij sputtert, en ik zie exact wanneer hij besluit dat het sop hem de kool niet waard is.

'Prima,' zegt hij, 'ik herschrijf het. Het was toch nog maar een try-out. Jij bent dus echt een benepen mens, in je eigen bekrompen wereldje.'

Dat hij zo vals uithaalt, is het bewijs voor mij dat hij de voorstelling laat vallen en de woede die ik heb opgeroepen een uitweg zoekt.

Voor hem is zijn werk het enige wat telt, besef ik.

'Grappig,' zegt hij. 'Toen ik je leerde kennen begreep ik maar niet waarom zo'n intelligente vrouw als jij als serveerster werkte. Nu snap ik het. Je krijgt de kans onsterfelijk gemaakt te worden in je welbeschouwd weinig opwindende leventje, maar je bent liever een verzuurd secreet. Ik vind dat onbegrijpelijk.'

'Nou, daarmee heb je gelijk antwoord gegeven op je eigen vraag of je vrouwen ooit echt zal begrijpen,' zeg ik. 'Tot kijk.'

Een paar tellen later steek ik mijn hoofd nog even om de hoek van de deur. Hij zit met een moordzuchtige blik voor zich uit te staren, zie ik.

'O ja, Robin,' zeg ik, 'dit is nou wat ze volgens mij een "leermoment" noemen.'

Ik geloof niet in het lot, karma of de kosmische ordening van Noel Edmonds, maar de timing is toch wel veelzeggend. En wreed. Alsof iemand daarboven me iets duidelijk wil maken.

Ik blijf lang genoeg rondhangen om de norse receptioniste een briefje met VOORSTELLING AFGELAST op beide deuren te zien plakken, en dan loop ik West Street uit met het gevoel dat ik het gevecht met de draak ben aangegaan en het beest heb verslagen. En dan, op weg naar de bushalte, zie ik hem aan de overkant. Zijn luciferdunne afgetobde vrouw kijkt alsof ze het zwaar heeft. Haar donkere haar krult licht, en ze draagt een hoody op een strakke spijkerbroek. Hij kijkt verveeld, en ze harrewarren over waar ze nu heen gaan, of wanneer ze de parkeermeter moeten bijvullen.

Ik heb hem sinds de zesde niet meer gezien. Af en toe schrik ik van een getagde foto, of vang ik op dat hij in de stad is voor familiebezoek rond kerst, maar ik heb hem nooit meer met eigen ogen gezien. En nu staat hij daar, in levenden, enigszins verlepte lijve.

Erg objectief ben ik niet, maar het valt me op dat de jaren hem geen goed hebben gedaan. Misschien oordeel ik harder vanwege zijn voormalige verheven status. Zijn rockzangerhaar hangt nog steeds tot op zijn kraag, maar de bos is uitgedund en vettig, hij heeft wallen onder zijn ogen en een zuinige, verbeten trek om zijn mond. Dat slanke, soepele lijf dat zo vanzelfsprekend lijkt als je jong bent, is voller geworden. Op school was hij de superster, maar nu is hij gewoon maar een man.

En er is nog iemand bij. Iemand die ik nog nooit heb gezien. Hij draait zich om, gaat door zijn knieën, tilt haar op en legt haar geroutineerd over zijn schouder. Ze jammert, draagt een gestreepte wollen maillot en een overgooiertje, en moet een jaar of drie oud zijn. Hij geeft haar een kusje op haar wang.

Richard Hardy is vader. Richard Hardy heeft een dochter.

Waarmee heb ik net Robins macht over mij gebroken? Met woorden. Mijn woorden waren mijn redding.

Ik pak mijn telefoon en bel Devlin.

'Vind je het goed als ik nog meedoe aan de laatste Schaamte in de Schijnwerpers, ook al werk ik niet meer bij jullie?'

40

Ik laat Jammy uit zijn hok zodat hij rond kan stiefelen en ga aan tafel zitten met mijn opschrijfblok voor me.

'Woonde ik nou maar alleen, hè?' zeg ik tegen Jammy op zijn trage maar gestage opmars naar de gootsteen. 'Dan waren we elke dag zo samen.'

Karen zit dit weekend bij haar ouders in Aberdeen, en dat had wat mij betreft niet beter uit kunnen komen. Al is het natuurlijk altijd goed als Karen niet thuis is. Boven aan het blok schrijf ik in blokletters: MIJN ROTTIGSTE SCHOOLDAG.

Dat is het onderwerp voor de laatste keer Schaamte in de Schijnwerpers. Ik weet nog niet eens of ik wel het podium op durf te stappen om het voor te dragen, maar wat ik wil zeggen weet ik wel.

Ik schrijf. Ik schrijf nog wat. Ik probeer het begin anders onder woorden te brengen en kras vervolgens alles uit. Het is zo gewild lollig allemaal, zo lach-of-ik-schiet, zo onecht. In de stille, vredige keuken, met het gezoem van de madetanks van de buurman op de achtergrond, probeer ik de gedachte eronder te houden die steeds weer opduikt als ik de titel zie.

Mijn longen vullen zich met lucht, lopen weer leeg, vullen zich, steeds sneller, en dan rollen er dikke tranen over mijn gezicht die op het papier uiteenspatten, en ik schuif het blok buiten bereik.

Achter me knalt een deur dicht, en voordat ik mezelf bij elkaar kan rapen of kan verhullen dat ik heb gehuild staat Karen al in de keuken met haar gelhaar alle kanten op en haar rugbyshirt en die opgefokt strijdlustige blik die ze altijd heeft. Ze laat haar trekkingrugzak op de grond ploffen.

Het blijft even stil.

'Wat heb jij nou?'

Ik wil iets zeggen, maar dat gaat niet vanwege de hand voor mijn mond terwijl ik rare pieperige hijggeluidjes maak om nog wat lucht binnen te krijgen tussen twee snikken door.

'Heb je slecht nieuws gehad of zo?' vraagt Karen. Zelfs in mijn minder ontvankelijke toestand merk ik dat ze eigenlijk een beetje boos is omdat ik misschien iemand te betreuren heb en haar er daardoor van weerhoud te genieten van haar eigen keuken.

Ik schud van nee en probeer wanhopig mijn stembanden aan het werk te zetten.

'Ik schrijf iets over mijn rottigste schooldag voor een schrijfwedstrijd in de kroeg,' pers ik er uiteindelijk uit. 'En ik weet dat ze iets grappigs en luchtigs en simpels willen. Maar mijn rotste dag op school. Die was vreselijk. Ik denk dat die ene dag alles daarna voor me heeft verpest.'

Ik sla mijn handen voor mijn gezicht, snik en veeg de tranen weg, en als ik mezelf na een tijdje weer in de hand heb, staat Karen me nog steeds aan te staren. Ik hap nog maar eens naar lucht.

'Dat is het echte verhaal, maar niemand zit te wachten op de waarheid. Ik heb nog nooit iemand de waarheid verteld. Ik ben het zo zat om iemand te zijn die erbij probeert te horen en tegen mensen zegt wat ze graag willen horen en doet alsof alles van haar afglijdt. Wat ben ik daar ooit mee opgeschoten?'

'Dan vertel je toch gewoon hoe het zat?' zegt Karen schokschouderend. 'Laat ze de schijt krijgen met hun schijtzooi. Rottigste schooldag zei je toch?'

'Ja.'

'Nou dan. Niks grappig, luchtig of simpel. De rottigste. Als ze de rottigste willen, kunnen ze de rottigste krijgen.'

'Denk je? Ook als iedereen die daar zit zegt van o, dat is wel heftig hoor, jee, je bent wel heftig, zo heftig, nu is mijn hele avond naar de maan, en bedankt?'

'Ze zitten daar allemaal om mensen te horen vertellen over hun rottigste schooldag. Voor zover ik me herinner wás school gewoon klote. Als zij jouw rottigste dag alleen maar aan hoeven te horen op een leuk avondje uit terwijl jij het echt mee moest maken, komen zij volgens mij nog heel goed weg.'

Ik knik bedachtzaam.

'Dus ik moet het maar gewoon over ze uitstorten, bedoel je.'

'Ja hoor. Geen medelijden. Waarvoor? Jij kunt er toch niks aan doen dat je rottigste dag zo kut was?'

Bij die opmerking van Karen vallen er een paar dingen op hun plek.

'Oké. Ja. Dank je wel. Je hebt gelijk. Ik schrijf het op mijn manier.'

'Goed zo. Ook weer opgelost. Ik heb de rottigste treinreis van mijn leven achter de rug en halverwege belde mijn moeder dat ze zijn ingesneeuwd en dat ik maar moest omdraaien. Kuttige klotezooi.'

Ik ken niemand die zo'n innige band heeft met scheldwoorden als Karen. Zelfs ik steek daar braaf bij af.

'Karen,' zeg ik, 'dank je. Je hebt me echt geholpen.'

'O? Oké.'

Ze kijkt me verward en een beetje opgelaten aan.

Ik bied aan om een kop Ovaltine te maken, en er ontstaat voor

het eerst iets van camaraderie tussen ons, totdat Karen gilt: 'WAAR-
OM LOOPT DIE ENGE SCHILDPAD LOS ROND, STOP DAT BEEST IN
ZIJN KOOI!'

Nadat Karen naar bed is gegaan, schrijf ik nog zeker een uur
door, bijna zonder mijn pen van het papier te halen. De woorden
blijven maar komen.

Van Mrs. Pemberton heb ik het woord geleerd voor wat ik nu
voel. Catharsis.

Nu hoef ik alleen nog maar genoeg moed te verzamelen om
het ook voor te lezen.

41

Een podium. Een microfoon. Een lange wandeling naar het podium. Een stilte in de zaal die zwaarder en intimiderender voelt dan alle stiltes, waar dan ook, in mijn hele leven. *Ik kan dit niet ik kan dit niet ik kan dit niet.*

Ik kan dit. En dat kan ik mezelf alleen bewijzen door te beginnen met praten. Adem diep in. En spring.

'Ik wist precies welke schooldag mijn rottigste schooldag was toen ik ging zitten om iets te schrijven voor vanavond. Maar over die dag schreef ik niet. Ik wilde schrijven over de keer dat mijn vriendin Jo en ik een fles Malibu Ananas leegdronken en met veiligheidsspelden en ijsklontjes gaatjes voor oorbellen bij elkaar prikten. Bij Jo ging een oor ontsteken tot haar oorlel zo groot en dik was als de GVR, en ik kreeg een maand huisarrest. Bij mij was maar één kant gelukt, dus ik liep nog lang met één zo'n grote ring rond. Net een piraat.'

Zacht gelach trekt als een rimpeling door de zaal. *En adem uit.*

'Over het rottigste wat me op school is gebeurd heb ik nooit iemand verteld. Mijn beste vriendin niet, mijn zus niet, mijn moeder niet, geen van mijn vriendjes sindsdien en zelfs de therapeut niet bij wie ik als twintiger liep. Maar nu ga ik erover praten.'

Ik kijk op en word koud als ik Lucas tegen de muur bij de bar

geleund zie staan, met zijn blik strak op mij. Gezien het onderwerp had ik wel verwacht dat hij zou komen kijken, maar als ik
hem ook echt zie, bonkt mijn hart als een donderslag. Ik heb de
tijd en de ruimte niet om nóg banger te worden.

'Het was de avond van het eindexamenfeest. Ik was er op vleugeltjes van verwachting en hormonen naartoe gekomen, strak verpakt in een zelf bij elkaar gespaarde rode jurk. Die had me
vijfenvijftig pond gekost, een astronomisch bedrag op die leeftijd.
Er hing een walm van vanille en tonkabonen om me heen – geen
idee wat dat zijn – want ik had parfum gepakt op de slaapkamer
van mijn oudere zus Esther en mezelf bespoten met een driedubbele dosis. En in mijn tasje, verstopt in het ritsvakje, zaten con-
dooms. Ik had ze in een kroeg uit een automaat gehaald en voelde
me op dat moment ontzettend volwassen. Niemand wist ervan,
maar ik had een vriendje, een klasgenoot. We hadden afgesproken
om na het feest de nacht samen door te brengen, voor het eerst.'

Ik kijk op, zie de geboeide gezichten en vat moed. Naar Lucas
kijk ik met opzet niet. Ik zie Jo, die me niet loslaat met haar blik
en luistert met gefronste wenkbrauwen. Dat ik het over con-
dooms heb, voelt al zo intiem dat ik twijfel of ik wel door moet
gaan. Te laat. Ik sla het eerste vel om.

'Ik hoorde op school niet bij het coole groepje, maar ik was
best redelijk populair. Ik werd nooit als laatste gekozen bij gym,
ik werd niet gepest en de écht populaire types wisten hoe ik heette. Als je gezien wilde worden, dacht ik, moest je daar je best voor
doen, elke dag weer, en daar was ik dan ook voortdurend mee
bezig. Ik hing de clown uit als ik dacht dat het me erkenning
opleverde, en ik kwam niet altijd met het goede antwoord in de
les, ook al wist ik het misschien wel. Als ik goede cijfers haalde,
liep ik er niet mee te koop. Ik wist wie ik te vriend moest houden.
Ik wist op wie ik indruk moest maken.

Op het eindfeest voelde het alsof ik eindelijk kon oogsten na al mijn harde werk de afgelopen jaren. De populairste jongen van de hele school zei dat ik er goed uitzag. Hij was zo'n jongen – in elke klas zit er wel een, denk ik – die rondloopt alsof hij Jim Morrison is. De jongen die verafgood en begeerd wordt. Wat Hij zegt, is Wet. Hij ging alleen om met de populaire meisjes, de paar prinsesjes die knap genoeg werden geacht om zijn aandacht waard te zijn. Ik viel niet op hem en had nooit één milliseconde gedacht dat hij op mij zou kunnen vallen, maar zijn erkenning wilde ik wel, net als iedereen. Júíst van hem. Wat hij van je dacht, kon je maken of breken.

En hij gaf mij dus een compliment. Ongekend. Alsof ik werd gekroond. Alsof ik, een soapsterretje, een Oscarnominatie kreeg. En toen zei hij erachteraan: "Net zo'n hoertje met een gouden hart. Dat is wel jouw ding, toch?" Iedereen lachte. Ik ook, want anders was ik verwaand. Als ik lachte, was ik in de grap inbegrepen in plaats van het doelwit. Ik wilde graag geloven dat hij vond dat ik er verleidelijk uitzag, al wist ik maar al te goed dat het geen compliment was. Hij liet weten dat ik werd gezien als een meisje dat op dat soort aandacht hoopte, dat ik er bewust om vroeg om op een bepaalde manier te worden behandeld. Je bent een sletje, dat zei hij, en ik stond hem geestdriftig gelijk te geven.

Hij wilde me "iets laten zien", zei hij. Ik wilde zo graag denken dat we vrienden waren, maar achteraf zie ik wel dat ik toen al wist dat ik voor schut werd gezet. Je kent het wel: zo'n moment waarop je aan je water voelt dat iedereen iets in de gaten heeft, behalve jij. Iedereen houdt even de adem in, er wordt gesmiespeld, giecheltjes worden gesmoord omdat niemand de grap wil verpesten. Dat. En toch zei ik: "O! Oké..." met een stompzinnige grijns. Want ik wilde geaccepteerd worden, ik wilde de toffe Georgina zijn die overal voor in was, die leuk was. Leuk en aardig.

Aardig zijn, dat is het allerbelangrijkste. Altijd blijven lachen. Hou die glimlach op je gezicht, lach mee, dan kom je er wel.' Je kunt een speld horen vallen in de zaal. Ik ga verder.

'Hij pakte mijn hand en nam me mee, weg van het feest, met verbazing en afgunst nagestaard door degenen buiten zijn kliek. Dat hij zo met mij gezien wilde worden was een behoorlijk statement. De koning had mij uitverkoren. Georgina Horspool was in de adelstand verheven. Als hij haar zag zitten, was ze binnen.'

Ik sla een bladzijde van mijn notitieblok om, en in de bijna gewijde stilte die inmiddels in de zaal hangt, klinkt dat geritsel gênant luid op.

'Die Jongen nam me mee naar het invalidentoilet. Voordat ik echt in de gaten had waar we waren, zat de deur al op slot en posteerde hij zich ervoor, met een vette grijns. Toen realiseerde ik me dat ik niet wist waar ik aan begonnen was.

"Wat moeten we hier?" vroeg ik. Hij duwde me hardhandig tegen de muur en probeerde me te zoenen. Ik duwde hem van me af en probeerde het weg te lachen. Het klonk alsof het iemand anders was die lachte. Het klonk verstikt, nep.

"Wat wil je nou?" zei hij. "Je vindt me leuk."

Het was geen vraag.

"Ja, natuurlijk vind ik je leuk," zei ik snel, omdat ik wilde dat Die Jongen dat dacht, en omdat ik wilde dat hij mij leuk vond.

"Nou dan," zei hij. "Wat is het probleem dan?"

Hij perste zijn mond weer op de mijne. Het was een natte, slordige, agressieve zoen met stotende tanden en de nasmaak van cider. Maar hij was Die Jongen. Dit was een uitzonderlijke eer. Dan kon ik hem toch niet laten ophouden?

Ik was hier niet op voorbereid. Niet door mijn docenten of mijn ouders, niet door de drang om met anderen te kunnen opschieten en me aan te passen. Aardige meisjes zeggen "Ja, graag" en "Dank je wel", dat had mijn ervaring tot dan toe me geleerd. Aardige meisjes komen de ander tegemoet, we voldoen aan de verwachtingen, we kwetsen niet, krenken niet. Wij zeggen geen nee. Deze jongen wilde iets van me, dus daar moest ik iets tegenover stellen.'

Als ik weer even opkijk, zie ik Jo. De tranen stromen over haar gezicht, en ze knijpt in de handen van de wit weggetrokken, geschokte Clem en Rav naast haar. Voordat Jo's tranen me kunnen aansteken kijk ik weer weg. Verder naar achteren wil mijn blik nog steeds niet, naar die plek met die man met donker haar en donkere ogen die naar me kijkt.

'Hij zoende me weer en sjorde aan mijn jurk om me uit mijn beha te wurmen. Gelukkig had ik mijn jurk een maat te klein gekocht, waardoor hij zo strak zat als een worstenvelletje en hij de stof nauwelijks een centimeter van zijn plaats kreeg. "Doe eens niet," zei ik.' Dan begeeft mijn stem het, voor het eerst. Ik slik, haal adem en ga verder.

'Maar ik zei het op een luchtig, plagerig, koket toontje. Een "Niet doen" dat iets moest betekenen als: *Ik wil dit niet, al wíl ik het natuurlijk wel, maar een ander keertje, nu misschien maar beter niet, want ik ben een Net Meisje.* Een instructie in de vorm van een smeekbede.

"Jezus, wat mankeert jou," zei hij. Ik kon mezelf wel schoppen dat mijn afleidingspoging was mislukt. Ik was die grappige, toffe Georgina, en ik wilde bewijzen dat ik dit kon. Ik moest dit in goede banen leiden. Ik wilde hem niet voor het hoofd stoten. Dat moest ik toch kunnen? Inderdaad zeg, wat mankeerde me? Jezus.

Hij had mijn jurk misschien niet naar beneden gekregen, maar hij had wel iets blootgelegd: de gruwelijke waarheid dat ik niet die leuke meid was voor wie ik me uitgaf, die meid die altijd in was voor een geintje en alles kon hebben. Ik was zo groen als gras, bang en totaal niet cool. Voor mij was dat het grootste gevaar, dat die façade wegviel. Opeens kwam het aan op psychologische oorlogvoering: ik moest hem afwijzen zonder hem het gevoel te geven dat ik hem afwees, want hem afwijzen zou heel slecht uitpakken voor míj. Voor hem maakte het niet uit hoe dit verhaal uitviel, maar voor mij wel. Hij was straks degene die het verhaal vertelde.

'"Ik heb een vriendje," zei ik. Het was een gok, maar ik hoopte dat hij zich niet in zijn mannelijkheid aangetast zou voelen als er al een aanspraak lag.

"Echt niet," zei hij. "Wie dan?"

Ik wilde niet dat mijn vriendje erbij betrokken raakte. Ik wilde hem niet verraden zodat buitenstaanders zich erop konden storten en kapot konden maken wat wij samen hadden, want dat was me meer waard dan wat dan ook. Hij had hier geen schuld aan, hij was van mij, en hij moest koste wat het kost worden beschermd.

Ik zei: "Je zou hem toch niet kennen."

"Gelul, Georgina. Iedereen weet dat je nooit een vriendje hebt gehad en snakt naar een beurt. Met al je oudewijvengeleuter over de liefde bij Engels altijd."

Het voelde alsof er op me werd ingestoken met een mes, steeds weer. Erger kon het niet: iedereen rook dus aan me hoe erg ik ernaar hunkerde om leuk gevonden te worden. Dat wreef Die Jongen me hier in: dat het algemeen bekend was. Ik was afzichtelijk, lomp, wanhopig, sneu.'

De tranen rollen nu over mijn wangen, maar mijn stem houdt zich nog goed.

'Hij wilde me weer zoenen, maar ik duwde hem weg en zei: "Laten we teruggaan naar het feest, ik lust nog wel wat punch," en toen zei hij, om te laten merken dat hij niet in mijn nonchalante afleidingsmanoeuvre trapte: "Ben je nog maagd of zo?"

"Nee," zei ik.

Hij zei: "Nou dan."

Hij deed zijn gulp open, en daar stond ik, klem tegen de muur onder dat helle witte licht, en ik vroeg me af wat ik daar deed en hoe ik er weg kon komen. Hoe had dit kunnen gebeuren, zo snel? Het lag natuurlijk aan mij.'

Ik kijk de zaal in en zie een zee van gezichten. Ik kan geen afzonderlijke mensen meer onderscheiden.

'Een slimmer meisje dan ik, een charmanter, béter meisje, had vast de juiste woorden kunnen vinden om zich hieruit te praten en hem toch tevreden te stellen. Dat ik die vluchtroute niet kon vinden, bewees des te meer hoe stompzinnig en onvolwassen ik was. Nogal wiedes dat jongens op feestjes op de plee bij meisjes in de broek proberen te komen, wat dacht ik nou? Ik mocht blij zijn dat een jongen die ik nooit zou kunnen krijgen, dat wilde. Ondankbaar en nog niet goed wijs ook. Dat slimmere, charmantere meisje zou misschien wel gewoon meewerken.

Ik had gelogen. Ik was nog maagd. Ik had de mannelijke anatomie nooit met eigen ogen gezien, niet in het echt, niet zo. En daar was dat ding opeens, bevrijd uit zijn spijkerbroek, als het monster dat in *Alien* uit John Hurts borstkas komt. Ik raakte in paniek, en niet alleen omdat ik daar nu natuurlijk iets mee moest. Nu kon hij echt niet meer terug, realiseerde ik me. Hij moest nu wel een reactie afdwingen. Hij kon mij niet laten gaan zolang de kans bestond dat ik hem hiermee voor paal kon zetten. Ik mocht onder geen beding de macht in handen krijgen.

Hij pakte mijn hand; ik trok me los. Mijn vingers waren klein genoeg om ze uit zijn grote hand los te wurmen. Hij pakte mijn hand weer, en ik rukte me weer los. Bij de derde poging kneep hij zo hard dat het blauwe plekken achterliet. Hij liet me niet los en drukte mijn hand op zijn kruis met een triomfantelijke kakellach, ook al rukte ik me meteen weer los. We wisten allebei dat hij nu tegen iedereen daarbuiten kon zeggen dat ik iets met hem had gedaan, vrijwillig. Ik kon het niet meer ongedaan maken. Zo werkt dat. Stap voor stap slaan ze je al je wapens uit handen.

Het gevecht om mijn hand duurde voort, evenals mijn door hem genegeerde smeekbedes om me te laten gaan. Voor mijn gevoel stond ik daar al zeker een uur, al waren het vast maar een paar minuten. In de sociale tijdrekening, besefte ik, in de context van mijn reputatie, had het net zo goed de hele nacht kunnen zijn.

"Je weet hoe het werkt, toch?" zei hij. "Zo'n sexy meid als jij."

Dat hij me zo probeerde te lijmen hielp, heel even. Hij had me kleingekregen en nu bouwde hij me weer op. Hij gooide me een reddingsboei toe. Als ik die aanpakte, kon ik nog met een positieve recensie de deur uit lopen.'

Ik kijk op van mijn tekst.

'Dat moment waarop je overweegt om toe te geven, of inderdaad toegeeft, dát is het moment waarmee je jezelf de rest van je leven kwelt. Dat is het moment waarop je denkt dat het jou is overkomen omdat je slecht bent, een zwakkeling, en dat je er eigenlijk om vroeg. Terwijl het in feite een kwestie van overleven is. Het maakt ook niet uit welke keus je maakt, want het wás nooit echt een keus.

Zijn hand lag klemvast om de mijne, en toen schoof hij hem omhoog en omlaag, en nog een keer omhoog en weer omlaag. "En nu jij," commandeerde hij. Hij liet los. Ik deed het, één keer.

"Yes!" riep hij triomfantelijk. "Zo dus." Ik had het gedaan. Ik kon het niet ongedaan maken.

Ik had dit laten gebeuren vanwege dat ene, dat allerbelangrijkste: populariteit. De hoogste religie. Leuk gevonden worden. Maar ik werd niet leuk gevonden. Ik keek hem aan, zag de minachting in zijn ogen en wist dat hij me helemaal niet leuk vond. Door mijn capitulatie verachtte hij me alleen maar meer. *Zie je wel.*

Toen ik dat zag, liet ik de lieve smeekbedes zitten. Ik dacht dat ik kon onderhandelen. "En nu wil ik terug naar het feest," zei ik en ik liep naar de deur. Hij hield me tegen, pakte me bij mijn polsen en gooide me weer tegen de muur. Hij was al hardhandig, maar nu werd hij gewelddadig. Ik was al bang, maar nu werd ik doodsbang. Mijn vader zei altijd dat je pas weet hoe ondoenlijk het is om een dood gewicht te verplaatsen tot je er een van zijn plaats probeert te krijgen. Je weet niet hoe het is om fysiek over-meesterd te worden totdat iemand die veel groter en sterker is dan jij het serieus probeert. Ik dacht het zelf vroeger ook, als in een film de klemgezette jonkvrouw in nood met haar knuistjes op zo'n mannelijke Tarzan-borstkas timmert: als je het echt wilt, krijg je hem wel van je af. Niet dus. En dat is een schok. En na de schok komt de paniek, want op dat moment besefte ik dat er hoe dan ook zou gebeuren wat hij wilde. Hij sjorde de zoom van mijn rok omhoog en greep in mijn kruis.'

De hele zaal houdt de adem in, de spanning is voelbaar, alsof iedereen hier zoemt als een zacht aangeslagen bassnaar.

'Niet zo, dacht ik. Niet met hem. Ik ben niet onzelfzuchtig, maar de gedachte aan iemand anders, vlakbij, iemand voor wie ik heel wilde blijven, hielp me. En met "heel blijven" bedoel ik niet mijn kuisheid of zo, niets met seks, maar mijzelf in de volste betekenis van het woord – ik wist dat hij zou willen dat ik mezelf redde. Ik deed nog een laatste gok, een contra-intuïtieve manier om te zorgen dat die jongen me liet gaan. Ik zei: "Ben jij zo'n gore verkrachter of zo?"

Hij liet me los alsof ik radioactief was.

"Verbeeld je maar niks," snauwde hij. Hij had me opgesloten

en betast, maar ík moest me vooral niet inbeelden dat ik zo onweerstaanbaar was. Ik was het verkrachten niet waard. "Je denkt dat je heel wat bent, Georgina Horspool, maar voor jou tien anderen."

'Maar goed: het werkte. Ik had het v-woord hardop gezegd, het bij de naam genoemd, en zo zag hij zichzelf liever niet. Hij deed zijn gulp weer dicht, keek me vuil aan en mompelde nog iets denigrerends, terwijl ik de deur van het slot haalde en mezelf in vrijheid stelde.

Daarmee liep ik alleen recht in de volgende val, en in zekere zin ben ik daar nooit meer aan ontkomen. Toen ik terugkwam in de feestzaal leek het wel alsof iedereen op ons stond te wachten. Er klonken geschokte geluiden en gelach, mensen sloegen hun hand voor hun mond en er werd links en rechts gesmoesd, alsof we met onze gezamenlijke uittocht een verklaring afgaven.

Ik keek om naar Die Jongen, en die stond te gebaren: hij duwde zijn tong in zijn wang en bewoog zijn vuist eronder heen en weer. Zijn kliek joelde en floot. Hij maakte een buiging. Ik stond er als verlamd bij.

Die Jongen duwde me een glas in de hand en zei: "Jij mag blijven. Enorm talent," waarvoor hij weer met gejoel werd beloond. Wat moest ik daarop zeggen? Moest ik roepen dat ik het niet had gedaan, dat ik het niet had willen doen? Iedereen had het kunnen zien. Ik was met hem in een toilet verdwenen. Ik had me door hem laten zoenen. Ik had hem aangeraakt, ook toen hij mijn hand niet meer vasthield. Ik hád het gewoon gedaan.

Alsof ook maar iemand me zou geloven. Het was mijn woord – van Georgina wil-te-graag, de net niet dunne middenmoter – tegen het zijne, de rockheld van de school. Ik mocht al blij zijn als hij me zag staan, en toch had hij mij uitverkozen uit een hele kudde smachtende kandidaten. Lekker dan, zouden ze zeggen.

Rancuneus kreng. Slet dat ze is. Een slet met kapsones, nog erger. Hij deed een rondje high fives met zijn maten, die hem vol ontzag aankeken. De prinsesjes keken naar mij met een mengeling van bewondering en weerzin. Iemand mompelde dat ik eigenlijk Hoerspool zou moeten heten.

Hij was Die Jongen, en ik was niet meer Georgina, maar Dat Meisje. Dat meisje dat op het feest de toiletten in stapte, een seksuele handeling verrichte en weer naar buiten kwam om zonder blikken of blozen haar gratis mixje aan te nemen. Mijn prijs voor een pijpbeurt. Vraag het mijn oude klasgenoten maar, ze kennen het verhaal vast nog. Het werd meteen opgenomen in mijn officiële biografie.

Mijn beste vriendin kwam naar me toe. Ze glimlachte een beetje benauwd, maar wat haar betreft had ik een beslissende sprong naar de volwassenheid gemaakt, en dat met de jongen die het hoogst in aanzien stond. *Wow, Georgina. Goed bezig.* Hoe moest ik haar duidelijk maken dat het heel anders zat, dat ik kapot was, dat de avond van een triomf was omgeslagen in een trauma? Ik had er de woorden niet voor om die jongen van me af te houden, en ik had er ook niet de woorden voor om te vertellen wat me was overkomen.

Ik holde niet weg. Ik barstte niet in tranen uit. Ik gedroeg me op geen enkele manier als een slachtoffer. Het was gebeurd, en ik wilde mezelf niet als slachtoffer zien. Dat paste niet bij wie ik was. Het paste ook niet in mijn verhaal van die avond. Nee hoor, ik was niet kapot. Niks daarvan. Er hoefde niets aan de hand te zijn als ik dat niet wilde. Ik was de baas, de keus was aan mij. Ik kon besluiten dat dit niets bijzonders was en ervoor kiezen om er niet moeilijk over te doen.'

Oké. Nog een keer diep ademhalen, en dan het laatste stuk.

'Maar van die ontkenning bleef niets overeind toen ik naar de jongen keek op wie ik verliefd was. Hij stond met een ander te zoenen. Misschien reageerde hij op wat hij dacht dat ik had gedaan, maar misschien ook niet. Ik wilde huilen naar de maan, als een wolf. Het was zo onrechtvaardig. Ik was hem kwijt. Georgina de makkelijke gunstenverlener kon niet óók Georgina het vriendinnetje zijn. Ik weet niet eens meer wat er de rest van de avond is gebeurd, of wanneer hij vertrok. Ik dronk alsof ik de wereld uit wilde wissen. Toen ik na een tijd weer keek of hij er nog was, was hij verdwenen. Voor altijd. Daarna maakte het allemaal niets meer uit.

Ik had tegen mijn ouders gezegd dat ik bij Jo bleef slapen, als smoes voor het nachtje hotel, en ik kon het niet opbrengen om naar huis te gaan en hun vragen over me heen te krijgen. Ik ging in de Holiday Inn in mijn rode jurk op het tweepersoonsbed liggen en huilde mezelf in slaap. Ik haatte mezelf.

In zekere zin ben ik daar sindsdien niet meer mee opgehouden. Ik gaf het nooit toe, en dus was er ook geen vergeving. Terwijl ik juist zo hard vergeving nodig had. Niet voor die jongen die het me aandeed, die mag doodvallen. Maar voor mezelf. Ik heb mezelf zo gestraft. Omdat ik niet sterker was, omdat ik het niet zag aankomen, omdat ik zo slap was om leuk gevonden te willen worden. Omdat ik niet eerder de juiste woorden kon vinden om het te laten ophouden.

Schaamte in de Schijnwerpers, zo heet dit evenement vanavond. Maar dit verhaal valt buiten het thema. Omdat het zíjn beschamende geheim is, niet het mijne. Het was niet mijn schuld. En als iets in dit verhaal je vertrouwd voorkwam, neem dit dan alsjeblieft van mij aan: het was ook jouw schuld niet. Bedankt voor het luisteren.'

Ik sla het notitieblok dicht in een geschokte stilte, met tranen op mijn wangen. Iemand klapt, iemand anders valt in, het zwelt aan en groeit uit tot een donderend applaus, en iedereen in de zaal komt overeind.

Mijn vrienden komen het podium op, ook in tranen, en omhelzen me.

Over hun schouders zie ik Lucas McCarthy naar de uitgang hollen, de deur openrukken en verdwijnen zonder nog om te kijken. Het maakt me niet uit.

Ik voel me licht in het hoofd. Ik voel me helemaal licht, op een nieuwe manier. Ik draag het niet meer met me mee. Ik heb het hardop gezegd, ik heb mijn woorden uitgesproken en de vloek verbroken.

42

Het enige nadeel van vertellen wat er tussen mij en Richard Hardy is gebeurd is dat mijn vrienden, en dan vooral Jo, ontdaan zijn dat ik het gevoel had dat ik er niet mee bij hen terechtkon. Ik probeer ze gerust te stellen dat ik het Oprah Winfrey niet eens zou hebben verteld als zij mijn vriendin was geweest. 'Maar waarom nu dan opeens wel?' vroegen ze. Geen onredelijke vraag.

Vanwege de schrijfwedstrijd, zei ik, die bijna als een uitdaging van de kosmos voelde. Vanwege Robin en zijn inbreuken, zijn toe-eigening van mijn woorden. Vanwege Richard Hardy en zijn dochtertje, dat hij vast nooit zoiets wil laten overkomen. Vanwege het feit dat hij er zonder een krasje vanaf kwam en nu gewoon een gezin heeft. Vanwege Lucas McCarthy. Die me voor de tweede keer afwees. Het kostte me te veel om het nog binnen te houden. Iets in mij was geknapt.

Ondanks hun schok om wat ik had doorstaan had Clem ook moeite met het verse drama en de geheimen rond *O, mijn god, die krankzinnig knappe barman is de ex?* MIJN GOD – totdat Rav haar aankeek met een blik die haar zomaar fataal had kunnen worden.

Esther kwam met wangen vol make-upvlekken naar me toe en klampte zich als een koalabeertje aan me vast. 'Waarom heb je niks gezegd!' riep ze, terwijl die arme Mark zich op de achtergrond opstelde met de ogen neergeslagen en de handen gevouwen, als een zachtmoedige dominee bij het uitgaan van de kerk.

'Ik heb het nooit tegen iemand gezegd. Niet eens tegen mezelf. Ik moest het eerst aan mezelf vertellen, en dat is nog maar net gebeurd. Het was nooit de bedoeling dat jullie er zo achter kwamen.'

'Ach, idioot die je bent.' Esther viel even stil en veegde nog wat tranen uit haar ogen. 'We zitten je wel altijd te dollen en op je te vitten, George, maar we vinden je allemaal het einde. En we willen alleen maar dat het goed met je gaat. Sorry als dat niet altijd uit de verf komt.'

'Weet ik toch,' zei ik.

De hoofdprijs kreeg ik niet. Die ging naar ene Tom, een man met een knotje die vertelde over de keer dat hij roze koeken uitkotste op een aardrijkskunde-excursie naar Mam Tor.

Maar ik had wel gewonnen. Voor het eerst was ik niet meer bang voor de toekomst. Ik zag het potentieel en wilde dat verwezenlijken. Woorden hadden me gered. Míjn woorden.

De volgende avond, om een uur of tien, wordt er aangebeld. De buurtkinderen trekken soms belletje als ze door de straat rennen, dus ik doe niks tot het nog een keer gebeurt.

Een paar minuten later wordt er weer aangebeld.

Misschien heeft Karen een pizza besteld, of er staat iemand voor de deur die nog niet weet dat je achterom moet komen. Karen is omgevallen; ik hoor haar gesnurk tot in de woonkamer, dus ik hoop maar dat het geen extra grote margherita met dunne korst en extra pepertjes is, want dan moet ik haar met gevaar voor eigen leven wakker maken om te vragen of zij die heeft besteld, of haar laten slapen met het risico dat ze me later alsnog afmaakt. Ik heb trouwens best trek.

Ik gluur langs het gordijn naar buiten en zie een lange, donkerharige man staan, met zijn handen diep in zijn jaszakken en zijn kin op zijn borst. Mijn maag maakt een misselijkmakende salto.

Mijn hart bonst in mijn keel. Ik haal een keer diep adem en doe de deur open.

'Hoi.'

'Hallo,' zeg ik.

'Sorry dat ik zomaar bij je op de stoep sta. Ik wist niet goed hoe ik het onder woorden moest brengen aan de telefoon. Mag ik binnenkomen?' zegt Lucas.

Ik doe een stap opzij om hem door te laten.

'Loop maar door naar de keuken,' zeg ik alsof ik mezelf volkomen onder controle heb. 'Daar zitten we nog een beetje privé.'

Lucas knikt en loopt achter me aan. Ik doe de kamerdeur achter me dicht. We stellen ons elk aan een kant van de eettafel op.

'Ik was bij je voordracht in de kroeg.'

'Ik weet het. Ik zag je staan. Je ging na afloop meteen weg.'

'Ik...'

Ik besef tot mijn schrik dat hij even niets kan zeggen. Ik kijk naar hem terwijl het moment tussen ons blijft duren. Er staan tranen in Lucas' ogen. Hij knippert een paar keer en schraapt zijn keel.

'Ik moest daar weg omdat ik moest nadenken, en ik wilde niet met je praten waar iedereen bij was. Ik hoop dat je niet dacht dat ik boos was of zo.'

'Tja. Ik wist het eerlijk gezegd niet goed. Ik was ook meer met mezelf bezig, eigenlijk.'

Lucas knikt. 'Georgina, wil je me alsjeblieft geloven als ik zeg dat ik niet wist wat je toen is overkomen? Ik had echt geen flauw idee. Dat is al erg genoeg, dat besef ik heel goed.'

'Dat weet ik,' zeg ik. 'Daarvoor had ik het je moeten vertellen, en ik heb je niks verteld. Ik heb het nooit tegen iemand gezegd.'

'Maar ik heb je er ook nooit naar gevraagd,' zegt Lucas.

Ik slik. Er is al te veel gebeurd om nu het gemakkelijke in plaats van het oprechte antwoord te geven.

'Nee, je hebt me niks gevraagd.'

Lucas schudt zijn hoofd, en we zwijgen tot hij zich weer in de hand heeft. Ik kan het geen gemakkelijke stilte noemen, maar een lege of onwelkome stilte is het ook niet. We laten het bezinken.

'Ik was... Toen je beschreef hoe het ging. Ik heb je zo verschrikkelijk laten barsten. Als de arrogante klootzak die ik ben, dacht ik altijd dat mijn leven een aaneenschakeling was van mensen die mij lieten vallen, maar dat klopt niet. Ik heb jou laten vallen, op een afschuwelijke manier.'

Ik schud mijn hoofd. 'Je hebt keuzes gemaakt op basis van onvolledige informatie. Net als iedereen. Als ik iets heb geleerd, is dat het wel.'

Ik klink heel kalm. De knokkels van de handen die om de stoel voor me liggen zien wit, zie ik.

'Nee, Georgina. Ik liet je toen in de steek, en nu weer. Die avond laatst... Als ik denk aan wat ik toen zei. Dat ik je *naderhand* niet meer hoefde, en hoe die woorden bij jou moeten zijn aangekomen. Achteraf kan ik mijn tong wel uitrukken.' Hij haalt zijn handen over zijn gezicht en kijkt me dan aan.

Ik knik, langzaam. Dit is niet het moment om me in te houden. Als ik dat al zou kunnen.

'Inderdaad. Dat deed echt pijn. Alsof ik besmet was.'

'En toen je vanavond vertelde dat je bang was voor ons, dat je aan ons dacht toen je daar met hem opgesloten zat...'

Ons. Na al die jaren heeft hij het over 'ons', en hij zal nooit weten wat dat met me doet.

Lucas heeft zijn armen over elkaar geslagen en staat tegen het aanrecht geleund, met zijn lange benen schuin vooruit. 'Ik zag wat jij voor iemand bent, Georgina – wat ik natuurlijk al wist, of had moeten weten – en ik zag mezelf. Bokkig en egocentrisch, dat ben ik.'

'Dat is wel erg streng,' zeg ik met een lachje.

Lucas doet zijn ogen dicht. 'Het spijt me verschrikkelijk.'

'Dank je.'

'Het was ook niet eens waar.' Hij schraapt zijn keel. 'Ik wilde je nog steeds, naderhand. Wat dacht je. Ik was alleen zo kwaad en zo jaloers dat ik blind om me heen sloeg, over de rug van een ander. Ik zou je wel eens laten voelen dat ik niet op jou zat te wachten, als jij mij niet wilde.'

Ik heb zo te doen met wie we toen waren, en moet nu op mijn beurt even mijn keel schrapen voordat ik iets kan uitbrengen. 'Ik dacht wel dat het zoiets was, maar ik wist het niet. Het hielp ook niet om dat te denken, dus ik hechtte er maar niet te veel waarde aan.'

'Het was vals en onvolwassen van me.'

'Op den duur dacht ik liever dat ik nooit echt belangrijk voor je was geweest en het dus geen wraakoefening van je was. Als het wraak was, zou dat betekenen dat Richard Hardy mijn leven echt kapot had gemaakt. Toen jij zei dat je je mij niet meer herinnerde, dacht ik: Zie je wel. Voor hem stelde het allemaal niets voor.'

Lucas schudt zijn hoofd.

'Ik wist niet wat ik ermee aan moest toen jij vroeg of ik nog wist wie je was, die avond na dat stripperakkefietje. Ik zag een nooduitgang en wist niet hoe snel ik die moest nemen. Ik had toch nooit iets voor je betekend, dacht ik, dus dan kon ik net zo goed doen alsof dat wederzijds was. Door mijn overgevoelige mannelijke ego schoot ik een beetje door en werd ik zo'n eikel met geintjes over "tien vrouwen aan elke vinger".'

Hij trekt een gezicht als ik daarom lach. 'Toen ik naar Sheffield kwam, dacht ik wel dat ik je misschien een keer op straat zou zien. Daar was ik wel op voorbereid. En toen stond je bij de wake opeens achter de bar met mijn broer en ging ik bijna gestrekt. Ik had maar een paar minuten de tijd om mezelf in de hand te krijgen en te bedenken hoe ik het moest aanpakken.'

'Ha. Nou, ik had echt niks door.'

'Er hing voor mij ook heel veel van af.'

Het blijft even stil. Dat *voorbereiden*, en *bijna gestrekt gaan*, zou dat betekenen dat er na al die tijd toch nog iets zit?

'Het is niet goed te praten dat ik eerst moest horen dat er iets akeligs was gebeurd voordat ik met je mee kon voelen. Ik zag hoe ze naderhand tegen je deden, ik hoorde ze over je praten. Het is niet goed dat ik eerst moest horen dat je was aangerand. Er is ook zoiets als druk van je omgeving. Er is ook zoiets als jong zijn, als gewoon soms de fout in gaan. Als je bedenkt wat wij toen hadden, had ik toch gewoon "Vertel eens wat er gebeurde" moeten kunnen zeggen? Stel je eens voor hoe anders het had kunnen lopen als ik daar het lef voor had gehad.'

Mijn ogen schrijnen inmiddels. 'Ik was nooit een held in het weerstaan van de massa. Dat vond jij maar niks, dat weet ik. Al dat voor de bühne spelen. Populair willen zijn.'

'Toen ik je opnieuw leerde kennen, kwam dat voor mij in een ander licht te staan. Ik geef het toe, in het begin speelde dat vooroordeel weer op, dat je oppervlakkig was en inhoudsloos en niet echt principes had. "Met alle winden meewaaien", zo heet dat toch? Nu begrijp ik dat je anderen wilt plezieren, dat hun gevoelens voor jou op de eerste plaats staan. Het is niet zwak om zo ruimhartig te zijn dat het ertoe doet wat een ander vindt, dat is juist een goede eigenschap. Jij kunt er niets aan doen dat mensen daar misbruik van maken. En nu sta ik jou hier aan jezelf te mansplainen, sorry.'

Ik grinnik.

'Ik was zo onzeker op school, George. En bang dat je die anderen interessanter zou vinden dan mij. Jij deed wat je deed omdat je overeind moest blijven. We deden allemaal maar wat. Ik had niet meteen met mijn oordeel klaar moeten staan. En dat ik dat op mijn achttiende deed, was tot daaraan toe, maar je zou toch verdomme denken dat ik op mijn dertigste wel eens volwassen genoeg was.'

Hij zucht diep.

'Ook zonder je verhaal van gisteren had ik beter moeten weten. Ik wilde alles voor je betekenen, en in plaats daarvan was ik gewoon nóg zo'n man die boos op je was omdat hij je niet kon krijgen op zíjn voorwaarden.'

Ik had wel verwacht dat het echte verhaal erin zou hakken bij Lucas, maar op zoveel zelfreflectie, of zelfkastijding zelfs, had ik niet gerekend. Al die tijd had ik zijn kant van het verhaal willen horen, zonder ooit echt na te denken over wat de ware toedracht met hem zou doen. Tot nu.

Ik had hem evengoed onderschat.

Waarom had ik Lucas in de weken na het feest geen berichtje gestuurd? Iets als 'Ik weet niet of je het weet, maar het zit anders dan je denkt'? Omdat hij het blijkbaar geen probleem vond om met een ander te zoenen, of omdat hij met een ander zoende om het mij betaald te zetten, daarom. Wat viel daar nog aan te redden?

Omdat ik dacht dat hij me niet zou geloven. En omdat ik dacht, in mijn naïviteit en onervarenheid, dat ik volgens de hardvochtige wetten van de adolescente liefde ook echt zo schuldig was als iedereen zei.

Maar dat was niet het belangrijkste. Als Lucas had gezegd: *Nu ik weet dat jij hier het slachtoffer bent, geef ik je mijn hart weer,* was dat geen klap waard geweest. Zoveel wist ik wel.

Zo hoort liefde niet te werken.

43

In stilte – een bedachtzame stilte, geen ongemakkelijke – stellen we onze inzichten bij op basis van alle nieuwe informatie.

Dan kijkt Lucas met een schuchter lachje naar me op.

'Er speelt nog wel meer door mijn hoofd, maar moet ik nog verdergaan nu de excuses zijn gemaakt of wordt het tijd dat ik uit je keuken verdwijn?' vraagt hij.

'Ga vooral verder. Je mag alles zeggen. Als ik het ergens niet mee eens ben, heb ik zelf ook nog altijd een mond bij me,' zeg ik met een glimlach.

Lucas knikt, slikt even, en zegt dan: 'Je wist het misschien niet, of misschien ook wel, maar ik was al levensgevaarlijk verliefd op je voordat we samen op die opdracht voor Engels werden gezet.' Hij lacht naar me, die volwassen Lucas-versie, en ik kan er niet bij wat een geluksvogel ik was. 'Ik aanbad je.'

O! Poeh. Ik was dus allesbehalve in mijn eentje verliefd. Ik kan mijn herinneringen weer ophalen, als nieuw, alsof het oude foto's zijn die zijn ingekleurd.

'Ik wist wel dat je me nog niet zou herkennen als je leven ervan afhing. Het viel niet mee, eerlijk gezegd, die eerste jaren in Yorkshire. Al mijn vrienden zaten nog in Dublin, ik werd gepest met mijn accent, en ik de schijn maar ophouden. En toen verscheen in de kantine een soort visioen aan me, een engel met een aanstekelijke lach. Een menselijk tegengif voor mijn misère, dat was je. Een regenboog aan een grauwe hemel. Alsof God me het meisje met de gouden haren had gestuurd om me te laten zien dat er nog iets was om voor door te zetten.'

Ik kan alleen nog stompzinnig grijnzen, sprakeloos.

Lucas schuifelt wat met zijn voeten en verbreekt ons oogcontact.

'Je had niet in de gaten hoe geliefd je was, hoe populair. En niet alleen bij de sufferds, maar bij iedereen, omdat je aardig was. Je had veel meer aanzien dan je dacht. Op het podium zei je dat je zo hard moest werken om erkenning te krijgen, alsof je altijd net buiten de prijzen viel, maar zo zag het er van de buitenkant niet uit. En volgens mij is dat niet veranderd, nu ik je als volwassene heb leren kennen. Mensen zoeken jou vanzelf op, niet om hoe je eruitziet, maar om je warmte.'

Is dat hoe Lucas me ziet? Dit zal ik tot mijn dood blijven koesteren.

'Maar goed, toen moesten we samen dat project doen, en zat ik enorm te stressen dat ik mezelf hopeloos voor schut zou zetten en dat de Georgina Horspool die ik van verre verafgoodde van dichtbij zou tegenvallen. Zelfs je naam werkte als een soort toverspreuk voor me, ik bedoel maar. Daar kon je in het echt toch nooit tegenop? Maar dat kon dus wel. Je was in het echt zelfs nog aardiger, grappiger en boeiender dan ik had durven dromen, en om het nog ongelooflijker te maken leek jij mij ook wel leuk te vinden. Ik was... Hoe zal ik het zeggen...'

Het is heerlijk om te horen dat je dat gevoel bij iemand hebt opgeroepen, maar de verleden tijd legt er een smartelijk randje om, en ik wil lachen en huilen tegelijk.

'Ik wist zeker dat het te mooi was om waar te zijn. Ik kon het gewoon niet geloven. En dat werd op den duur een probleem. Ik begon overal iets achter te zoeken, want wie weet had ik gelijk en kon het inderdaad niet waar zijn. Weet je nog die avond dat we op weg naar huis elk aan een kant van de straat moesten lopen omdat je dacht dat je een bekende had gezien?'

'Hmm... nee?' zeg ik, met mijn ogen half dichtgeknepen. Het is ver weggezakt, maar als ik mijn best doe, zie ik vaag voor me dat we uit het zicht van Jo's broer moesten blijven. Ik vond het wel lollig, dat verstoppertje spelen.

'Het begon te wringen. Was ik een soort stiekeme zonde voor jou? Zou je je ooit in het openbaar met mij willen vertonen? Werd ik nog eens écht je vriendje? Of was ik het oefenpotje en zou het klaar zijn zodra je ging studeren? Begrijp me goed: zelfs als je me gebruikte, zei ik daar geen nee tegen, maar ik was zo verliefd, ik wilde méér.'

'Echt waar?'

'Joh, Georgina, ik wilde het hele pakket met jou. Ik zou in Newcastle zijn gaan studeren als jij me dat had gevraagd. Maar dat was het nou net: het moest van jou komen,' zegt Lucas met een ongemakkelijk lachje. 'Dat vel, weet je nog? Met onze eerste toenaderingspogingen tussen de aantekeningen door? Dat had ik uit de map gehaald om toch fysiek bewijs te hebben dat je me leuk vond. Klink ik nu als een seriemoordenaar?'

Ik lach wel, maar met pijn in mijn hart.

'En ik wist dat Richard je wel zag zitten. Hij was trouwens zeker niet de enige, wat mij totaal niet aanstond, natuurlijk. In de kleedkamer bij gym was de stoeremannenpraat niet van de lucht. Hij riep altijd dat hij je zo kon krijgen als hij wilde, dat jij "op hem viel". Toen we eenmaal iets kregen, wilde ik dan het liefst zijn kop van zijn romp slaan, dat begrijp je.'

Lucas kijkt me aan.

'Het was dus nog erger dan je dacht, Georgina, want ik wist het. Toen hij jouw hand pakte en met je de zaal uit liep, wist ik wat hij hoogstwaarschijnlijk van plan was, en ik deed niks. Ik had je die ellende kunnen besparen, maar dat deed ik niet. Waarom niet? Omdat ze me dan zouden uitlachen? Omdat jij je zou schamen als ik een scène schopte of het misschien zelfs zou uitmaken? Omdat ik je op de proef wilde stellen? Omdat ik bang was dat je voor hem zou kiezen, als puntje bij paaltje kwam? Daarom ja, al die redenen, en vooral die laatste. Daar liet ik mijn ware aard zien. En jij kreeg de rekening gepresenteerd.'

'Het is jouw schuld niet,' zeg ik. 'En het zegt niets over wie jij bent. Je zat klem in een kloterige situatie, en ik weet dat het juist in jouw aard ligt om voor anderen op de bres te springen. Denk alleen al aan alles wat er is gebeurd sinds we samenwerken.'

'Nu lijkt het bijna alsof ik jou dwing om mij gerust te stellen dat het niet aan mij lag,' zegt Lucas, wrijvend over zijn voorhoofd. 'Maar dat lag het, Georgina. Het was deels mijn schuld, accepteer dat.'

'Hahaha, je lijkt mijn therapeut wel. Haar heb ik ook nooit het hele verhaal verteld. Ik zei alleen dat ik met een andere jongen was meegegaan en mezelf erom haatte. Ik denk dat ik zelf ook geloofde dat dat het hele verhaal was. Lucas, ik heb er jaren over gedaan om te zeggen dat het niet mijn schuld was en dat ook te menen. Jij neemt nu de schuld op je, en ik weet dat je het meent, en dat betekent heel veel voor me. Maar wat mij betreft is er maar één verantwoordelijke, en die staat zich hier nu niet op te vreten van schuldgevoel.'

'Je weet niet hoe graag ik eens midden in de nacht bij Hardy langs wil gaan in een gammel, doorgeroest busje met een maat van een maat van Dev, "Dean de Hufter".'

Ik lach. Sterker nog: ik gier het uit.

'Heb je nooit overwogen om aangifte te doen?' vraagt Lucas zacht.

'Nee. Zijn woord tegen het mijne. En iedereen zou Richards versie hebben bevestigd. En dat van het hotel was dan ook uitgekomen, en ik denk dat jij ook wel kan uittekenen hoe dat tegen me zou zijn gebruikt.'

We kijken weg. Voor het eerst voelen we ons allebei ongemakkelijk.

'Was ik maar naar je toe gekomen,' zegt Lucas onvast. 'Niet daarom. Maar om er voor je te zijn, om je verhaal aan te horen. Het had zo anders kunnen lopen.'

Had kunnen.

Ik schokschouder. 'Dat is fijn om te horen. Ik heb me soms wel schuldig gevoeld dat ik er geen werk van heb gemaakt omdat hij het misschien daarna nog vaker heeft geflikt, en ik die vrouwen eigenlijk voor de leeuwen heb gegooid door mijn mond te houden.'

'Ook dat is niet jouw schuld. Op geen enkele manier.'

'Wedden dat hij er sinds die avond nooit meer aan heeft gedacht?'

'Daar zou je heel goed gelijk in kunnen hebben. De zak. Dat bandje van hem was trouwens ook waardeloos.'

Ik glimlach, en Lucas glimlacht terug. Ik wil hem omhelzen, maar ik weet niet of het mag.

'Mag ik je nog iets vragen? Er is iets wat ik al heel lang wil weten,' zeg ik. 'Je hoeft geen antwoord te geven als je het te persoonlijk vindt.'

'Het is een avond voor persoonlijke vragen, dus ga je gang.'

'Zoals ik al zei in mijn verhaal zou het voor mij de eerste keer zijn geweest, die avond. Als we samen naar het hotel waren gegaan. Was... Gold dat voor jou ook?'

'O! Jazeker. Wel leuk om te horen dat dat blijkbaar nog een vraag was, eerlijk gezegd.'

409

Hij lacht naar me, ik lach terug en bloos, en ik denk: *Kom op, Georgina Horspool, je bent dertig.*

'Het spijt me dat het zo misliep tussen ons. Ik heb echt fantastische herinneringen aan jou,' zeg ik.

'Hier net zo,' zegt Lucas.

'En wat je toen ook dacht...' Ik ga sneller praten voordat ik me kan bedenken. '...ik was straalverliefd op je, Lucas, en echt alleen maar op jou.'

'Hier net zo,' zegt Lucas weer. 'En wat jij zei, dat je mij wilde beschermen toen hij jou belaagde. De schaamte dat ik voor jou niet hetzelfde heb gedaan zal ik altijd met me meedragen. Ik had je zo graag gered.'

Ik glimlach. Ik dacht altijd dat ik nooit van Lucas zou horen wat ik wilde horen. 'Dat was niet jouw verantwoordelijkheid. Toen niet en nu ook niet. Dat je hier nu staat is genoeg, Lucas. En dat zeg ik niet zomaar.'

We kijken elkaar lang aan. De vraag of er nog iets smeult, hangt overduidelijk in de lucht, maar ik kan en wil de vraag niet stellen. Er is deze avond zoveel teruggewonnen aan respect en waardigheid. Als ik Lucas nu voor het blok zet en hij zegt: *Maar dat betekent niet dat ik ons nieuw leven in wil blazen,* zou dat alles kapotmaken. Of stel je voor dat hij doet alsof, uit medelijden of schuldgevoel. God, ik moet er niet aan denken. Je hebt je op een presenteerblaadje aangeboden, redeneer ik met mezelf, en hij heeft vriendelijk bedankt. Als hij nu geen voorzet geeft, kan je ervan uitgaan dat hij er nog net zo over denkt als toen die avond.

Het blijft een hele tijd stil.

'Je komt zeker niet meer terug naar The Wicker?' zegt hij dan.

'Nee, sorry. Ik vond het er heerlijk, maar het voelt alsof ik iets heb afgesloten. Maar ik kom vast nog vaak langs, voor Dev en voor Kitty. En jij gaat terug naar Dublin?'

'Ja. Dat was de opzet. Ik zou helpen om de boel op de rit te krijgen, en dan zouden we er een bedrijfsleider hier uit de buurt in zetten.'

Nu heb ik ook een antwoord op die andere vraag. Waarom zou Lucas ook met mij in zee willen? Als je alleen al kijkt naar waar hij in zijn leven is, en naar mij. De tijd dat we bij elkaar pasten is voorbij.

'Ik snap het. Volgens Devlin had je het toch al niet zo op Sheffield,' zeg ik.

'De stad heeft ook zijn goede kanten,' antwoordt hij met die glimlach van hem. Die verdomde kloterige glimlach waar mijn hart van breekt.

Ik steek mijn hand uit. Lucas pakt hem met een droevig lachje aan. Ik hoef hem maar aan te raken en het voelt al of er een gat valt in mijn buik, een diep gat om in te pletter te storten zodra hij weg is.

'Ik ben blij je gekend te hebben,' zeg ik tegen hem.

'Dat is geheel wederzijds,' zegt hij.

Ik doe de keukendeur open, en Lucas loopt de kamer in.

'Is dat een terrarium?'

'Ja, van mijn schildpad.'

'Lieve hemel, leeft Jammy nog?'

'Dat je nog weet hoe hij heet!'

'Wat dacht jij? Je wilt niet weten hoe vaak ik mezelf bijna verlinkte door te beginnen over iets wat ik nog wist van toen we op school zaten.'

Hij grijnst, en verwonderd bedenk ik dat er niets onuitgesproken is gebleven tussen ons. Dat is een heerlijk gevoel. Ik kan weer met een gerust hart aan hem denken, en dat doet me deugd.

Als ik de voordeur opendoe, draait Lucas zich om, haalt diep adem en zegt: 'Gina.'

'Niemand noemt me ooit zo!'

'Weet ik,' zegt Lucas. 'Daarom wil ik het juist.'

We kijken elkaar in de ogen.

We hebben net woordelijk een gesprek uit onze tijd in de hortus herhaald. Ik heb heel lang gedacht dat ik de enige was die dat vlammetje brandende hield. Dat was niet zo, en dat heeft hij ook al duidelijk gemaakt, maar dit vaste riedeltje bewijst het onomstotelijk.

'Toen ik je weer zag op de wake straalde je nog net zo als in mijn herinnering. Daar heeft hij niets aan kunnen veranderen. Laat niemand je dat ooit afnemen.'

En voordat ik iets kan zeggen, steekt hij zijn handen diep in zijn zakken, knikt even en loopt dan de donkere avond in.

Ik doe de deur dicht. Op slag stroomt een warme stortvloed van tranen over mijn gezicht. Tranen van verdriet, maar niet alleen van verdriet.

Lucas McCarthy dook weer op in mijn leven, en weet je? Daar ben ik blij om. We hebben het een en ander uit de wereld kunnen helpen. En hij heeft een schat van een hond.

Ik adem diep uit. De waarheid kan soms ingewikkeld en lastig zijn, maar soms moet je er toch echt iets mee. Soms kan de waarheid je redden.

Boven loeit een stem: 'GEORGINA BEN JE ZO ONGEVEER EENS KLAAR MET PRATEN DAAR IK PROBEER HIER TE SLAPEN GODALLEMACHTIG MET JE KUTTIGE KLEP KLEP KLEP DE HELE TIJD.'

'Ja, we zijn klaar!' roep ik terug. Ik veeg mijn tranen weg en bedenk dat ik dat toch graag anders had gezien.

44

Een halfjaar later

Je leert jong zijn pas waarderen als je het niet meer bent. Toen ik de leeftijd had om student te zijn, voelde ik me zo onbeholpen en wist ik zeker dat iedereen aan me zag dat ik niet slim genoeg was om op de universiteit rond te lopen. Nu tik ik bijna de eenendertig aan en voel ik me er door mijn leeftijd totaal niet op mijn plaats. Waar maakte ik me op mijn twintigste in godsnaam druk om? Schitterend door onwetendheid, zonder enig benul van de opgegeven literatuur, op met Tipp-Ex bewerkte Dr. Martens en met een lichte, maar chronische kater hoorde ik er helemaal bij.

Na die roerige zondagse lunch hoopten Esther en ik min of meer stiekem dat mam bij Geoffrey zou weggaan. Dat deed ze niet, maar ik heb toch het idee dat het machtsevenwicht een stukje in haar voordeel is verschoven. Kennelijk is er toch iets aangekomen door die minimale verzetsdaad.

Misschien hielp het dat Geoffrey zich nu realiseerde dat haar familie het niet meer pikte.

Mam vroeg of ze me als kerstcadeau een nieuwe jas mocht geven. 'Weet je wat het is met dat pluizige roze geval, lieverd: het stimuleert mensen niet om je al te serieus te nemen. Alsof je de draak met jezelf steekt.'

Ik zuchtte maar eens, overwoog om gepikeerd te reageren, en bedacht toen dat ik ook op haar aanbod kon ingaan en de vrolijke pluizige jas voor het weekend kon bewaren.

We gingen naar warenhuis John Lewis, waar ik een halflange donkerblauwe jas uitzocht met lange ballonmouwen, een ceintuur en een brede kraag. Begeleid door mams goedkeurende geluiden bekeek ik mezelf van alle kanten in de spiegel, en ik moet toegeven dat ik me best elegant voelde. Ik waande me een beetje zo'n vampachtige vrouw in een zwart-witfilm, staand naast een stoomtrein, die zegt: 'Zeg me dat we samen zullen zijn als het met die akelige oorlog gedaan is'.

Daarna dronken we samen koffie, en mam vroeg naar mijn werk. Ik werk in de bediening in een cocktailbar op Leopold Square. Rita, de eigenaresse, een vrouw van in de vijftig, wilde vrouwen een plek in de stad bieden waar ze terechtkunnen voor een drankje zonder lastiggevallen te worden, en er hangt echt een prettige, ontspannen sfeer. We hadden meteen een klik, en op mijn tweede dag stelde ze me aan als bedrijfsleider. 'Je treft precies de juiste toon,' zei ze.

Ik heb geen aandelen, maar als je mij vraagt of ik nog een goed café weet in de stad, zou ik het van harte aanbevelen, net als die opgeknapte victoriaanse kroeg op Ecclesall Road, trouwens. Ze hebben er daar echt iets moois van gemaakt, schijnt het. Ik heb er nog gewerkt, maar nu kom ik er niet meer.

Mam vroeg of ik die baan iets vond voor de lange termijn of dat ik nog om me heen keek. Het klonk voor mijn gevoel minder aanvallend dan anders. Ik zei dat ik aan het kijken was of ik me kon omscholen.

'En met omscholen bedoel ik dan eigenlijk dat ik eindelijk eens een opleiding ga volgen. Misschien kan ik een stage regelen bij *The Star* of zo. Zodat ik iets met schrijven kan doen.'

'Ik zat laatst te denken,' zei ze, roerend in haar koffie verkeerd, 'over die studie die je nooit hebt afgemaakt. Je vader wilde altijd zo graag dat je je bul haalde. Ik heb best een aardig bedrag op spaarrekeningen staan waar ik niks mee doe, en dat geld was ook van je vader. Omdat ik al die jaren zo boos op hem was, had ik nooit zin om na te denken over wat hij gewild zou hebben, en daar ben jij bij ingeschoten. Ik vind dat jij dat geld moet krijgen, voor een opleiding. Wat je maar wilt.'

'Mam, dat kan ik toch niet aannemen,' zeg ik, ontroerd en behoorlijk verbluft. 'Op mijn dertigste nog? Ik zou me een hopeloze profiteur voelen.' En wat als jij een vluchtfonds nodig hebt, mam? Maar dat zeg ik niet hardop.

'Dat kun je best, doe niet zo raar,' zei ze. Nu het eenmaal op tafel lag, klonk ze heel kordaat. 'Dat geld komt uiteindelijk toch jouw kant op, dus waarom niet nu al, nu je het goed kunt gebruiken? Het lijkt me heerlijk om te zien dat je er iets goeds mee doet. Je zult het heus niet uitgeven aan luxe cruises. Of aan merkkleding, hahaha! Niet met jouw smaak in kleding, geef toe!'

Ik rolde met mijn ogen.

'Zie het als een uitdaging. Ik daag je uit om het geld goed te besteden. Eerlijk gezegd ben ik razendbenieuwd wat je ermee doet en waar het je kan brengen. Jij hebt veel in je mars, Georgina, dat denk ik echt.'

'Meen je dat?' vroeg ik. De schade waar mogelijk beperken, dat was altijd mams thema geweest als het over mij ging.

'Ja. Al weet ik ook dat ik dat nooit zo heb laten blijken. Misschien... Je vader was altijd zo gek op je, je was zíjn kind wat hem betreft, en daardoor bleef er weinig ruimte over voor ons.'

Opeens begreep ik het. Ik begreep waar die rancune en vijandigheid die ik altijd bij mam voelde vandaan kwamen. Paps liefde voor haar was verdampt, maar die voor mij was gebleven, dat was het probleem. Daardoor werd ik behalve haar dochter ook een rivale. Nadat we het openlijk over zijn verhouding hadden gehad, was er iets veranderd. Ze had ingezien dat ik ook aan haar kant stond.

'Ik mis pap echt, mam,' zei ik.

'Ik ook,' zei ze. 'God mag weten waarom, maar goed.'

'Maar ik ben ook heel blij dat ik jou nog heb.' Ik legde mijn hand op haar arm, en haar ogen glansden.

En nu zit ik met mijn werkgroep Engelse Letterkunde in een modern kantoorpand van de universiteit van Sheffield en voel ik me een kat op het Grote Muizenfeest die zijn staart probeert te verbergen. In het begin maakte ik mezelf nog wijs dat ik er nog jong genoeg uitzie om niet heel erg bij de rest af te steken, maar ik liet mezelf vrijwel meteen kennen door mijn stiptheid en mijn montere toon bij het voorstelrondje.

Er zijn momenten dat ik denk dat de studenten me dankbaar zijn voor mijn diepgravende vragen aan de docent, waardoor zij alle tijd hebben om hun hersens uit te zetten of even op hun telefoon te kijken.

Maar als ik nog net voordat de tijd erop zit vraag wanneer we ons essay moeten inleveren, en de docent zegt: 'Goed dat je het zegt, Georgina, aanstaande vrijdag, graag,' dan stijgt er alom gekreun op en wordt er geërgerd gezucht over die overijverige oudere student die het alwéér heeft verkloot voor de rest.

Ik kan er niks aan doen. Ik ben gewoon zo blij dat ik hier zit. Ik heb al vier keer een hoog cijfer gehaald voor een essay! En ik heb zelfs *Beowulf* bedwongen!

De colleges voelen bijna als verwennerij. Een uur waarin ik de stad buitensluit en een wereld van ideeën en verdieping betreed, en ervan geniet dat mijn brein erop vooruitgaat, mijn kennis

wordt vergroot en mijn kritische denkvermogen wordt ge-
scherpt. 'Ja,' zei Jared toen ik dat tegen hem zei, 'alsof je je telefoon 's nachts aan het stopcontact legt voor een update. Alleen
mag ik daar wel doorheen slapen.'

Jared is een lange harige jongen met een muts, en de enige
student die tot nu toe iets tegen me heeft gezegd. Hij hoorde hoe
oud ik was en zei dat hij zo met me uit zou gaan als ik dat zag
zitten, want 'leeftijd zegt me niks als de energie klopt'. Ik zag ons
al voor me als de remake van *Harold en Maude*. Ik bedankte hem
en zei dat ik even vrijaf had genomen van dat rare spelletje dat
daten heet.

'Oké, ben je dan soort van gescheiden?' zei hij. 'Met kinderen
en alles? Dat is misschien dan weer minder mijn ding.'

DE JEUGD VAN TEGENWOORDIG.

Elke dag kom ik huppelend de collegezaal in, ik loop met een
brede lach over de campus, en als ze me een suffe muts vinden,
kan ik daar niet mee zitten. Ik ben nog niet gewend aan het gevoel dat ik dingen aan het fiksen ben.

Ik ga voor cum laude, niet om iedereen de ogen uit te steken,
maar om te laten zien dat het geen schande is om met een omweg je doel te bereiken. Wat maakt het uit als je een paar keer de
verkeerde afslag hebt gepakt? Als je uiteindelijk maar ergens uitkomt waar je graag wilt zijn.

Dus reik ik naar het verleden, pak dat kwetsbare, hoopvolle
meisje dat ik eens was bij de hand en trek haar op om met me
mee te gaan.

'Heftig, hoor. Diep en ontroerend,' zei Clem toen ik de anderen
eindelijk had verteld over die avond dat Lucas me thuis opzocht.
'Maar waarom wippen jullie elkaar nu eigenlijk niet bewuste-
loos?'

'Heb jij echt nooit overwogen om je te laten opleiden tot therapeut?' zei Rav tegen Clem.

'Kom op, die man is toch zeker ultiem wipwaardig? Hij heeft zijn fouten toegegeven. Hij heeft een groot eergevoel. Goede klusser, altijd handig. Stinkend rijk. En knap genoeg om een vampier te kunnen zijn.'

'Ieks,' zei Rav. 'Ik begrijp niet eens goed wat dat wil zeggen.'

'Ondood hoge jukbeenderen. Huid van maneschijn. Woest donker haar.'

'En een pik als een ijskoude Calippo. WAT NOU, Clem? Hoezo schiet ík nou opeens door?'

'Laat ik het zo zeggen,' zei Clem, 'ik zou nog sneller plat gaan dan een oud vrouwtje op een stoep vol ijzel.'

Ik ben vandaag eenendertig geworden, en ik had mijn vrienden gevraagd of we niet een wandeltocht in de Peaks konden maken. De PANIEK, mijn god. Clem had een jurk van Mary Quant uitgezocht en die kon ze dan niet dragen. Rav had nieuwe donkerblauwe suède schoenen die hij mooi had gehouden voor een uitje, en zei: 'Ik snap het wel, je voelt je Miss Marple tussen die eerstejaars, maar je hoeft die zelfhaat ook weer niet te overdrijven.'

'We gaan wel een keer met ons tweetjes,' suste Jo, als altijd de vredestichter.

Ik kwam met een compromis: een avondje in The Lescar. Lekker vertrouwd, geen fratsen. Clem was zo teleurgesteld dat ze me naast haar andere cadeaus een tiara uit haar winkel gaf die ik meteen op moest zetten. 'Anders is het gewoon maar een kroegavondje.'

Ik voelde me er eerst mee voor schut staan, maar de alcohol doet wonderen. Rav kijkt op zijn horloge, verklaart dat het zijn beurt is voor een rondje en loopt naar de bar.

'Even voor alle duidelijkheid: je valt wel op Lucas, toch?' zegt Clem. We zijn al een halfjaar verder, maar dat mens is een pitbull. Ik zet mijn tiara recht. 'Op hem vallen is zo gebeurd, laten we wel wezen.'

'En als dat nou wederzijds was?' zegt Jo.

'Grapje, zeker?' snuif ik.

'Kan toch?' zegt ze.

'Nou... Met ons grimmige, getroebleerde verleden? Of die keer dat ik hem wilde zoenen en hij me van zich af duwde en zei dat hij van me walgde? Dat soort signalen pik ik wel op hoor. Ik spreek vloeiend "Man".'

'Nee,' zegt Jo, die de ijsklontjes laat ronddraaien in haar dubbele whisky. Ik hou wel van haar mannelijke drankvoorkeuren. Jo is aan het tinderen geslagen en leeft zich helemaal uit – na wat hulp van ons met de technische kant (ze filterde op 'Mannen binnen 100 meter', totdat Rav haar uitlegde dat een man die zich in haar schuurtje had verschalkt hoogstwaarschijnlijk niet De Ware was). Phil de Player, voor zover bekend, is een kwijnend, celibatair levend hoopje ellende. Wie weet eindigen ze uiteindelijk toch nog samen, maar nu moet hij in elk geval op háár wachten.

'Hij had gewoon een verkeerd idee over hoe het tussen jullie was gegaan. Dat wil nog niet zeggen dat hij zich niet tot je aangetrokken voelt, en nu jullie dat van vroeger hebben rechtgezet...'

'Wat Jo zegt,' zegt Clem.

'Hou eens op, jullie! Ik weet dat het een fijn ps'je zou zijn als Lucas en ik weer bij elkaar kwamen na al dat gedoe, maar zo werkt het niet. Hij trouwt gewoon met een vrouw die uit The Corrs weggelopen lijkt, daar ga ik van uit, en niet met een blondje op leeftijd in netkousen uit Yorkshire.'

Ik zie twee paar glimmende kraaloogjes tegenover me. 'Dus

laat mij Lucas McCarthy nou maar herinneren met die hand-druk, in plaats van met mij als hoopvol smachtende malloot,' zeg ik en ik hef mijn glas.

'Wat zei ik je?' zegt Clem tegen Jo, 'toch een zetje nodig.' Jo knikt, en ik krijg opeens het gevoel dat hier meer aan de hand is.

'We zeiden toch dat je je verjaardagscadeau later kreeg? Nou, we hebben dus eigenlijk een krankzinnig gokje gewaagd waar je ons de rest van je leven dankbaar voor bent, of...' Clem maakt haar zin niet af.

'Of wat?' zeg ik nadrukkelijk. O. God. Als Clem het al 'krank-zinnig' vindt, en een 'gok'...

'Of het is een ramp van het soort dat vriendschappen opblaast en ons de rest van ons leven blijft achtervolgen.'

'Nou, wat een fantastisch plan! Zetten jullie me met een slip met open kruis op het vliegtuig naar Dublin, is dat het? Ik ben niet te beroerd om jullie honderd pond te laten weggooien hoor.'

'Nee. Het is nog iets doller.'

'Oké, nu begin ik me toch echt zorgen te maken. Wat hebben jullie gedaan? Jo, je ziet bleek!'

Jo kijkt naar me met een krampachtig lachje, verplaatst haar blik dan naar iets achter me, en ik verstijf, draai me langzaam om en zie Rav staan met een blad vol drank. Naast hem staat Lucas McCarthy.

45

'Verrassing!' zegt Rav, en ik staar sprakeloos voor me uit. Had ik nou maar geen tiara op mijn hoofd.

Lucas staat voor me met zijn handen in de zakken van een donkere jas, bekijkt me eens goed en zegt dan: 'Weet je nog dat jullie zeiden dat ze het fantastisch zou vinden als ik opeens voor haar neus stond op haar verjaardag en dat er absoluut niets, maar dan ook niets mis kon gaan?'

'Ja!' zegt Clem.

'Zie ik hier een blije Georgina?' Hij doet alsof hij mijn uitdrukking bestudeert en glimlacht. Ik kan van de schrik niet eens meer glimlachen.

'Ze is sprakeloos van blijdschap!' zegt Rav, die energiek om ons heen loopt om het dienblad met onze drankjes op tafel te zetten. Ze wachten alle drie met ingehouden adem af, merk ik.

Ik slik en doe mijn best om me te herpakken. 'Hoi. Eh... Wat is dit?'

'We zaten te denken hoe we de aller-, allerbeste verjaardag voor je konden regelen, de verjaardag die je verdient na alles wat je hebt meegemaakt,' ratelt Jo, 'en toen dachten we dat het beste cadeau... Dat je het leuk zou vinden om Lucas te zien. En hij kwam toch al naar Sheffield...'

'Ze vonden dat we eens moesten praten,' zegt Lucas. 'Ik was

zelf al van plan om iets van me te laten horen, en toen hoorde ik iets van Clem en Jo...'

Ik kijk naar Clem, die zit te genieten van haar eigen snode plannetje; naar Jo, die er zo te zien nog niet gerust op is; en dan weer naar Lucas, die er schaamteloos kalm bij staat. Hij kijkt me weer glimlachend aan.

'Ik zou hier niet staan als ik je niet toch al iets te zeggen had. Maar als je er niet op zit te wachten, ga ik gewoon weer, geen probleem.'

'Nee hoor! Dat hoeft niet. Ik vind het niet erg,' zeg ik. Mijn vrienden vermoord ik later nog wel. Heel langzaam.

'Ik vind het ook prima om te zeggen wat ik te zeggen heb met je vrienden erbij, als jij je daar niet ongemakkelijk bij voelt.'

'Dat zouden wij in elk geval wel leuk vinden,' zegt Clem voordat ik antwoord kan geven.

'Stelletje...' zeg ik. 'Hoe moet ik nou weten of ik het gênant vind als ik niet eens weet waar het over gaat?'

'Eerlijk gezegd is de kans veel groter dat ik mezelf voor paal zet,' zegt Lucas.

'Oké.' Ik klem mijn klamme handen om mijn knieën om nog wat houvast te hebben.

'Ik vroeg me iets af. Nu alles van vroeger is uitgepraat. Ik vroeg me dus af of ik weer deel zou kunnen uitmaken van jouw nu.'

Mijn hart sputtert even en staat dan stil. Ik ben dood. Mijn mond gaat open, en weer dicht. En weer open.

'Vraag je nou of ik wil terugkomen naar The Wicker?'

'Nee. Ik vraag of ik je mee uit eten mag nemen. Een keer. Vanavond heb je al iets, dat snap ik. Maar op een date dus.'

Ik wacht even terwijl de zon opkomt in mijn binnenste. Lucas McCarthy die mij mee uit vraagt? 'Maar je woont toch in Dublin?'

'Niet als jij hier zit. Ik heb overplaatsing aangevraagd. Nu maar hopen dat de baas het goedkeurt. Je weet maar nooit met die eikel.'

Ik kan er niks aan doen. We zitten allebei met een stompzinnige grijns op ons gezicht. Is hij teruggekomen voor mij? Heeft hij dat voor mij over?

'Ik heb dit gerepeteerd met Devlin,' zegt Lucas, 'en ik citeer: "Allemachtig, sikkeneur, dat kan toch veel beter. Je hebt in al die maanden dat je om haar zat te kniezen tegen mij nog meer gezegd."'

Ik moet lachen. *Kniezen*. Ik had nooit kunnen denken, echt nooit, dat hij me nog zou willen zoals ik hem wil. Ik dacht dat die kans voorgoed verkeken was.

'"Dev," zei ik, "ik moet het klein houden, haar niet onder druk zetten. Ik vraag haar gewoon mee uit en daar hou ik het bij." "Jij en het klein houden?" zei hij toen. "Verloren zaak als het om haar gaat, Luc. Je hebt je als een o zo zielige gekwetste zak tegen haar gedragen tot ze zelfs niet anders meer kon dan ontslag nemen, en ze was een prima kracht, dus nog bedankt. Kom gewoon eerlijk uit voor je gevoelens. Als ik jou zo hoor, is dat wel het minste wat haar toekomt."'

'Ja! Zo mooi dit...' verzucht Jo.

'Dus toen ik zei dat ik me afvroeg of je een keer met me uit eten wilde...' Lucas ademt diep in en vervolgt dan: 'Wat ik me eigenlijk afvraag, is of jij net zo hard hoopt als ik dat het zo'n eerste date wordt die dagen- en nachtenlang doorgaat, niet alleen vanwege de lust, maar omdat we niet zonder elkaar kunnen.'

Het vrouwenkransje rond de tafel hapt collectief naar adem, en ik bloos.

'En met uit eten bedoel ik dat ik me afvraag of het je leuk lijkt als ik je shirt weer in één keer uittrek, en dan niet omdat er stripperspis overheen is gegaan.'

Ik schater het uit.

'Wat je noemt een veelbewogen geschiedenis,' mompelt Rav.

'Ik vraag me af of je het ziet zitten om zo vaak bij elkaar te blijven slapen dat het na een tijdje vanzelf logisch wordt om een plek voor ons samen te zoeken. Met ruimte voor Keith, natuurlijk.'

'Wie is Keith?' fluistert Clem hardop.

'Mijn hond,' zegt Lucas.

'O, oké, sorry, ik dacht dat je misschien een achterlijk broertje had of zo. Ga verder,' zegt Clem, terwijl Rav een hand voor haar mond doet.

'Dat heb ik ook,' zegt Lucas.

'Is er dan ook plek voor Jammy?' vraag ik.

'Zeker. Ook met ruimte voor Jammy.'

Lucas haalt nog eens diep adem.

'Ik vroeg me af of je misschien iemand wilt die de rits van je jurk voor je kan dichtdoen voor een avondje uit. Ik vroeg me af of je iemand wilt die je in geval van nood als eerste belt. Ik vroeg me af of je iemand wilt om te appen dat hij langs de snackbar moet rijden als je geen zin hebt om te koken. Ik vroeg me af of je iemand wilt die het voor je opneemt als je bij je familie op bezoek bent, iemand die ze kan vertellen dat ze met jou in hun handjes mogen knijpen. Ik vroeg me af of je iemand wilt die sinaasappelsap voor je haalt als je griep hebt. Ik vroeg me af of ik die zak stront van een komiek een klap voor zijn kop mag geven als hij nog eens bij je in de buurt komt. Eerlijk gezegd doe ik dat waarschijnlijk sowieso, of je iets met me wilt of niet, want hij is een vuile zak stront en verdient niet beter. Geen rechter die me daarvoor zou veroordelen.'

Mijn vrienden applaudisseren en joelen. Lucas pakt mijn hand, en zijn vingers sluiten zich warm om mijn handpalm.

'Ik vroeg me af, Georgina, of je denkt dat je misschien weer zo verliefd op me zou kunnen zijn als ik op jou ben. En of je, omdat je het beste bent dat me ooit is overkomen, mij de kans zou willen geven om te proberen het beste te zijn dat jou ooit is overkomen.'

'O, mijn hemel,' zeg ik, want ik lach en huil door elkaar, net als iedereen, lijkt het, behalve Rav, die bromt: 'Bedankt, hè. Nu ligt de lat meteen weer een stuk hoger voor de rest.'

Ik sta op en zet mijn tiara weer recht.

'Ja, dat wil ik allemaal wel, van jou. Dank je wel. Aanbod geaccepteerd. En aan die snackbarrun ga ik je zeker houden.'

'Was het gênant? Volgens mij heb ik zoals beloofd alleen mezelf voor paal gezet, toch?'

'Je...' Ik val weer stil. Het valt niet mee om voor je gevoelens uit te komen in The Lescar, omringd door zo'n gretig gehoor. 'Ik had me niets beters kunnen wensen, eerlijk gezegd. En ik kan me ook niets beters wensen dan jou.'

Tot nu was er nog niets beschamends aan, maar dat langverwachte zoenmoment, mét publiek? Dát is dus wel gênant.

We kijken elkaar weifelend aan, en dan zegt Lucas: 'Neem ons niet kwalijk, alsjeblieft,' en hij steekt zijn hand naar me uit. Ik pak hem aan en laat me meetronen naar buiten. We lopen de deur uit, de poolkou in, en Lucas draait zich naar me toe, trekt me tegen zich aan en zoent me met zoveel vuur dat het me ondanks al het voorgaande toch nog overrompelt. De overtuiging in zijn zoen heeft iets onbeschrijflijk opwindends; hier heeft hij al die tijd op gehoopt en op gewacht en naartoe gewerkt, en nu laat hij zien hoe ontzettend hij ernaar heeft verlangd. Ik voel onze toekomst in die zoen.

Ik zoen hem even vurig terug, met mijn handen in zijn haar. Ik hoef hem nergens meer van te overtuigen, ik hoef niet meer te hopen. Ik dacht dat niets ooit zou kunnen tippen aan wat we als tieners voelden, maar daar vergiste ik me in. Dit is beter. We zijn geen onbeschreven blad meer, maar volwassen mensen die hun eigen verhaal hebben geschreven, die weten wie ze willen zijn. We hebben nu zoveel meer te bieden, en we laten elkaar weten dat we gul met onszelf willen zijn.

Als we ons losmaken, zegt Lucas met een knikje naar de ingang: 'Sorry, maar er zit toch een grens aan wat ik met publiek erbij wil doen. Zo modern ben ik nou ook weer niet.'

'Ik ook niet,' zeg ik lachend. 'Ik ben blijven steken in... 2005, denk ik? Dat was wel mijn topjaar.'

'Het mijne ook,' zegt hij, met een hand om mijn wang. 'Georgina. God, wat heb ik je gemist. Waarom belde je niet?' Hij legt zijn handen om mijn bovenarmen. 'Je had alleen maar hoeven zeggen dat je me graag om je heen wilde, dan was ik meteen gekomen.'

'Maar jij ging terug naar Ierland!'

'Dat zei ik toen jij ernaar vroeg, zodat je wist dat ik niet... je weet wel. Om je heen zou hangen. Zou kniezen. Bij je zou spoken zoals Heathcliff. Ik nam aan dat je ook wel begreep dat ik nog vaak genoeg op en neer zou gaan tussen daar en hier. Die hele toespraak toen, over hoe krankzinnig verliefd ik op je was... Dat leek me wel genoeg aanmoediging, mocht je die nodig hebben.'

'Dat ging over twaalf jaar geleden.'

'Waarom zou het nu anders zijn? Er is niks veranderd. Of nee, dat is niet waar. Mijn gevoelens voor jou zijn nu nog veel sterker dan toen.'

We schuiven alweer dichter naar elkaar toe voor de volgende zoen, maar Lucas aarzelt. 'Om eerlijk te zijn zou één zoen op dit moment al genoeg voor me zijn om je verjaardagsfeestje te killen en je mee te sleuren naar mijn grot, en dat zou wel erg bot zijn voor je vrienden. Bewaren voor later dan maar?'

Ik geef hem lachend gelijk. Later. Ik kan niet geloven dat het nu echt van later gaat komen, maar het is toch echt zo.

Nog altijd hand in hand lopen we weer naar binnen.

'Zo te zien blijf je nog even hangen, Lucas,' zegt Rav en hij pakt een biertje en zet het Lucas voor zijn neus.

Lucas trekt zijn jas uit, posteert zich op een lege stoel – zonder mijn hand los te laten – en Clem en Jo leggen allebei een hand op zijn arm. In alle emotie is de afstand weggevallen. Een klein moment is onvoorstelbaar groot, en alles is anders.

We zijn er gekomen. Met een omweg.

De avond vordert, Lucas concentreert zich welwillend op het gesprek, en onder tafel blijft hij mijn hand vasthouden. Loslaten is geen optie. Ik vlecht mijn vingers door de zijne.

Ik kijk van opzij naar hem, en zijn donkere, geamuseerde, intelligente blik vindt de mijne.

Ik weet niet wat hij denkt, maar ik heb ontzettend veel zin om erachter te komen.

Dankwoord

Zoals het een dorp vergt om een kind op te voeden, zo komen er ook heel wat mensen kijken bij het maken van een boek, dus daar gaan we – in de hoop dat ik niemand oversla ☺. Martha Ashby, mijn redacteur, wil ik bedanken voor haar harde werk en onverslijtbare inzet om mijn boek op zijn allerbest te krijgen. Dat je twee uur met me aan de telefoon zat om verhaallijnen te bespreken is alleen al een aparte vermelding waard. Elke andere redacteur zou terecht zijn gevlucht na uiterlijk een uur van *ja, maar toch, wat dacht je anders van...* over en weer, maar jij gaf geen krimp. Ik denk toch echt dat al dat geduld zijn waarde bewijst op de bladzij. Ook het hele team bij HarperCollins wil ik bedanken, voor hun enthousiasme en hun steun. Ik voel me gezien door jullie, als dat geen te hoog "Gwyneth"-gehalte heeft; Lucy Vanderbilt: jouw goedkeuring is nu mijn raison d'être. Kun je wel hebben, toch? Applaus voor Keshini Naidoo, mijn bureauredacteur: grappig, een plezier om mee te werken en met innig respect voor teksten. Dank je wel, nogmaals.

Veel dank gaat als altijd uit naar mijn onverstoorbare agent Doug Kean van Gunn Media. Jij maakt werken leuk, om Fleetwood Mac te parafraseren.

Ik heb echt geluk dat ik in een hoek werk waar vrouwen elkaar ruimhartig 'kontjes' geven, zogezegd, dus dank jullie wel Lindsey

Kelk, Paige Toon en Giovanna Fletcher, omdat jullie absoluut de allertofste wijven zijn en zo lief zijn geweest bij mijn vorige. Ik heb jullie nog niet officieel in druk kunnen bedanken, dus deze kans grijp ik meteen!

De lezers van de eerste versie zijn altijd van meer nut dan jullie je misschien realiseren, dus bedankt Ewan McFarlane, Tara de Cozar, Sean Hewitt, Kristy Berry, Jennifer Whitehead, Katie en Fraser, Jenny Howe en Laura McFarlane (uitstekende aantekeningen! Jij gaat het nog ver schoppen, meid). En bedankt, Julian Simpson en Stuart Houghton, dat jullie mijn de facto collega's wilden zijn in die magische internetwereld en me grappen opleverden die het jatten waard waren.

Ook mijn fantastische lezers wil ik bedanken, want al is dit dan mijn vijfde keer, ik kan nog steeds mijn geluk niet op dat jullie je leestijd in mij willen investeren! Ik hoop dat ik het waard ben. (Shout-out naar Kay Miles, altijd leuk om iets van je te horen.)

Mijn dank aan al mijn vrienden en familieleden die me onbekommerd hun anekdotes laten gebruiken, me met beide benen op de grond houden en zich erbij neerleggen dat ze me rond een deadline nauwelijks zien, zonder zich te beklagen. (Al zou het ook heel goed een pre kunnen zijn.)

Als laatste, omdat je de beste bent: dank je wel, Alex, voor je onuitputtelijke geloof in, en steun aan mij. Ik ben echt niet de héle tijd dat ik schrijf opgefokt en doorgedraaid en nog niet aangekleed om drie uur 's middags, geef toe.